CENT ÉLÉPHANTS SUR UN BRIN D'HERBE

DALAÏ-LAMA

CENT ÉLÉPHANTS SUR UN BRIN D'HERBE

Enseignements de sagesse

TRADUIT DE L'AMÉRICAIN
ET PRÉSENTÉ PAR LISE MÉDINI

ÉDITIONS DU SEUIL
27, rue Jacob, Paris VIe

Titre original : *Kindness, Clarily and Insight,*
édité par Snow Lion Publications, Ithaca, NY, USA
ISBN original : 0-937938-18-1

ISBN 2-02-011568-9

Dalaï-Lama, prière pour que naisse et s'accroisse l'élan de l'éveil :

« Que l'aspiration précieuse à l'éveil naisse partout où elle n'est pas, et qu'elle aille croissant, sans jamais se dégrader, là où elle existe déjà. »

Présentation

A la requête d'universités et de divers instituts des États-Unis d'Amérique et du Canada, Tenzin Gyatso, le quatorzième Dalaï-Lama, l'un des sages de notre temps, prend la parole pour faire connaître aux Occidentaux les fondements de la pensée bouddhiste.

L'exil des Tibétains qui ont préféré à la « libération » imposée par leurs voisins celle qu'enseigne le Bouddha, la nécessité de répandre leurs connaissances vouées sans cela à l'extinction, la demande croissante des Occidentaux en quête de quiétude mentale, telles sont les raisons qui ont déterminé le maître spirituel des Tibétains à lever le secret sur des méthodes de méditation permettant d'éveiller, d'assainir et de libérer l'esprit.

Depuis des siècles, ces techniques donnent d'évidentes preuves de leur efficacité. Le Dalaï-Lama les explique ici en détail et souligne leur valeur inestimable. Elles sont l'aboutissement de recherches expérimentales, systématiquement menées à partir de l'illumination du Bouddha par les grands pandits indiens.

C'est d'eux que les Tibétains reçoivent, dès le VIIe siècle, les instructions orales, les initiations et les grands textes qui seront traduits en tibétain dans leur intégralité. A leur tour, les lamas initiés poursuivent la recherche. Ils l'enrichissent de leur culture, de leurs expériences, transmettant les techniques de bouche à oreille et l'inspiration d'être à être. Aucune rupture dans les lignées de transmission ne viendra interrompre le courant d'énergie de cette sagesse depuis sa source jusqu'à nos jours. C'est à cela qu'elle doit d'être restée authentique et vivante.

Sur le ton chaleureux et confidentiel qui lui est naturel même en présence de nombreux interlocuteurs, le Dalaï-Lama nous livre au passage le fruit de sa réflexion sur l'homme, l'environnement, la société, les institutions, la politique, les religions, au terme de ce IIe millénaire.

Simples, sans détour, ses propos convergent en un faisceau puissant, balayant la scène du monde, tel un phare destiné à prévenir des écueils, dans un appel pressant à la paix. Et qui ne la souhaite ?

Mais la loi du karma – la causalité – est incontournable. Du rêve d'abondance et de confort que notre modernité nous a fait miroiter à la crise mondiale prometteuse de lendemains qui grincent, il n'y avait qu'un pas. Il nous a vus le franchir. Se refusant à être alarmiste, il invoque notre bon sens, nous rappelant qu'il vaut mieux prévenir que guérir.

Mais que propose-t-il ? « Quel est votre secret ? » lui demandent les journalistes du monde entier. Et comment ne pas s'étonner que trente ans d'exil et d'adversité n'aient pu entamer sa sérénité, son infatigable énergie, sa bonne humeur, sa compassion sans bornes. Son secret, il ne demande qu'à le partager avec chacun, et ses paroles sont la réponse qu'il apporte à cette question.

Il nous invite à nous pencher sur nous-mêmes, à entrer en contact intime avec ce qui nous éclaire constamment de l'intérieur – la conscience la plus subtile, l'esprit de pure clarté connaissante –, à nous faire attentifs au murmure de la sagesse immémoriale, à nous arracher du rêve brumeux que nous appelons vie. Afin de nous éveiller, il nous secoue, nous pince même un peu, avec sa compassion légendaire.

Mais chacun sait que les légendes ont des racines profondes dans le réel, et si le nom de Dalaï-Lama signifie « océan de sagesse », son regard est, pour ceux qui le croisent, plus éclairant qu'on ne saurait le dire sur ce qu'exprime le mot compassion. Aux yeux des Tibétains, c'est cela qu'il incarne. Ils n'idolâtrent pas un dieu vivant, ils se prosternent devant un cœur aimant.

Sagesse, compassion... : des termes qu'un Occidental se défend de prononcer sur des gradins d'université – sauf en référence au passé –, de peur de perdre tout crédit aux yeux de ses contemporains.

Pour le Dalaï-Lama, ce sont des mots clefs : sur le toit du monde, ils ont fait envoler tant d'esprits vers le pic de l'Éveil !

Amour, compassion, sagesse... : il le dit, le répète sur tous les tons, comme s'il fallait trouver celui qui convient à chaque être, celui qui se fraiera un chemin jusqu'à l'oreille la plus dure, jusqu'au cœur le plus serré dans sa gangue de crainte et de désir. Ce moine, dont les yeux pleins de rires ne peuvent dissimuler l'abondance qui nous fait si tristement défaut, arpente délibérément le monde comme une pancarte vivante, montrant sa face de compassion, son revers de sagesse, et promouvant la paix.

Mais que nul ne s'y trompe. Cet homme-là n'a rien à vendre. Il s'offre à partager. Mais y a-t-il quelqu'un pour prendre ?

Les chemins de la sagesse et de la miséricorde sont des plus exigeants. Ils demandent, au-delà de la curiosité, un profond investissement, du sérieux dans la recherche du vrai et la sensibilité d'un cœur pleinement attentif à la peine d'autrui.

Ces deux courants d'amour et d'intelligence émanant de la nature fondamentale de la conscience doivent s'unifier, masculin féminin parfaitement réconciliés, afin que le moi puisse se fondre dans ce qui le dépasse et réintégrer sa dimension universelle. Sagesse et compassion s'unissent dans la pratique du tantra. L'efficacité des moyens auxquels cette méthodologie fait appel témoigne d'une connaissance profonde de la psyché. Ils constituent les étapes d'un processus d'entraînement progressif au terme duquel le chercheur abandonne ce qui le distingue en le limitant, pour épouser une autre dimension de la conscience, celle que l'on appelle l'état de Bouddha. Ayant rejoint sa sphère naturelle, il a atteint le port où s'achève la douloureuse errance. La réalité est son unique foyer.

Le langage de l'enseignement oral traditionnel du bouddhisme tantrique tibétain peut déconcerter au premier abord, en particulier quand il traite de la vue du réel. Le lama tourne autour du sujet en se rapprochant insensiblement du centre, de façon à amener pas à pas l'esprit à embrasser ce qui reste après qu'il a éliminé le faux. Les répétitions ne devraient pas nous impatienter, mais nous permettre de récapituler et d'assimiler les points marquants du processus enseigné.

Lorsqu'on s'initie à cette culture, il ne faut pas perdre de vue que ce que nous appelons le monde phénoménal s'appelle ici le *samsara,* qui signifie tourner en rond. C'est la ronde sans fin de l'existence cyclique : naissance, croissance, déclin, mort – simple perte de la conscience du monde – et renaissance – ou retour à la conscience du monde.

La réalité relative opérant en termes de causes et d'effets, toute démarche dans ce domaine consiste à agir mentalement, verbalement et physiquement de façon à créer les causes afin d'obtenir l'effet recherché et à éviter celles qui sont prometteuses de souffrances à venir.

L'existence inhérente à la personne et aux choses étant considérée par rapport à la vision correcte comme une pure fiction, le langage évite d'entretenir l'idée d'un moi qui posséderait « son » esprit et son corps. On dit plutôt : l'esprit connaît la peur ou bien telle émotion se manifeste à la conscience. De même, le corps souffre ou jouit, mais l'observateur témoin de ces événements ne s'identifie ni aux émotions qui agitent l'esprit ni aux sensations qui affectent le corps.

Par définition, l'ultime réalité ne peut se traduire dans le langage conventionnel adapté à la pensée duelle. On ne décrit pas le vrai : on ne peut que l'être. On n'affirme pas l'« existant », on dénonce le « non-existant ».

Je me suis efforcée dans cette traduction de respecter les partis pris de langage et l'expression orale de ces enseignements, mais ce travail reste évidemment perfectible – la terminologie se cherche encore un peu partout en Occident. Ces enseignements ont été pour moi une source constante de joie et d'inspiration ; puisse-t-il en être de même pour le lecteur.

Je rends hommage à Sa Sainteté le Dalaï-Lama, à lama Thubten Yéshé, à lama Thubten Zopa Rinpoché et à tous les excellents maîtres dont les conseils et les instructions m'ont été infiniment précieux. Et je remercie tous ceux qui ont rendu ce travail possible : Christian Valls, Philippe Penot, Édith Sanières, Victoria Médini, Marie-Annette Pujeot, Laurence Thibeault, Colette Brahy, Véronique Antoine, Roxanne Balaban, Isabelle Cler et les membres de l'institut Vajra Yogini et de l'école de méditation Kalachakra.

Lise Médini

Discours du prix Nobel *

C'est un honneur et un plaisir d'être aujourd'hui parmi vous. Je suis vraiment heureux de retrouver tant de vieux amis venus des quatre coins de la terre et je me réjouis d'en connaître de nouveaux que j'espère bien revoir à l'avenir. Tous ceux que je rencontre un peu partout dans le monde me font sans cesse rappeler que nous sommes semblables : des êtres humains. Il arrive que nos habits, la couleur de notre peau, nos langues soient différents. Tout cela reste superficiel. Au fond, nous sommes tous des êtres humains. C'est ce qui nous relie, nous permet de nous comprendre et de nous rapprocher.

Après m'être interrogé sur le sujet dont j'aurai à vous entretenir aujourd'hui, j'ai choisi de vous faire partager quelques-unes de mes réflexions sur les problèmes qui nous concernent tous en tant que membres de la même famille humaine. Le fait d'avoir à cohabiter sur cette petite planète qu'est la Terre nous impose d'apprendre à y vivre en paix tous ensemble, en harmonie avec la nature, et il ne s'agit pas d'un rêve mais d'une nécessité.

Nous dépendons les uns des autres à tellement d'égards qu'il n'est plus possible de vivre dans l'isolement et l'ignorance de ce qui se passe à l'extérieur. Nous devons nous entraider dans les difficultés et le malheur, et mettre en commun les privilèges dont nous jouissons. Je m'adresse à vous comme n'importe quel être humain, comme un simple moine. Si mes paroles vous semblent profitables, alors j'espère que vous essaierez d'en faire bon usage.

* Prononcé en décembre 1989 lors de la remise du prix Nobel de la paix *(NdE)*.

Je voudrais également aujourd'hui vous faire part de mes sentiments sur la condition et les aspirations du peuple tibétain. Ce prix Nobel est une distinction qu'il a mérité par le courage et la détermination dont il a fait preuve, sans jamais s'en départir, durant quarante années d'occupation étrangère. Il est de mon devoir, en tant que porte-parole en liberté de mes compatriotes captifs, de faire entendre leur voix.

Je parle ici sans colère et sans haine envers les responsables de l'immense souffrance de mon peuple et de la destruction de notre patrie, de nos foyers, de notre culture. Ils sont aussi des êtres humains qui luttent pour s'assurer une vie heureuse et ils ont droit à notre compassion.

Si je tiens tant à vous informer de la triste situation actuelle de mon pays et des aspirations de mon peuple, c'est parce que, dans notre combat pour la liberté, la seule arme que nous détenons est la vérité.

Prendre conscience que, fondamentalement, nous sommes tous des êtres humains en quête de bonheur et en refus de la souffrance favorise le développement du sens de la fraternité, de l'amour et de la compassion. Cela est un point vital si nous voulons survivre dans ce monde qui se réduit de jour en jour.

Si nous ne recherchons que notre satisfaction personnelle et ce que nous prenons pour notre propre intérêt sans nous soucier d'autrui, non seulement nous ferons souffrir les autres, mais, pour finir, nous en souffrirons aussi. Ce siècle en a fait la preuve.

Nous savons qu'une guerre nucléaire constituerait aujourd'hui une forme de suicide collectif, que, lorsque nous polluons l'air et les mers pour un profit à court terme, nous détruisons la base même de notre survie.

Les individus comme les nations sont devenus de plus en plus interdépendants ; nous n'avons donc d'autre choix que de développer ce que j'appelle le sens de la responsabilité universelle.

Aujourd'hui, nous constituons une famille à part entière. Ce qui advient en un point du monde peut tous nous affecter. Cela, bien entendu, est valable aussi bien dans le sens positif que négatif.

Non seulement nous sommes informés de tout ce qui se passe

ailleurs, grâce à nos extraordinaires moyens de communication, mais cela nous touche directement. Nous sommes profondément bouleversés quand des enfants meurent de faim en Afrique de l'Est et nous nous réjouissons de la joie des familles réunies après des années de séparation lors de la chute du mur de Berlin.

Lorsqu'un accident nucléaire survient dans un pays éloigné du nôtre, nos ressources et nos récoltes sont contaminées, notre vie et notre santé menacées. Et lorsque la paix est conclue entre des pays en guerre sur un autre continent, c'est notre propre sécurité qui s'en trouve renforcée.

Cependant, guerre ou paix, destruction ou protection, violation ou valorisation des droits humains et des libertés démocratiques, misère ou bien-être matériel, absence d'éthique et de valeurs spirituelles ou leur existence et leur développement, décadence ou enrichissement des connaissances humaines... : autant de phénomènes qui ne sont en rien isolés et ne peuvent être abordés et analysés indépendamment les uns des autres. Au contraire, ils interagissent à tous les niveaux et il faut les appréhender avec cette conscience.

La paix considérée comme absence de guerre a peu de sens pour celui qui meurt de faim ou de froid. Elle ne soulagera pas la douleur des tortures infligées à un prisonnier politique. Elle ne consolera pas ceux qui ont perdu des êtres chers lors des inondations causées par le déboisement dans un pays voisin.

La paix peut régner là où les droits de l'homme et de la femme sont respectés, là où les peuples sont nourris et là où individus et nations sont libres.

La véritable paix, avec soi-même et le monde environnant, ne peut exister que si elle est cultivée dans nos esprits. Et les difficultés évoquées précédemment sont tout aussi liées à notre attitude individuelle. Ainsi, que valent un environnement sain, l'opulence ou la démocratie face à la guerre et particulièrement la guerre nucléaire ! Il ne suffit pas d'améliorer les conditions matérielles de vie pour que le monde soit heureux, nous le voyons bien.

Certes, le progrès matériel est important pour l'évolution humaine. Au Tibet, nous nous sommes très peu penchés sur les questions d'économie et de technologie. Aujourd'hui, nous mesurons quelle erreur ce fut. En revanche, un développement matériel sans évolution spirituelle est tout aussi risqué.

Il existe des pays qui consacrent toute leur attention aux conditions extérieures et très peu au développement intérieur.

Je crois que les deux démarches sont importantes et doivent aller de pair afin de nous conduire à un bon équilibre.

Les étrangers parlent toujours des Tibétains comme d'un peuple jovial et d'un naturel heureux. C'est l'un de nos traits de caractère hérité de nos valeurs culturelles et religieuses ; elles exaltent l'importance de la quiétude engendrée par l'amour et la bonté envers tout ce qui vit, sans oublier les animaux. La paix intérieure en est la clef : quand vous la détenez, aucun problème au monde n'a le pouvoir d'entamer votre sérénité. Dans cet état d'esprit, vous pouvez faire face aux situations avec calme et raison tout en préservant votre joie intérieure. C'est fondamental. Sans cette paix profonde, quel que soit le confort matériel de votre vie, vous donnerez toujours prise aux circonstances extérieures et vous en souffrirez.

Il est donc de la plus grande importance de comprendre cette interrelation constante entre les phénomènes intérieurs et extérieurs, et d'en tenir compte afin de résoudre les conflits. Efforçons-nous de maintenir un juste équilibre entre ces différentes nécessités.

Certes, ce n'est pas une tâche facile. Mais si, pour résoudre un problème, il faut en créer un nouveau, l'intérêt est bien faible. En vérité, il n'y a pas d'alternative : nous devons acquérir le sens de la responsabilité universelle, non seulement d'un point de vue géographique, mais aussi par rapport aux nombreux enjeux qui s'affrontent sur notre planète.

La responsabilité n'incombe pas uniquement aux chefs d'État ou à ceux qui ont été élus pour une fonction déterminée. Nous sommes tous, personnellement, responsables, et il appartient à chacun de nous de faire régner la paix. Elle commence à l'intérieur. On peut ensuite l'étendre à ses voisins et, de proche en proche, aux autres pays. Lorsque nous témoignons de l'amour et de la sollicitude envers nos semblables, ils y sont tout à fait sensibles, mais nous y trouvons nous-mêmes une joie et une sérénité accrues. Il existe des voies pour éveiller l'amour et la bonté. Pour certains d'entre nous, la plus sûre est celle de la pratique religieuse. D'autres empruntent des voies laïques. Ce qui importe est que chacun engage sérieusement sa responsabilité envers son prochain et envers l'environnement.

Je trouve que les progrès sont encourageants dans ce domaine. Dans de nombreux pays et tout particulièrement dans le Nord de l'Europe, les revendications des jeunes pour mettre fin à la destruction de l'environnement – consentie au nom du développement économique – ont porté leurs fruits : un peu partout dans le monde, les responsables politiques commencent à mettre en œuvre des programmes d'action par rapport à ce problème.

Le rapport remis au secrétaire général des Nations unies par la Commission internationale de l'environnement et du développement (le rapport Brundtland) a marqué une étape déterminante dans la prise de conscience par les gouvernements de l'urgence de la situation. A la suite de sérieux efforts en faveur de la paix dans des zones en guerre et pour le droit à l'autodétermination des peuples, les Soviétiques ont retiré leurs troupes d'Afghanistan et la Namibie a accédé à l'indépendance.

Grâce à la détermination non violente de leur peuple, de nombreux pays, comme les Philippines et l'Allemagne de l'Est, ont vu leur situation changer de façon spectaculaire au profit d'un État proche de la démocratie. Avec la guerre froide qui semble toucher à sa fin, l'espoir renaît. Malheureusement, l'entreprise courageuse du peuple chinois pour instaurer la démocratie dans son pays a été brutalement réprimée en juin dernier. Leur tentative reste porteuse d'espoir. La mainmise militaire n'a pas étouffé le désir de liberté du peuple chinois ni entamé sa volonté de la conquérir. J'admire tout particulièrement le fait que ces jeunes Chinois, éduqués dans la devise du « pouvoir au bout du fusil », aient choisi comme arme la non-violence.

Ce que nous enseignent ces changements positifs, c'est que la raison, le courage, la détermination et le désir inextinguible de liberté peuvent triompher. Dans le combat qui oppose les forces de guerre, de violence, d'oppression aux forces de paix, de raison, de liberté, la victoire revient aux dernières. C'est ce qui nous fait garder l'espoir, à nous Tibétains, qu'un jour nous retrouverons aussi la liberté.

Ce prix Nobel qui m'est décerné ici en Suède, à moi, simple moine issu du lointain Tibet, représente également un immense espoir pour les Tibétains. Cela signifie que, bien que nous n'ayons pas cherché à attirer l'attention sur notre condition par des moyens violents, nous n'avons pas été oubliés. Cela montre aussi que les valeurs qui nous sont chères, particulièrement notre respect pour toutes les formes de vie et la foi dans le pouvoir de la vérité, sont aujourd'hui reconnues et encouragées. C'est également un hommage à mon guide, le mahatma Gandhi, dont l'exemple reste pour beaucoup d'entre nous une source d'inspiration.

Cette année, le choix du jury est symbolique des progrès accomplis dans le sens de la responsabilité universelle. Je suis profondément ému de découvrir que tant d'hommes et de femmes dans cette partie du monde compatissent à la souffrance du peuple tibétain. C'est une source d'espoir non seulement pour nous, mais pour tous les peuples opprimés.

Comme vous le savez, le Tibet vit depuis quarante ans sous occupation étrangère. Aujourd'hui, plus de 250 000 soldats chinois sont basés au Tibet. Certaines sources d'information estiment que l'armée d'occupation représente le double de ce chiffre. Depuis tout ce temps, les Tibétains ont été privés des droits les plus élémentaires, y compris le droit à la vie, à la libre circulation, à la liberté d'expression, pour n'en citer que quelques-uns. Plus d'un sixième de la population, qui s'élevait jadis à 6 millions, a été massacré au cours de l'invasion et de l'occupation chinoises.

Avant même le début de la Révolution culturelle, nombre de monastères, de temples et de monuments furent détruits au Tibet. Le reste fut anéanti durant la Révolution culturelle. Je ne souhaite pas m'étendre sur ces faits déjà bien établis par des documents. Toutefois, il importe de savoir que, en dépit de la liberté limitée, accordée après 1979, de reconstruire en partie quelques monastères et en dépit de quelques autres mesures de libéralisation instaurées, les droits fondamentaux de l'homme et de la femme sont systématiquement violés aujourd'hui au Tibet. Durant ces derniers mois, la situation a encore empiré.

Si notre communauté en exil n'avait pas été si généreusement accueillie, soutenue par le gouvernement et le peuple indiens et aidée par des individus et des organisations internationales, il ne resterait de notre pays guère plus que des ruines et quelques échantillons d'une population. Notre culture, notre religion, notre identité nationale auraient déjà été effacées. Tant bien que mal, nous avons construit des écoles et des monastères en exil, nous avons créé des institutions démocratiques pour servir notre peuple et préserver les germes de notre civilisation. Forts de cette expérience, nous nous proposons d'instaurer une démocratie pleine et entière dans un futur Tibet libre. Autant nous adoptons en exil des modes de vie modernes, autant nous chérissons et préservons notre identité ainsi que notre culture et, par là même, soutenons l'espoir de millions de compatriotes.

Mais le problème le plus préoccupant est l'afflux massif de colonies chinoises de peuplement au Tibet. Déjà, au cours des premières décennies de l'occupation, un nombre considérable de Chinois a été transféré dans les régions orientales du pays : les provinces tibétaines d'Amdo (Qinghai) et du Kham (dont la plus grande partie fut annexée par les provinces chinoises voisines). Mais, depuis 1983, on assiste à un déferlement. Les Chinois sont incités par leur gouvernement à occuper l'ensemble du territoire tibétain, que le Parti communiste chinois appelle dérisoirement la Région autonome du Tibet. Les Tibétains se réduisent de plus en plus à une minorité insignifiante dans leur propre pays. Ce processus qui menace la survie même de la nation tibétaine, avec sa culture et son patrimoine spirituel, peut encore être arrêté et inversé. Mais c'est maintenant qu'il faut agir ; après, il sera trop tard.

Le nouvel engrenage de manifestations et de répressions qui s'est enclenché au Tibet depuis septembre 1987 et qui a culminé avec l'instauration, en mars de cette année, de la loi martiale à Lhassa était surtout une réaction à ce gigantesque afflux de Chinois. Les informations qui nous parviennent indiquent que les marches de protestation et autres formes pacifiques de contestation se poursuivent à Lhassa et dans de nombreuses parties du pays, et ce malgré une sévère répression et des traitements inhumains infligés aux Tibétains qui ont osé exprimer leur mécontentement. Le chiffre des Tibétains tués par les forces de sécurité au cours de la marche de protestation de mars, ou morts en détention à la suite de cette manifestation, ne nous est pas connu, mais on l'estime à plus de deux cents. Pour des milliers d'autres, arrêtés et emprisonnés, la torture est monnaie courante.

Par rapport à ce sombre bilan d'une situation de jour en jour plus préoccupante et pour prévenir de nouveaux bains de sang, j'ai proposé ce que l'on nomme le « plan de paix en cinq points », pour restaurer la paix et les droits de l'homme et de la femme au Tibet. J'en ai exposé le principe l'année dernière à Strasbourg. Je considère que ce plan fournit une base de négociations raisonnable et réaliste avec la République populaire de Chine. Jusqu'ici, les responsables chinois ont refusé de répondre de façon constructive. La répression brutale du mouvement démocratique chinois en juin de cette année confirme mon opinion que toute solution au problème du Tibet passe par des garanties internationales.

Le plan de paix en cinq points aborde les questions majeures et interdépendantes que j'ai évoquées au début de cette intervention. Il appelle :

– premier point, à la transformation de l'ensemble du territoire tibétain, y compris les provinces orientales du Kham et de l'Amdo, en une zone d'*ahimsa* (non-violence) ;

– deuxième point, à l'abandon par la Chine de sa politique de transfert de populations ;

– troisième point, au respect des droits de l'homme et de la femme et des libertés démocratiques ;

– quatrième point, à la restauration et à la protection de l'environnement naturel ;

– cinquième point, à l'amorce de négociations sérieuses portant sur le futur statut du Tibet et les relations entre les peuples tibétain et chinois.

Lors de ma communication à Strasbourg, j'ai proposé que le

Tibet devienne une entité politique totalement indépendante et démocratique.

J'aimerais saisir l'occasion présente pour expliquer le concept de zone d'*ahimsa,* ou sanctuaire de la paix, qui constitue le point clef du plan de paix en cinq points. Je suis convaincu qu'il est fondamental non seulement pour le Tibet, mais également pour la paix et la stabilité en Asie.

Mon rêve est que le plateau tibétain devienne un libre refuge où l'humanité et la nature puissent cohabiter en paix et en harmonie. Ce serait un lieu où de partout on viendrait chercher le vrai sens de la paix à l'intérieur de soi-même, loin des tensions et des pressions communes à la plupart des pays. Le Tibet pourrait devenir un centre créateur et promoteur de la paix. Voici maintenant les éléments essentiels pour constituer la zone d'*ahimsa* proposée :

– la démilitarisation de tout le plateau tibétain ;

– l'interdiction de fabriquer, d'expérimenter et d'entreposer des armes nucléaires ou de tout autre type sur le plateau tibétain ;

– la transformation du plateau tibétain en parc naturel le plus grand du monde ou en biosphère. Des lois strictes seront édictées pour protéger les animaux sauvages et la végétation. L'exploitation des ressources naturelles sera réglementée soigneusement afin de respecter l'écosystème existant. Une politique d'aide au développement sera mise en œuvre dans les régions peuplées ;

– l'interdiction de fabriquer et de se servir de l'énergie atomique et des technologies qui produisent des déchets nuisibles ;

– l'orientation de la politique et des ressources nationales en faveur de la promotion active de la paix et de la protection de l'environnement. Les organisations qui se consacrent au maintien de la paix et à la protection de toutes les formes de vie trouveront l'hospitalité au Tibet ;

– l'établissement de structures régionales et internationales destinées à la promotion et à la protection des droits de l'homme et de la femme sera encouragé.

La superficie du Tibet (identique à celle de la Communauté européenne) et son altitude, autant que son héritage spirituel et historique unique, en font le lieu tout désigné d'un sanctuaire de paix en un point stratégique au cœur de l'Asie. C'est la vocation même du Tibet, traditionnellement bouddhiste et non violent, que de constituer un pays tampon entre les grandes forces souvent rivales du continent asiatique.

Pour réduire les tensions actuelles en Asie, le président de l'Union soviétique, M. Gorbatchev, a proposé la démilitarisation des frontières sino-soviétiques et leur transformation en « une frontière de paix et de bon voisinage ». Auparavant, le gouvernement népalais avait déjà envisagé, en tant que pays himalayen frontalier avec le Tibet, de devenir une zone de paix, mais la démilitarisation du Népal ne faisait pas partie de la proposition.

Il est essentiel, pour la paix et la stabilité en Asie, de créer des zones de paix entre les grandes puissances qui s'opposent dans le continent. La proposition du président Gorbatchev, qui mentionnait un retrait total des troupes soviétiques de Mongolie, aiderait à réduire les tensions ainsi que les possibilités d'affrontements entre l'Union soviétique et la Chine. Pareillement, une authentique zone de paix doit être créée pour séparer les deux pays les plus peuplés du monde, la Chine et l'Inde.

L'établissement de la zone d'*ahimsa* exigerait le retrait des troupes et des installations militaires du Tibet, ce qui permettrait à l'Inde et au Népal de retirer leurs troupes et leurs installations militaires des régions himalayennes frontalières avec le Tibet. Cela serait réalisable dans le cadre d'accords internationaux. Tous les États d'Asie en bénéficieraient largement, en particulier la Chine et l'Inde. Leur sécurité s'en trouverait renforcée et leur économie aurait moins à souffrir de la lourde charge que représente l'entretien de troupes en des régions aussi reculées.

Le Tibet ne serait pas la première aire stratégique à être démilitarisée. Ainsi, dans la péninsule du Sinaï – le territoire égyptien séparant Israël de l'Égypte –, il y a eu de larges régions démilitarisées. Bien sûr, le meilleur exemple d'un pays complètement démilitarisé est celui du Costa Rica.

Le Tibet ne serait pas non plus le premier territoire à être transformé en parc naturel. Nombreux sont ceux qui ont été créés de par le monde. Certaines régions stratégiques sont devenues des « parcs de la paix ». Il en est deux exemples : celui de l'Amistad Park, à la frontière entre le Costa Rica et le Panama ; et le projet du Si A Paz, à la frontière du Costa Rica et du Nicaragua.

Lors de ma visite au Costa Rica au début de cette année, j'ai constaté comment un pays peut prendre son essor sans armée et devenir une démocratie stable tournée vers la paix et la protection de l'environnement. Cela a renforcé ma conviction que ma vision de l'avenir du Tibet se fonde sur un plan réaliste et non sur du rêve.

Je terminerai par des remerciements que j'adresse personnellement à vous tous et aux amis qui ne sont pas parmi nous aujourd'hui. L'intérêt et le soutien que vous avez apportés à la cause tibétaine nous touchent profondément et constituent un encouragement dans notre lutte pour la liberté et la justice : un combat que nous menons avec les seules armes de la vérité et de la volonté. Je sais que je parle au nom de mon peuple lorsque je vous remercie et vous demande de ne pas oublier le Tibet en ces temps critiques de son histoire. Nous espérons contribuer à l'instauration d'un monde de paix plus humain et plus beau – le futur Tibet libre n'aura de cesse d'offrir son aide à ceux qui en ont besoin et d'œuvrer en faveur de la protection de la nature et de la paix.

Je suis convaincu que notre aptitude à joindre des qualités spirituelles à des comportements réalistes peut représenter un apport, peut-être modeste mais non négligeable, à l'avenir du monde. Tel est mon vœu et ma prière.

Pour conclure, je souhaiterais partager avec vous une courte prière qui est pour moi source d'inspiration et de force.

Tant que dure l'espace,
Tant que vit un seul être,
Puissé-je également demeurer tout ce temps
Pour mettre fin aux souffrances du monde.

Merci.

Le droit au bonheur *

La génération actuelle connaît un développement considérable, en particulier sur le plan matériel, mais parallèlement, notre société est en crise et nous devons faire face à de sérieux problèmes.

Il en est qui nous sont étrangers, dont les causes sont hors de notre portée, les catastrophes naturelles par exemple : ceux-là, nous ne pouvons les éviter. En revanche, beaucoup d'autres problèmes pourraient nous être épargnés puisque nous ne les devons qu'à nos traits de caractère défectueux, à ce douloureux manque qui nous habite : ceux-là, j'estime qu'ils sont superflus. Leurs causes étant de notre ressort, il ne tient qu'à nous de rectifier notre attitude pour qu'ils n'aient plus aucune raison d'être.

A quoi tiennent les conflits? Le plus souvent à des divergences idéologiques, malheureusement parfois alimentées par les différentes fois religieuses. C'est dire toute l'importance d'une juste attitude.

Bien des philosophies ont vu le jour. Quant à moi, je considère que la compassion est la base, le support souverain de l'humanité. Cette qualité éminente qui incline à aimer son prochain, à le secourir quand il souffre, à s'oublier pour lui est une aptitude que l'homme seul est en mesure d'éveiller. Quand il s'y emploie, sa bonté, son comportement chaleureux et ses qualités de cœur s'expriment. Il est le premier à en être heureux. Ses proches, sensibles à l'atmosphère paisible et sympathique qu'il fait régner

* Conférence à Constitution Hall.

autour de lui, en bénéficient tout autant. Mais ce type d'expérience peut ne pas s'arrêter là et s'étendre au-delà de ce cercle. On peut communiquer ainsi d'individu à individu, entre concitoyens, de pays à pays, de continent à continent.

La méthode qui permet de se mettre au diapason de cet agréable mode de communication fait appel à la fois à la réflexion analytique et à la méditation. Elle se fonde sur un principe de base : la compassion, la sollicitude envers l'autre.

Mais l'autre ne va pas sans « moi », et, selon le point de vue conventionnel, ce moi est indéniable. Nous en avons une authentique sensation, ancrée au plus profond de nous, qui se traduit par : « Je veux ceci », « Je ne veux pas cela ». Ce sentiment d'être soi se manifeste très naturellement à nous et s'accompagne tout aussi spontanément d'un désir de bonheur et d'une répulsion pour la souffrance; ce qui est non seulement naturel, mais juste. Nous désirons être heureux, nous ne voulons pas souffrir : c'est parfaitement légitime. Nous n'avons même pas à nous en justifier.

A ce titre, nous avons droit au bonheur et à ne pas souffrir.

« Ce sentiment naturel, ce droit au bonheur m'appartiennent donc au même titre qu'à tous? » me direz-vous. Une chose diffère : lorsque vous dites « moi », cela ne concerne qu'une personne, quand il s'agit de « tous », des myriades d'êtres vivants sont en cause.

Pour que cela ne demeure pas abstrait, il convient de méditer en brossant mentalement le tableau suivant. Imaginez d'un côté votre moi, qui jusqu'à présent ne s'est soucié que de ses intérêts propres. De l'autre, une foule d'êtres vivants à perte de vue. Au centre, vous, le troisième acteur, observant de part et d'autre.

N'y a-t-il pas des deux côtés une même aspiration à être heureux? Une même répugnance à souffrir?

N'ont-ils pas tous également le droit d'obtenir satisfaction? Incontestablement! Mais, quand on est motivé par l'amour de soi, on estime que rien n'est plus important que soi-même. Cependant, si grande soit la valeur que l'égoïste s'accorde, il ne représente qu'une seule personne, et, si peu qu'il en reconnaisse aux autres, ceux-ci forment une multitude.

L'observateur impartial ne saurait contredire une telle évidence. Reconnaissant sans peine que le plus grand nombre représente infiniment plus qu'un seul, il réalise mieux quelle peut être la valeur d'autrui par rapport à lui-même.

Alors il en vient à la question suivante : vais-je utiliser les autres pour qu'ils servent mes propres fins? Tous au profit d'un seul, ce ne serait pas équitable, et, même si c'était possible, cela ne suffirait pas à me rendre heureux. Et si je faisais de moi l'instrument de leur bonheur? Il est juste de mettre ses capacités et le meilleur de soi au service de tous. C'est une source de grande joie. Si vous persévérez dans cette attitude, avec cette logique de pensée, vous verrez que la compassion, l'amour d'autrui iront croissant. Vous pourrez même l'étendre à vos ennemis. Ce que l'attachement rend d'ordinaire impossible. Car, pour vos proches, vos parents, vos enfants, vous éprouvez sans nul doute de l'amour, mais c'est parce qu'il s'agit de « votre » mère, de « votre » père, de « vos » enfants, et que vous les chérissez. Quand l'amour est lié à l'attachement, on est incapable d'aimer ceux qui se montrent hostiles à notre égard. Nous sommes alors encore trop attachés à notre intérêt personnel.

Tout autre est le sentiment né de la claire reconnaissance de ce que représente la vie sous toutes ses formes, de ce qui lui est dû. A partir de là, l'amour est assez vaste pour n'exclure personne, pas même l'ennemi.

Dans cette progression, il est indispensable de développer la tolérance et la patience. Et qui, sinon l'ennemi, peut nous donner l'occasion d'en faire preuve? Nos parents? Nos maîtres? Ils ne sont pas les mieux placés pour cela. Notre adversaire, lui, réussit à nous l'inculquer. Accordons-lui ce mérite : en la matière, il n'est pas de meilleur maître! L'ami, le maître le plus remarquable sont, de loin, moins empressés.

A maintes reprises, j'ai pu constater que les périodes les plus pénibles de l'existence sont aussi les plus enrichissantes, tant en connaissance qu'en expérience. Aussi longtemps que la vie ne nous malmène pas, la progression est aisée, tout en douceur, et c'est parfait. Mais que viennent les mauvais jours, et l'on tombe dans le désespoir et la dépression. Pourtant, c'est justement dans l'adversité que l'occasion nous est donnée d'apprendre. C'est alors que se forgent la force intérieure, la détermination, le courage pour affronter l'épreuve. Qui nous offre cette opportunité? Notre ennemi.

Cela ne veut pas dire que l'on doive s'incliner devant lui. En fait, suivant les procédés qu'il emploie, on peut être amené à une épreuve de force. Mais, tout au fond de soi, on ne doit ni perdre son calme ni oublier la compassion. C'est tout à fait possible!

Vous pensez peut-être : « Là, le Dalaï-Lama exagère! » Nullement. Vous pouvez en faire l'expérience et en juger par vous-même. Rien ne mérite mieux nos efforts que de développer cette force d'amour. Je l'ai dit, je le répète, c'est là le principal message de la religion. En ce domaine, plutôt que de vous en tenir à des débats philosophiques, attelez-vous à cette compassion qui en est l'essence véritable. On peut se dire bouddhiste lorsqu'on s'efforce de faire croître cette ouverture, de pratiquer cette vertu, même si l'on ne met pas le Bouddha sur un piédestal. C'est très bien ainsi. Quelle que soit votre religion, ne vous laissez pas arrêter par des questions philosophiques. Je vous le dis dans votre intérêt, accordez la priorité à ce qui est vraiment essentiel à votre vie quotidienne. A cet égard, bouddhisme, christianisme et autres religions diffèrent peu. Toutes ont à cœur le progrès de l'homme, la fraternité et l'amour. Ces objectifs leur sont communs. Prenez-en l'essentiel et vous constaterez bien peu de désaccord entre elles.

A propos du nirvana sur lequel on s'interroge parfois, mon sentiment est que cette question n'est pas la plus urgente. Si vous menez au fil des jours une existence honnête et faites preuve de bonté, d'amour, de bienveillance, d'abnégation, cela vous conduira automatiquement au nirvana. Par contre, si vous vous contentez d'ergoter sur des sujets philosophiques sans être scrupuleux au quotidien, vous risquez d'atteindre un étrange nirvana. Si votre pratique quotidienne est nulle, ce ne sera certainement pas celui qui convient.

Appliqués dans la vie de tous les jours, ces avis se révèlent excellents. Qu'importe que l'on croie ou non en Dieu, qu'importe que l'on croie ou non en Bouddha, qu'importe – même si l'on est bouddhiste – que l'on croie ou non en la réincarnation! L'important est de mener une bonne vie. Une bonne vie n'est pas faite que de bonne nourriture, de bons vêtements et d'un bon toit, c'est également être animé d'intentions pures, d'une compassion sans dogmatisme ni savante philosophie. C'est comprendre que les autres, hommes et femmes, sont nos frères et nos sœurs, c'est respecter leurs droits et leur dignité. La faculté de s'entraider est éminemment humaine. On se doit de secourir ceux qui sont dans la détresse. A défaut d'aide matérielle, manifester de l'intérêt, offrir un soutien moral, exprimer de la sympathie est déjà précieux. Ce comportement devrait présider à toutes nos activités.

Dans le monde actuel, selon certains, la religion n'aurait de raison d'être que pour ceux qui demeurent au fin fond de contrées reculées, tandis que, dans le monde des affaires et de la politique, on n'en aurait que faire.

Je ne suis pas d'accord. Je vous l'ai dit, ma foi est simple : sa motivation clef est l'amour. Toute action conséquente et délibérée – à part les menus faits – procède d'une motivation. Dans le domaine politique, si vous avez des intentions pures et qu'avec elles vous améliorez la société, alors vous êtes un bon, un honnête homme politique. La politique n'a rien de mauvais en tant que telle. Parfois, on s'en prend à elle, on dit qu'elle est « sale » : ce n'est pas vrai! C'est une nécessité, un instrument fait pour résoudre des problèmes humains, des difficultés sociales. Ce n'est pas un mal, elle répond à un besoin. En revanche, quand des individus douteux, dénués de scrupules et de motivation correcte, s'emparent du pouvoir, alors la politique peut devenir « sale ».

Nous pouvons faire le même constat dans le domaine religieux : si je prêche avec une mauvaise motivation, mon sermon devient néfaste. Mais ce n'est pas une raison pour s'en prendre à la religion ni pour la traîner dans la boue.

La motivation est donc essentielle. C'est pourquoi je mets simplement ma foi dans l'amour, le respect des autres et l'honnêteté. Je ne réserve pas ces valeurs au domaine religieux. Elles s'appliquent tout autant à la politique, à l'économie, au commerce, aux sciences, au droit, à la médecine, aux disciplines qui ont pour tâche d'aider l'humanité et possèdent les moyens d'y parvenir pour peu que la bienveillance les anime. Sinon, au lieu d'apporter un mieux-être, elles deviennent une menace pour le monde, un sujet de crainte pour tous. L'humanité a un besoin vital de compassion. A y regarder de près, le monde d'aujourd'hui est loin d'être aussi heureux qu'il y paraît. Lorsque je me rends dans un nouveau pays, au premier abord tout semble radieux. Les gens que je rencontre commencent par me dire que tout va pour le mieux, ils n'ont pas le moindre sujet de plainte. Puis, au fil des jours, j'écoute. Je les entends me parler de leurs problèmes qui sont nombreux et de toute évidence fort répandus. La société est en proie à un malaise profond. On se plaint beaucoup de solitude et de surmenage. Dépressions, angoisses et détresse morale sont des états de plus en plus courants. La justice et l'honnêteté ne font pas bon ménage avec la ruse et l'intrigue. Prétendre agir pour le bien des autres avec une arrière-pensée égoïste, parler de paix, d'amour et de justice et n'en faire aucun cas dès que les choses se gâtent, être capable d'aller à des extrémités telles que la répression ou la guerre : voilà des signes qui ne trompent pas. Ils révèlent un manque.

Ce climat d'inquiétude sert désormais de toile de fond à notre vie quotidienne. C'est terrible, mais c'est la réalité. Peut-être pensera-t-on que l'autre solution, celle de la transformation intérieure, à laquelle j'ai fait allusion précédemment, est idéaliste et ne correspond pas à notre situation ici et actuellement dans ce monde? Cependant, je persiste à penser que si l'on continue à se calquer sur un modèle social entièrement conditionné par l'argent et le pouvoir, tenant aussi peu compte des vraies valeurs de l'amour – schéma dans lequel l'humanité perd tout sens de la justice, de la bienveillance et de l'honnêteté –, les générations à venir pourraient bien se trouver en butte aux pires difficultés et à des souffrances plus terribles encore.

Alors, malgré la difficulté que représente un changement intérieur, le jeu en vaut la chandelle. J'en ai la ferme conviction : il faut tenter l'impossible.

Que l'on réussisse ou non est une autre question : même si

nous n'arrivons pas à atteindre le but que nous nous sommes assigné au cours de cette existence, peu importe. Au moins aurons-nous tenté de bâtir un monde meilleur, fondé sur l'amour – authentique – et non sur le profit personnel.

Les dirigeants qui s'occupent quotidiennement de régler les problèmes sont évidemment tenus de se mobiliser sur les plus urgents. Mais cela ne doit pas les empêcher de tenir compte, en même temps, des risques à long terme encourus par la société et par l'espèce humaine en général.

Prenons un exemple : nous avons besoin d'un corps sain et fort pour être à l'abri des petites maladies courantes. Si nous sommes contaminés, notre bonne constitution fondamentale nous permet de guérir rapidement. Il en est de même pour la société. S'investir en totalité de façon « réaliste » dans des solutions à court terme, pour des bénéfices temporaires, revient à prendre un comprimé le jour où l'on tombe malade. Alors que se préoccuper en même temps du devenir de l'humanité équivaut à édifier un corps sain. On ne peut se dispenser de mesures préventives, il faut mener de front les problèmes immédiats et ceux à long terme.

Depuis plusieurs années, j'observe le monde, je réfléchis sur ses problèmes, comme sur ceux de mon pays, le Tibet. Je rencontre des gens de vocations diverses et de tous horizons. Fondamentalement, tous se ressemblent. Je viens d'Orient, vous êtes pour la plupart occidentaux. A première vue, nous sommes différents. Plus je vais souligner nos différences, plus la distance va s'accroître entre nous. Mais si je vous regarde comme des gens de mon espèce, des êtres humains, mes semblables, avec un nez, deux yeux, la distance s'efface automatiquement. Nous sommes faits de la même chair. Je veux être heureux, vous aussi. A partir de cette mutuelle reconnaissance, un respect, une vraie confiance peuvent naître entre nous. L'entraide et l'harmonie vont se manifester à leur tour. C'est ce qui est susceptible de mettre un terme à des difficultés sans fin.

Dans le monde d'aujourd'hui, tout est étroitement lié. Aucun pays, nul continent n'est maître de son sort. Le destin de chacun est indissociable de celui de tous. Il est donc capital d'établir entre nous une véritable entente, avec des intentions pures. Ainsi nous parviendrons ensemble à résoudre bien des problèmes.

C'est un tel plaisir que de communiquer en bonne intelligence, avec cœur, d'être à être, et c'est tellement nécessaire! Une motivation pure en est la clef.

La lumineuse nature de l'esprit *

C'est un grand avantage que de pouvoir faire face à l'existence avec un esprit positif et bien équilibré. Nous avons tout intérêt à nous familiariser avec une attitude pleine de justesse, mais l'habitude de céder à des émotions conflictuelles comme la colère dresse des obstacles de taille. Néanmoins, il est possible de les surmonter. Nous y parviendrons en nous attachant à reconnaître chacun de ces sentiments perturbateurs dès qu'ils se manifestent et en y remédiant sur-le-champ. Lorsqu'on saisit toutes les occasions de s'exercer ainsi, les passions cessent de nous tyranniser en quelques années. A la longue, l'individu même le plus irritable parvient à conserver son sang-froid.

Certains montrent quelques réticences : si l'esprit n'est pas libre de vagabonder où bon lui semble, ne risque-t-on pas de perdre en indépendance ce que l'on gagne en contrôle ? Non. Cela ne se passe pas ainsi. Si votre esprit est correctement équilibré, vous êtes d'ores et déjà libre, et s'il est en porte à faux, vous serez forcé de le discipliner.

D'autres s'interrogent : peut-on venir totalement à bout des sentiments perturbateurs ou ne fait-on que les réprimer ?

Au regard du bouddhisme, le caractère conventionnel de l'esprit se manifeste par une claire luminosité. Les défauts qui l'entachent ne sont donc pas inhérents à sa nature mais adventices. Ils interviennent ponctuellement et peuvent donc se « détacher » de lui. Mais la nature ultime inhérente à l'esprit est sa vacuité.

* Collège de Claremont.

Si des sentiments tels que l'aversion appartenaient à sa nature, l'esprit devrait forcément haïr *a priori*. Ce n'est bien évidemment pas le cas. Nous ne concevons de colère qu'en certaines circonstances en dehors desquelles elle est inexistante. La haine et l'esprit sont donc deux choses différentes – même si, au fond, l'une et l'autre sont de nature lumineuse et connaissante par leur appartenance au domaine de la conscience.

En fait, sur quoi la haine se fonde-t-elle ? Sur des exagérations qui déforment la réalité : nous surimprimons aux phénomènes un vernis qui nous les rend mauvais ou indésirables. Partant de là, nous concevons de la colère envers tout ce qui se dresse entre nous et nos désirs. L'esprit n'a donc rien de valable pour étayer sa haine. En revanche, il n'a que de bonnes raisons d'aimer. Quand la mauvaise foi s'oppose au bien-fondé, celui-ci, à la longue, finit par l'emporter.

Si nous persévérons dans un comportement correct, rigoureux, avec le temps les réactions fâcheuses et sans fondement se feront de plus en plus rares. Les attitudes justes, fondées sur le vrai, nous viendront spontanément. Quand vous vous entraînez au saut en longueur, votre performance dépend de votre corps. Il obéit aux contraintes de la matière ; celle-ci impose des limites à sa souplesse. L'esprit, lui, n'est que clarté et connaissance. Non seulement il ne connaît pas de limites de cet ordre, mais, avec un entraînement progressif, toutes les qualités qui conditionnent son équilibre ne demandent qu'à s'épanouir en lui.

Nul n'ignore son immense capacité de mémorisation, la somme incroyable d'informations qu'il a la faculté d'emmagasiner dans un processus méthodique. Pour l'heure, ce que vous retenez est infime parce que vous n'utilisez que les niveaux les plus sommaires de la conscience. Mais lorsque vous saurez tirer parti de sa dimension la plus subtile, vous mémoriserez bien davantage.

Les facteurs d'équilibre ont un potentiel de croissance infini. Il nous appartient d'en tirer parti. Plus nous nous rangeons du côté des attitudes saines, qui sont des antidotes contre la virulence des passions, moins celles-ci peuvent nous nuire ; et si nous persévérons, elles cessent complètement de nous affecter.

C'est pourquoi il est dit : notre esprit n'est que luminosité et connaissance, nous possédons tous, avec lui, la substance fondamentale qui conditionne l'obtention de la bouddhéité.

La pensée bouddhiste repose sur ce principe qui démontre la faculté d'omniscience virtuelle dans l'esprit, mise en évidence par son caractère exclusivement lumineux et connaissant. Cette thèse permet d'avancer que les attitudes harmonieuses sont susceptibles de se multiplier à l'infini.

Il est donc extrêmement important de s'atteler quotidiennement à la recherche de la nature conventionnelle de l'esprit, afin d'apprendre à la reconnaître et à se concentrer sur elle.

Ne vous laissez pas rebuter par la difficulté. Les pensées viennent embuer la pureté naturelle de l'esprit et l'écran qu'elles forment vous empêche de le reconnaître.

Pour commencer, ne consentez pas à suivre la mémoire dans ses retours en arrière. N'anticipez pas ce qui va survenir dans le futur. Laissez l'esprit s'écouler dans sa tonalité propre, sans « revêtement » conceptuel. Observez-le au repos, dénudé, vierge de toute pensée.

Si vous ne vous êtes pas encore familiarisé avec cet exercice, il vous semblera au premier abord un peu difficile ; mais il arrive un moment où l'esprit est perçu comme une eau limpide. Demeurez ainsi. Observez ce courant de pensée informel sans rien imaginer.

Il est recommandé de faire cette méditation tôt le matin, quand l'esprit est éveillé et clair. Ce moment est le meilleur parce que les sens ne sont pas encore complètement actifs. Si vous mangez peu la veille au soir et ne dormez pas trop longtemps, l'esprit n'en sera que plus léger et plus aigu au réveil. Peu à peu, il gagnera en stabilité, l'attention et la mémoire se feront claires et précises.

Cette pratique peut aiguiser vos perceptions. Soyez-y attentif au cours de la journée. En peu de temps, vous connaîtrez des pensées plus sereines. Votre capacité de mémoire, en s'élargissant, va stimuler la faculté de clairvoyance qui résulte d'une attention plus fine. A long terme, votre esprit possédera une acuité et une vivacité telles qu'il se montrera efficace en quelque domaine que ce soit.

Si vous faites ne serait-ce qu'une courte méditation par jour, votre esprit perdra l'habitude de se disperser. Il s'absorbera dans l'observation d'un seul objet. Vous en serez considérablement enrichi.

L'imagination qui vous fait indéfiniment tourner en rond, espérer le désirable, refuser l'indésirable et tout ce qui s'ensuit va enfin pouvoir s'apaiser. Une petite parenthèse dans le non-conceptuel, c'est un peu de répit. Ce sont déjà des vacances...

Quatre Nobles Vérités *

Dans l'ensemble, toutes les religions ont une motivation semblable, elles sont animées par l'amour et la compassion, et si leurs vues philosophiques comportent de larges différences, elles ont peu ou prou un objectif commun : faire progresser l'homme. Néanmoins, chacune possède ses méthodes propres pour l'atteindre. Notre siècle a fait un bond énorme dans la communication, et, de ce fait, notre planète devient de plus en plus petite, mais c'est là une précieuse occasion pour nous rapprocher, nous découvrir dans nos différences culturelles, échanger nos vues. Nous avons tant à apprendre les uns des autres, tant à en retirer.

Les chrétiens, par exemple, ont su mettre au service de l'humanité des moyens tout à fait efficaces dont les bouddhistes pourraient s'inspirer, en particulier dans les domaines de l'éducation et de la santé. Parallèlement, on trouve dans le bouddhisme des méthodes subtiles de méditation profonde et une dialectique rigoureuse dont l'enseignement pourrait être profitable aux chrétiens. C'est ainsi que, dans l'Inde ancienne, hindouistes et bouddhistes se sont mutuellement beaucoup enrichis.

Nous ne risquons rien à échanger nos connaissances, cela ne peut que nous aider à développer un respect mutuel, tant il est vrai que, de part et d'autre, nous ne voulons que le bien de l'humanité. C'est dans cet esprit que je vais maintenant exposer quelques traits de la pensée bouddhiste.

La doctrine du Bouddha est entièrement construite sur les quatre Nobles Vérités : vérités des souffrances, des origines, des

* Université de Washington.

cessations et des chemins. Les quatre Nobles Vérités forment deux groupes d'effets et de causes :

– les souffrances et leurs causes ;

– les cessations des souffrances et les voies pour réaliser leur cessation.

La souffrance est comparable à une maladie : les conditions externes et internes responsables du mal en sont les sources, la cessation de la souffrance et de ses causes en est la guérison. Les véritables chemins en sont les remèdes.

Cet ordre dans lequel les effets (souffrance et cessation) précèdent les causes (sources de la souffrance et voies) a une raison d'être ; il est d'abord indispensable de savoir que l'on est atteint d'un mal, c'est-à-dire se convaincre de la réalité de la souffrance (première Noble Vérité) ; mais cela ne suffit pas ; encore faut-il s'expliquer les causes de l'affection pour trouver le remède, et celles-ci s'éclairent en étudiant la deuxième des quatre Vérités, celle des causes. S'il importe de dépister l'origine de la maladie, il est également essentiel de savoir si la guérison est possible. La conviction que le remède existe correspond au troisième niveau où la réalité de la cessation et des causes qui l'entraînent est démontrée.

Une fois que nous avons reconnu le mal, identifié ses causes, acquis la certitude que sa guérison est possible, il ne nous reste plus qu'à prendre les remèdes et à suivre le mode d'emploi afin d'y mettre un terme. Il faut une confiance de cet ordre pour emprunter les chemins sur lesquels on rencontre un état libre de toute souffrance.

Le premier pas incontournable consiste à reconnaître la souffrance. Elle se présente en général sous trois formes majeures : la souffrance de la souffrance, la souffrance du changement et la souffrance inhérente à et constitutive de la condition humaine.

Au premier niveau, il y a ce que nous appelons habituellement douleur physique ou morale, par exemple un mal de tête. Le désir de s'y soustraire n'est pas spécifique à l'homme ; l'animal le connaît aussi. Il existe des moyens de s'en préserver, comme prendre un médicament, s'habiller plus chaudement ou se tenir à distance de la source.

Le deuxième degré, la souffrance du changement, concerne les formes apparentes de plaisir qui, analysées de plus près, révèlent leur nature de souffrance. En voici un exemple typique : d'ordinaire, l'achat d'une voiture neuve est regardé comme un événement agréable, et, au début, vous trouvez un immense plaisir à la conduire ; mais voilà que plus vous roulez, plus elle vous pose de problèmes. Si l'objet était une source de satisfaction en soi, l'effet de plaisir devrait augmenter proportionnellement à l'utilisation de ce qui vous le procure. Or c'est l'inverse qui se produit. Plus vous vous en servez, plus votre voiture vous cause d'ennuis ; le changement révèle ici sa nature douloureuse, d'où son nom de souffrance du changement.

Le troisième aspect de la souffrance est la base d'où s'élancent les deux autres, et les agrégats contaminés du corps et de l'esprit en sont représentatifs. On l'appelle la souffrance inhérente à et constitutive de la condition d'exister. Du fait que tous les êtres en transmigration en sont imprégnés, on la dit « inhérente ». « Constitutive » indique qu'elle est non seulement à la base de la souffrance présente, mais qu'elle induit celle à venir. Elle est sans issue, sauf si l'on met un terme au continuum de renaissance.

Il convient de reconnaître, dès le départ, ces trois formes d'affliction, sachant que ce terme ne désigne pas uniquement l'émotion ressentie en tant que telle, mais également les processus externes et internes qui la déterminent ainsi que les états d'esprit et les facteurs mentaux qui l'accompagnent. C'est tout cela que la souffrance recouvre.

Quelles en sont les causes ? Comment naît-elle ? Elle jaillit à partir de deux sources : le karma – l'action – et les passions perturbatrices. Voilà ce que nous apprend la deuxième Noble Vérité sur ses causes réelles. Le karma renvoie aux actes contaminés du corps, de la parole et de l'esprit ; il en est de vertueux, de non vertueux et de neutres. Les premiers entraînent des effets plaisants ou positifs ; les seconds, des effets douloureux ou négatifs.

Les trois principales passions perturbatrices sont la méconnaissance, le désir et la haine, dont la jalousie, l'inimitié et bien d'autres découlent. Pour mettre fin aux actes dont découlent les souffrances, il faut tarir ces facteurs de perturbation qui en sont les sources vives et la cause majeure. A ce stade, on en vient alors à se demander : est-il possible d'y mettre un terme ? Avec cette question, on entre d'emblée au cœur de la troisième Noble Vérité, la réalité de la cessation.

Si les sentiments perturbateurs étaient inhérents à la nature de l'esprit, il serait impossible d'y remédier, car, dans une telle hypothèse, la haine, par exemple, serait constamment présente en nous. Elle ne s'éteindrait qu'avec notre conscience, et ce serait la même chose pour l'attachement, ce qui n'est manifestement pas le cas. Cela montre bien que la nature de l'esprit n'est pas entamée par les défauts ; donc, rien ne nous empêche de les extirper puisqu'ils sont distincts de la conscience primordiale.

De toute évidence, les mouvements positifs et les mouvements négatifs sont incompatibles : l'amour et la colère ne peuvent coexister. A l'instant précis où vous êtes en colère contre quelqu'un, vous ne ressentez pas d'amour pour lui et vice versa. C'est signe que ces deux états d'esprit sont contradictoires et s'excluent. Quand on fait le choix d'un certain type de comportement, les autres s'affaiblissent tout naturellement. C'est pourquoi lorsqu'on s'allie avec l'amour et la bienveillance, on développe l'aspect positif de la pensée, et son opposé tend à disparaître. Tels sont les arguments prouvant que les sources de la souffrance peuvent progressivement être taries. Après l'extinction de toutes les causes viennent la véritable cessation, la libération finale, la paix réelle durable, le salut : c'est la troisième des quatre Nobles Vérités.

Quel chemin va-t-on emprunter, comment va-t-on s'entraîner pour l'atteindre ? Les imperfections venant essentiellement de notre mentalité, c'est de l'esprit que l'antidote doit venir. Donc, s'il importe de découvrir le mode final d'existence de tous les phénomènes, celui des statuts ultimes de l'esprit sera au premier rang de nos préoccupations.

Il convient d'en aborder l'étude de façon neuve, directe, totalement non dualiste, de déchiffrer sa nature finale exactement telle qu'elle est ; c'est ce qu'on appelle le Chemin de la vue. A l'étape suivante, on se familiarise avec ce mode de perception, et c'est le Chemin de la méditation.

Mais, dans un premier temps, on devra parvenir à stabiliser l'esprit dans un état d'absorption duel, en conjuguant la quiétude mentale et la vue pénétrante. En principe, pour acquérir une puissante faculté d'appréhender le vrai, il est nécessaire de développer au préalable cette stabilité d'esprit qu'on appelle « quiétude mentale ».

Telles sont les étapes du chemin (quatrième Noble Vérité) qui permettent d'actualiser la cessation (troisième Noble Vérité) et mettent fin aux souffrances et à leurs sources (première et deuxième Noble Vérité). Ces quatre vérités structurent toute la pensée et la pratique bouddhistes.

Question : A première vue, il semble difficile de concilier le principe bouddhiste d'extinction du désir et l'ambition, considérée en Occident comme une qualité qui va de pair avec le désir.

Réponse : Il existe deux sortes de désirs, l'un est irraisonné et empreint de passions néfastes, tandis que, grâce à l'autre, vous percevez ce qui est bon comme bon et vous vous efforcez de l'atteindre. Ce dernier est valable, c'est d'ailleurs avec lui que le chercheur s'engage dans la pratique. De même, la recherche du progrès matériel en fonction de son utilité pour le bien de l'humanité est également correcte.

Karma *

Plaisir et douleur découlent de vos actions passées. Pour définir le karma en quelques mots, on pourrait dire : agissez bien, tout ira bien ; agissez mal, tout ira mal.

Le karma signifie « action ». Il s'exerce de trois façons : physiquement, verbalement et mentalement ; il produit trois sortes d'effets : vertueux, non vertueux ou neutres, et se déroule en deux temps : on pense d'abord à ce que l'on va faire, c'est l'acte d'intention, puis ces motivations mentales s'actualisent en un acte physique ou verbal, c'est l'acte prémédité.

Par exemple, en ce moment, en m'exprimant avec une certaine intention, j'accomplis une action verbale, j'emmagasine donc du karma. Avec les gestes de mes mains, j'en produis physiquement. La qualité positive ou négative de ces actions dépend de la motivation qui m'anime. Si elle est pure, c'est-à-dire si je m'adresse à vous avec sincérité, respect, dans un esprit d'altruisme, mes actes seront vertueux ; si je suis poussé par l'orgueil, la haine, la médisance, etc., mes actions physiques et verbales en deviennent non vertueuses.

Des actes sont ainsi constamment produits. Quand la parole est l'expression de bonnes motivations, un climat amical s'instaure, mais, par-delà ce résultat immédiat, l'action laisse une empreinte dans l'esprit de l'orateur, induisant des effets heureux dans le futur. Si ses propos cachent une arrière-pensée nuisible, un climat hostile s'installe aussitôt, avec des effets douloureux en perspective.

* Université Brown.

Quand le Bouddha enseigne que l'on est soi-même son propre maître, que tout dépend de soi, il nous signifie que plaisir et peine proviennent d'actes vertueux et non vertueux, qu'ils se forgent non pas à l'extérieur mais au plus profond de soi-même. Cette vue offre un aspect pratique au quotidien : quand la relation entre la cause et l'effet est établie, on n'a plus besoin d'un agent de police pour nous forcer à la vigilance, la conscience en tient lieu. Par exemple, supposez qu'il se trouve ici de l'argent ou une pierre précieuse et personne à l'entour, vous pourriez aisément vous en emparer. Mais si vous savez que l'entière responsabilité de votre avenir est entre vos mains, vous ne le ferez pas.

Dans la société moderne, en dépit de systèmes policiers très sophistiqués et de notre technologie avancée, des actes de terrorisme se produisent tout de même. D'un côté, les uns mettent en place les moyens de sécurité les plus modernes, pour tenir en échec ceux qui, de l'autre, deviennent encore plus inventifs dans l'élaboration de leurs forfaits. Le seul vrai gardien de la paix est en soi. C'est le « vigile » conscient de sa responsabilité en ce qui concerne son avenir et qui s'oublie lui-même au profit du bien-être de tous.

Au point de vue pratique, le meilleur contrôle de la criminalité est donc celui que chacun exerce sur son moi. Le changement intérieur est ce qui peut mettre fin à la délinquance et restaurer la paix sociale, mais il exige de se connaître soi-même. La théorie bouddhiste de l'autoresponsabilité est particulièrement pertinente ; elle conduit à s'interroger et à se dominer à la fois dans son propre intérêt et dans celui d'autrui.

Quant aux diverses conséquences d'actions, elles font aussi l'objet d'études approfondies. L'une d'elles s'appelle « effets de fructification ». Supposez que, par suite d'un acte non vertueux, quelqu'un émigre dans une mauvaise incarnation, sous une forme animale par exemple ; cette renaissance est un effet de fructification dont la cause remonte à quelque vie antérieure. Il existe aussi ce que l'on nomme « expérience d'effet semblable à sa cause ». En voici un cas : imaginez que, après avoir émigré en une renaissance infortunée à la suite d'un crime, vous soyez amené à renaître sous forme humaine, votre vie serait de courte durée : l'effet (une existence brève) étant en qualité d'expérience, similaire à la cause (le fait d'avoir abrégé la vie d'autrui). Il existe également un phénomène appelé « effet de résurgence conditionnée » que pourrait illustrer le fait d'avoir spontanément tendance à reproduire le même type d'action non vertueux comme de tuer.

Ces exemples s'appliquent également – en effets inverses – aux résultats d'actes vertueux. Il faut citer encore les actions entreprises en groupe, dont les conséquences sont expérimentées par tous les membres. Dans ce cas, un ensemble d'individus peut être amené à partager un certain type d'environnement.

Mais, en définitive, toutes ces indications sur la causalité des actes n'ont d'intérêt que dans la mesure où elles contribuent à améliorer la vie sociale. Que nous soyons croyants ou non croyants, j'espère que nous ferons l'effort d'étudier nos cultures respectives afin de mettre en commun ce qui, dans chacune, peut être profitable à tous.

Sagesse et compassion : la médecine du Bouddha *

Buddham sharanam gacchami
Dharman sharanam gacchami
Sangham sharanam gacchami

« Je vais à la recherche du Bouddha, du Dharma, et du Sangha. » La musique est différente du tibétain, mais le sens est le même et montre que nous sommes tous des disciples du même maître, Bouddha. Avoir foi dans ce que professe le Bouddha ne me fera pas dire que le bouddhisme est la meilleure voie pour tous. Tout le monde n'a pas les mêmes goûts, chacun a ses préférences et doit se sentir libre de choisir parmi les diverses religions celle qui est à sa convenance. On peut faire appel à divers remèdes pour guérir les maladies. Certains peuvent donner de bons résultats dans un cas et se révéler inefficaces dans un autre. Il serait donc un peu simpliste de prétendre que le bouddhisme soit la panacée, mais il n'en reste pas moins que cette tradition contient des enseignements vastes et profonds. Il y a des gens qui pensent que ce n'est pas une religion, mais une science de l'esprit ; pour d'autres, les bouddhistes sont athées. En fait, il s'agit d'une approche rationnelle, approfondie, complexe de la vie humaine, qui met plutôt l'accent sur la responsabilité personnelle du développement intérieur que sur l'influence des circonstances extérieures. Le Bouddha a dit : « Vous êtes vous-même votre propre maître, c'est de vous que tout dépend. En tant que professeur, à titre de docteur, je peux vous prescrire le remède efficace, mais c'est à vous de le prendre et de vous soigner. »

* Société d'études zen, New York City.

Qui est le Bouddha ? C'est un être parvenu à une purification complète de l'esprit, de la parole et du corps. Selon certains écrits, l'esprit du Bouddha, le *dharmakaya* ou corps de vérité, peut être regardé comme le Bouddha lui-même ; sa parole, ou l'énergie interne, comme le *dharma* – la doctrine ; sa forme physique, comme le *sangha* – la communauté spirituelle. Et l'ensemble constitue les trois joyaux : le Bouddha, la doctrine et la communauté spirituelle.

Un bouddha tel que celui-ci a-t-il oui ou non une cause ? Oui, il en a une. Est-il permanent ? Shakyamuni, le bouddha personnalisé, est-il éternel ? Non. Au départ, le bouddha Shakyamuni n'était que Siddharta, un homme ordinaire aux prises avec des pensées et des actions négatives – tout comme nous. Cependant, en s'aidant des enseignements et des maîtres, il s'est progressivement purifié, et pour finir il est devenu illuminé.

En suivant le même processus causal, nous pouvons tous en faire autant. L'esprit possède plusieurs dimensions dont la plus subtile est la nature de bouddha, semence de la bouddhéité. Tous les êtres portent en eux cette conscience subtile que la pratique de la méditation profonde et les actes vertueux transforment peu à peu en pure bouddhéité. Notre condition est pleine d'espérance ; le germe de la libération est en nous.

Être de bons disciples du Bouddha, c'est essentiellement pratiquer la compassion et l'honnêteté. Lorsqu'on s'efforce à la bienveillance envers les autres, on devient moins égoïste, et le partage de leurs souffrances rend de plus en plus attentif au bien-être de chacun. C'est la base même de l'enseignement. Pour toucher au but qu'il nous propose, nous devons nous exercer à la méditation profonde et cultiver la sagesse. Quand on grandit en sagesse, le sens de l'éthique se développe spontanément.

Le Bouddha a beaucoup insisté sur un juste équilibre entre intelligence et sensibilité – sagesse et compassion. Un bon cerveau et un bon cœur doivent aller de pair. Quand le développement intellectuel se fait au détriment du cœur, c'est une source de problèmes, et la souffrance s'accroît dans le monde. Quand on privilégie le cœur aux dépens du cerveau, la frontière qui nous sépare des instincts animaux s'estompe. Mais si l'on permet aux deux courants de s'épancher harmonieusement, on obtient à la fois le progrès matériel et l'épanouissement spirituel. Que le cœur et l'esprit œuvrent donc de concert et nous connaîtrons véritablement la paix et l'amitié au sein de la famille humaine.

Question : Que signifie le mot *dharma ?*

Réponse : Dharma est un mot sanskrit. Il signifie « tenir ». Dans un sens très large, il s'applique à tous les phénomènes dont chacun « soutient » sa propre entité. Mais, dans le contexte du *dharma* et de ses rapports avec le monde, ce terme désigne la pratique qui soutient l'individu, en le protégeant de certaine peur, du seul fait qu'elle habite son courant de pensée. Ce support, ou cette protection, agit autant sur les effets que sur les causes de la souffrance, c'est-à-dire à la fois sur la douleur et sur les passions. Les moyens que l'on met en œuvre pour parvenir au contrôle de l'esprit et qui nous permettent d'y parvenir sont le *dharma.* Momentanément, il écarte de nous les craintes et, à long terme, il s'interpose dans les situations terrifiantes ou dramatiques où les passions nocives nous entraînent quand nous cédons à leur influence.

L'altruisme et les six perfections *

Un thème dominant de la pensée bouddhiste est l'altruisme fondé sur la compassion et l'amour. Mais qui n'y est sensible ? Croyants, non-croyants, nous sommes tous convaincus de la valeur de l'amour. Sans celui de nos parents, à l'aube de notre vie, que serions-nous devenus ? Et quand viendra la vieillesse, nous aurons à nouveau grand besoin de la bienveillance des autres. Dans l'un et l'autre cas, nous nous trouvons à leur merci. Entre l'enfance et la vieillesse, il y a une période de relative autonomie, et, comme on peut alors se passer des autres, on trouve inutile de se montrer bon envers eux. C'est un mauvais calcul. Les gens compatissants sont intérieurement bien plus heureux, plus calmes, plus paisibles, et, à leur contact, on a tendance à manifester la même attitude. Autant la colère entame la paix, autant l'amitié, la confiance, l'amour rapprochent et harmonisent ; c'est là l'immense valeur de la bonté et de la compassion, qualités inappréciables entre toutes.

L'intelligence complexe de notre cerveau humain nous a permis de réaliser de grands progrès sur le plan matériel. Si nous maintenons un bon équilibre entre notre développement extérieur et notre croissance intérieure, nous pourrons en tout bien tout honneur profiter de ces avantages et jouir du progrès matériel sans rien sacrifier de notre humanité.

Dans ce domaine, la compassion et l'altruisme ont une part très importante. C'est pourquoi j'aimerais vous donner quelques indications sur les méthodes d'entraînement telles qu'on les pratique dans les enseignements bouddhistes.

* Église de la Trinité, Boston.

Le comportement dont je veux parler est celui qui vous porte, quand il s'agit de choisir entre vous et les autres, à préférer le bien d'autrui au vôtre. Mais l'oubli de soi n'est pas un mouvement spontané, il faut s'y exercer.

A cet effet, il existe deux techniques majeures. La première, nommée « égalisation et échange de soi avec les autres », ne fait pas appel à la théorie de la renaissance. Mais ce n'est pas le cas de la seconde, dont il va être question maintenant. Elle s'intitule « sept instructions essentielles de cause et d'effet ».

Pour se sentir véritablement concerné par le bonheur d'autrui, il faut être foncièrement altruiste, c'est-à-dire déterminé à aider les autres. Cet état d'esprit peu courant est suscité par un profond sentiment de compassion, un souci de la souffrance des autres et le désir d'y remédier. La compassion n'a de force que portée par l'amour. Aimer au point que la souffrance d'autrui vous est intolérable, au point de trouver du charme à chacun, d'avoir à cœur son bonheur comme une mère celui de son unique enfant. Mais c'est seulement quand leur bonté nous devient évidente que nous commençons à aimer les autres de cette façon. C'est pourquoi il convient d'abord de s'exercer à la reconnaître chez celui qui nous en a donné des preuves au cours de notre vie, puis d'étendre ensuite à tous le sentiment de gratitude qui s'éveille en nous. En général, l'être que nous évoquons comme modèle de bonté est notre mère, car personne ne nous a été plus proche et plus dévoué qu'elle.

Nous allons donc commencer le processus de cette méditation en reconnaissant que les autres ne diffèrent en rien de notre propre mère.

Dans les étapes de cet entraînement en sept points, il s'agit de :

1. Reconnaître sa mère en tout être vivant.
2. Se pénétrer de la bonté d'autrui.
3. Entretenir un sentiment de gratitude envers eux. Puis de développer :
4. L'amour.
5. La compassion.
6. L'attitude extraordinaire.
7. L'intention altruiste d'atteindre à l'illumination.

Comme il est question ici du principe des renaissances, une parenthèse s'impose à ce sujet. Ce qui permet de démontrer le bien-fondé des renaissances est en dernière analyse le fait que la conscience, étant quelque chose de simplement lumineux et connaissant, ne peut en tant que telle provenir que d'un moment antérieur de conscience, d'une entité préexistante de luminosité et de connaissance. La matière ne peut en être la cause substantielle. Étant donné qu'elle procède d'un précédent moment de conscience, on ne peut énoncer un principe de commencement au courant de la conscience. Ainsi, qu'on le prenne globalement ou à son niveau le plus subtil, l'esprit ne commence ni ne finit ; voilà ce qui fonde la thèse de la renaissance.

Depuis la nuit des temps, au cours de réincarnations nécessairement infinies, chaque être s'est trouvé associé à votre sphère d'existence, établissant avec vous une relation toute pareille à celle qui vous unit à votre mère dans cette vie. Voilà ce dont il faut être convaincu. Mais cela demande de s'exercer auparavant à l'équanimité.

A cet effet, vous commencerez donc par remarquer que nous classons habituellement les gens en trois catégories principales : amis, ennemis et étrangers. Face à eux, nous adoptons trois types d'attitude : désir, aversion et indifférence. Tant que ces trois modes sont prédominants, il est impossible de faire naître un état d'esprit d'altruisme. Il importe donc de neutraliser l'attachement, l'hostilité et l'indifférence.

La réflexion sur la renaissance va se montrer particulièrement efficace à cet égard : puisqu'il n'y a pas de commencement au continuum d'existence, il n'y a pas de limite au nombre de nos naissances. Donc rien ne nous permet de croire que nos amis d'aujourd'hui furent nos amis de tout temps, de même que nos ennemis actuels ne l'ont pas forcément toujours été. Dans cette existence même, d'anciens adversaires comptent parmi nos amis, tandis que d'anciens amis sont passés au rang de nos adversaires. Il n'y a donc pas lieu de s'arrêter à l'idée qu'untel est exclusivement amical tandis que tel autre nous est à tout jamais hostile.

Ce travail de réflexion entamera non seulement les préjugés qui nous font ranger les amis d'un côté, les ennemis de l'autre, mais également le désir et la haine constamment engendrés par ce type de discrimination.

Pratiquement, l'exercice consiste à imaginer devant soi trois personnes : un ami, un ennemi et un étranger. Tout en les observant, songez que rien ne vous garantit que chacun d'eux se comportera invariablement de façon à vous faire plaisir ou à vous nuire. Il convient pendant cette méditation de penser à des gens que vous connaissez, faute de quoi l'image resterait trop vague pour entraîner un changement d'attitude quand il s'agira de l'appliquer à des personnes précises. Peu à peu, vous sentirez l'équanimité naître à leur égard, et enfin cela s'étendra progressivement aux autres.

Quand ce pas est franchi, l'étape suivante consiste à réfléchir sur le fait que, au cours d'une infinité de naissances dans un processus sans commencement, chacun a été forcément le meilleur de vos amis ou bien l'un ou l'autre de vos parents lors de vos existences successives. Sur la base de cette réalisation, vous serez peu à peu porté à considérer tous les êtres comme des amis.

Pensez alors avec quelle bonté ils vous ont traité du temps où ils étaient votre mère ou votre père – nos meilleurs amis, d'ordinaire –, vous protégeant avec bienveillance, tout comme vos parents actuels l'ont fait dans votre enfance. Puisque tous, dans une vie ou dans une autre, ont fait preuve à votre égard d'une égale bonté – que ce soit récemment ou jadis n'y change rien –, tous sont donc également bons.

Et même quand vous n'étiez pas leurs enfants, vous avez là encore bénéficié de leur bonté, car c'est dans nos relations avec les autres qu'éclosent la plupart de nos qualités. J'y reviendrai d'ailleurs plus loin avec les six perfections dont la pratique dépend presque entièrement d'autrui.

Il en va de même pour l'exercice initial de l'éthique et l'abstention des dix actes non vertueux : le meurtre, le vol, l'adultère, le mensonge, la médisance, les paroles injurieuses, les propos futiles, la convoitise, la malveillance et les conceptions erronées. Ces comportements sont en majorité relatifs aux autres. D'ailleurs, les multiples commodités dont nous jouissons dans cette vie, les constructions superbes, les routes, etc., ne sont-elles pas produites par les autres ? Enfin, pour parvenir à l'illumination, la patience est un facteur déterminant. Or c'est au contact de l'ennemi que l'on est amené à l'appliquer. Les ennemis sont donc des gens précieux.

A tout point de vue, même quand ils s'acharnent particulièrement contre nous, nos adversaires les plus féroces font preuve d'une grande bonté à notre égard, pour la simple raison qu'ils nous donnent maintes occasions d'apprendre la tolérance et la patience. Un maître spirituel ou nos parents ne mettront jamais à si rude épreuve notre aptitude en la matière. C'est uniquement face aux assauts de l'ennemi que l'on acquiert l'intrépidité. Même lui peut nous enseigner la force intérieure, le courage, la détermination. En nous forçant à nous dépouiller de nos prétentions, il nous permet d'être plus près du réel.

C'est pourquoi, dans la pratique de l'altruisme, on ne traite pas ses ennemis avec indifférence. On les aime plus que quiconque et, plutôt que de s'irriter contre eux, on se montre plein de reconnaissance. Mais n'est-ce pas ce que l'on doit à toute marque de bonté ? Ne pas s'en acquitter serait de l'indélicatesse.

Dès qu'on devient sensible à la bonté des autres, on éprouve une immense gratitude à leur égard. Comment cela va-t-il se traduire ?

Dans cette nouvelle étape, il s'agit de s'ouvrir à une forme d'amour d'une telle exigence qu'il engendre un désir incoercible que tous les êtres soient heureux, que nul ne soit privé du bonheur et de ses causes. Et plus on porte sur eux un regard aimant, plus on leur trouve de charme. Plus on les aime, plus on s'engage sur la marche suivante, la compassion, qui n'a de cesse de les voir libres de la souffrance et de tout ce qui l'engendre.

Certes, en se développant, l'amour et la compassion provoquent un changement dans notre attitude. Mais ceux qui nous les inspirent n'en demeurent pas moins dans la souffrance. Alors, on fait un pas de plus et l'on pousse l'altruisme au-delà de la pensée : « Comme ce serait merveilleux qu'ils soient affranchis de la souffrance et de ses causes, qu'ils puissent posséder le bonheur et ses causes », pour concevoir l'idée plus forte : « Je ferai tout pour qu'ils soient libres de la souffrance et de ses causes et pour que le bonheur et ses causes ne leur fassent jamais défaut. »

On prend alors la ferme résolution de ne pas se contenter d'une aspiration intellectuelle, mais de libérer réellement ces êtres de la souffrance et de leur procurer le bonheur par ses propres efforts.

Ce dessein élevé vous inspirera un immense courage pour vous charger de la lourde tâche que cela représente. Quand on possède cette force d'âme, plus les épreuves sont rudes, plus la détermination et le courage grandissent. La difficulté décuple la volonté.

L'intrépidité est une qualité précieuse, et pas seulement en pratique religieuse ; tout le monde en a besoin. Un proverbe plein de bon sens affirme : quand il y a la volonté, il y a le moyen. Lorsqu'on se trouve en mauvaise posture, si la volonté et le courage viennent à manquer, si on se laisse aller à une attitude d'échec, en pensant : « Je ne suis pas de taille à accomplir une tâche si ardue », on se sous-estime, ce qui n'est d'aucun secours dans la souffrance. Il importe donc de faire naître un courage à la mesure de la difficulté.

Aider les autres, ce n'est pas seulement leur donner nourriture, asile, etc., c'est aussi soulager les causes fondamentales de la souffrance, c'est procurer les causes fondamentales du bonheur. Par exemple, l'aide sociale ne se borne pas à approvisionner les malheureux en vivres et en vêtements. Elle doit aussi les éduquer pour leur permettre de subvenir eux-mêmes à leurs propres besoins. De même, dans sa pratique, le bodhisattva ne se contente pas de soulager provisoirement la misère des gens par des dons matériels : il leur dispense aussi des enseignements afin qu'ils sachent pratiquement et par eux-mêmes quelles attitudes sont à adopter ou à rejeter dans leur comportement.

Enseigner cela aux autres exige une bonne connaissance tant des aptitudes et des besoins de chacun que des doctrines salutaires, une connaissance exacte sans omission et sans erreur. Il faut de grandes capacités pour offrir une aide efficace. Par conséquent, parmi les branches de ce processus d'assistance aux autres, le rameau qu'il s'agit d'atteindre est celui de l'illumination. Là, les obstacles à la réalisation de la connaissance intégrale sont totalement dissipés.

Le bodhisattva dont la vocation est d'aider autrui est entravé dans sa tâche par deux sortes d'empêchement : ceux qui vont à l'encontre de la libération et ceux qui s'opposent à l'omniscience. Des deux, ces derniers sont les plus tenaces. Son principal souci sera donc d'en venir à bout. Dans certains cas, il n'hésitera pas, s'il le faut, à employer les passions corrosives – entraves même à la libération – pour secourir les gens.

Néanmoins, comme les obstacles à l'omniscience sont la manifestation de réflexes conditionnés par l'idée que les phénomènes possèdent une existence propre, barrage majeur à la libération, il aura donc à cœur de se défaire en priorité de cette conception. En fait, il ne pourra mener à bien sa tâche et accomplir le bonheur des autres qu'en mettant fin à la fois à ce qui nuit à la libération et à l'omniscience.

Dans cette démarche, le retrait complet des obstructions douloureuses est ce qu'on appelle la libération ou le stade du destructeur de l'ennemi *(arhan, dGra bcom pa).* Quand, de surcroît, les obstacles à la connaissance intégrale s'effacent à leur tour, on connaît alors ce qui est appelé l'état de bouddhéité, dans lequel l'omniscience est réalisée. Tel est le but recherché en vue d'une pleine efficacité au service des autres.

Quand la pensée est entièrement tournée vers cet état suprême pour le bien de tous, on l'appelle un esprit d'éveil – animé de l'intention altruiste de devenir illuminé. L'objet de la septième des instructions essentielles de cause et d'effet est de susciter cet élan.

Dans le bouddhisme, il est considéré comme le sommet de l'altruisme. Lorsqu'il préside à l'action, on s'engage dans la pratique des six perfections : le don, l'éthique, la patience, l'effort, la concentration et la sagesse.

Il existe trois sortes de don : les ressources, son propre corps et les racines de la vertu. Celles-ci sont ce qu'il nous est le plus difficile de donner, mais c'est aussi le plus important. Si votre générosité est assez grande pour dédier à tous les sources de vos vertus, c'est que, désormais, vous n'attendez plus rien en retour pour vous-mêmes. Derrière un don ordinaire se cache parfois l'espoir d'un profit personnel ; celui du bodhisattva est totalement désintéressé.

L'*éthique* présente de nombreuses facettes. Celle que le bodhisattva privilégie consiste à mettre un frein à l'égoïsme. En sanskrit, le terme employé pour « éthique » est *shila,* qui signifie étymologiquement « parfait sang-froid ». En effet, l'éthique est le meilleur garant d'un esprit serein, d'un parfait sang-froid, car celui qui en est pourvu est libre des brûlures causées par le regret d'actions passées.

Quant à la *patience,* elle revêt aussi diverses formes : l'une permet de ne pas se tourmenter quand un ennemi nous crée du tort, l'autre d'assumer de son plein gré l'adversité, la troisième d'accomplir le bien-être de tous. Celle qui consiste à assumer de bon gré la souffrance est essentielle. Elle empêche de se morfondre dans les situations douloureuses et constitue un tremplin pour l'effort qui, à son tour, permet d'attaquer les racines de la souffrance.

Au début, pour concevoir une forte volonté, l'*effort* est indispensable. Mais la nature de bouddha est latente en chacun de nous, et, lorsque les conditions se présentent, ce potentiel nous permet de nous transformer en un être totalement illuminé, pourvu de toutes les qualités et dénué de tout défaut. Dans la vie, la véritable source d'échecs réside dans la pensée : « Je suis minable ! quel incapable je fais ! » Dans ce cas, il est fondamental d'avoir une grande force d'esprit et de se dire : « Je peux le faire », sans y introduire d'orgueil ni d'autres sentiments perturbateurs.

En toute entreprise, la réussite dépend d'un effort mesuré et d'une grande persévérance. On se voue à l'échec par un travail excessif au début, on s'épuise à vouloir trop en faire et l'on abandonne peu après. Il convient de fournir un effort modéré et constant. Il en va de même de la méditation, dont la pratique demande du doigté. Il est préférable de faire des sessions fréquentes et brèves – la qualité, ici, importe plus que la quantité.

Une fois que vous savez bien doser vos efforts, vous êtes en possession des éléments nécessaires au développement de la *concentration.* Celle-ci a pour objet de canaliser votre courant mental, actuellement sollicité en toutes directions, afin de le rassembler en un point unique. Un esprit dispersé n'est pas très efficace, mais, dès qu'on le concentre exclusivement sur un sujet, quel qu'il soit, il devient très puissant.

Il n'existe aucune intervention extérieure, rien de comparable à une opération chirurgicale, pour canaliser l'esprit ; seule l'intériorisation est opérante. Ce retrait s'effectue également à la faveur du sommeil profond, mais, dans ce cas, la faculté d'attention est inhibée. Tandis que, dans la méditation, il s'accompagne d'une attention extrêmement claire. En résumé, l'esprit doit trouver la *stabilité* – la capacité de demeurer fermement sur son objet –, maintenir son objet dans une grande *clarté* et garder une *rigueur* vive, nette, aiguë.

Venons-en maintenant à la dernière des six perfections, la *sagesse.* La sagesse présente trois aspects majeurs : la sagesse conventionnelle, qui embrasse les cinq domaines de la connaissance, la sagesse ultime, qui est réalisation du mode d'existence des phénomènes, et l'intelligence, qui permet d'aider les êtres. La sagesse qui réalise l'absence de soi est le point essentiel que nous allons maintenant examiner.

Quand on parle de non-soi, il s'agit tout d'abord d'identifier le soi qui n'existe pas ; après quoi, son opposé, le non-soi, devient compréhensible.

Il ne faut pas prendre le non-soi pour quelque chose qui aurait existé dans le passé et serait devenu à un moment donné non existant. Il est en fait de l'ordre de ce qui n'a jamais existé. Donc, ce que nous devons absolument reconnaître comme non existant, c'est ce qui l'a toujours été. Lorsque nous sommes privés de cette connaissance, nous devenons la proie des passions, nous connaissons les affres du désir, de la haine et toutes les turbulences que ces émotions entraînent dans leur sillage.

De quelle nature est le soi inexistant ? Dans ce contexte, ce qui est en question, ce n'est pas la personne. Ce n'est pas le moi tel qu'on l'entend habituellement, mais le principe de son *indé-*

pendance, l'idée qu'une chose puisse exister par sa propre force. Il faut examiner tous les types de phénomènes, afin de vérifier s'ils ont cette faculté de subsister par eux-mêmes, s'ils possèdent ou non un mode d'être indépendant. Si les phénomènes avaient une existence réellement autonome, nous devrions les voir se révéler de plus en plus clairement lorsque nous faisons une recherche sur les éléments qui portent leur nom.

Faites-en l'expérience sur vous-même. Observez votre moi. Le cadre dans lequel il apparaît est celui de l'esprit et du corps ; pourtant, si vous analysez ces deux supports à partir desquels vous le percevez, vous ne pouvez le trouver. Il en est de même pour cet objet que nous appelons une table ; si, non content de percevoir sa simple apparence, vous examinez sa nature et essayez de trouver la table en la divisant en ses parties différentes, en ses qualités, etc., il ne reste pas de table. Vous ne pouvez rien cerner comme substrat de ces parties et de ces qualités.

Le fait que les phénomènes ne puissent être mis en évidence par l'analyse lorsqu'on examine un objet nommé indique qu'ils n'existent pas par eux-mêmes. Mais s'il est impossible d'établir objectivement leur existence en soi ou par soi, il n'en reste pas moins qu'ils existent. Et bien que l'investigation analytique ne me permette pas de trouver la table que je cherche, il n'empêche que, si je la frappe du poing, je me ferai mal à la main. Donc, l'expérience me prouve qu'elle existe. Étant donné que l'analyse ne la met pas en évidence – ce qui tend à prouver qu'elle n'a objectivement pas d'existence propre –, mais qu'elle se manifeste tout de même, on peut énoncer qu'elle existe du fait d'une conscience subjective conventionnelle.

Énoncer que l'existence des objets dépend d'une conscience subjective qui les nomme revient à dire qu'ils n'existent que par leur dénomination. Donc, pour en revenir à votre moi individuel, lorsque vous cherchez à le découvrir à partir du corps et de l'esprit – ses bases de dénomination –, il demeure introuvable ; dès lors, il ne reste que le simple moi, existant par la puissance de l'imagination, de la conceptualisation.

Il y a une immense différence entre la façon dont les choses apparaissent et leur réalité. Lorsqu'il s'attaque à la pratique de la perfection de la sagesse, le chercheur fait appel à ce type d'investigation pour revenir ensuite à l'observation des phénomènes dans l'expérience ordinaire, passant de l'analyse à la comparaison avec cette perception coutumière, afin de saisir le décalage entre l'apparence et le vrai mode d'existence des choses.

Grâce à ce processus, ce qui fait l'objet de la négation, à savoir une existence propre à soi-même, vous deviendra de plus en plus clair. Mieux vous distinguerez ce qui est contesté, plus votre compréhension de la vacuité s'approfondira. Pour finir, vous acquerrez la certitude d'une simple vacuité qui est la pure négation d'un mode d'existence propre.

Dans une classification des phénomènes en types positif ou négatif, la vacuité se situe dans le mode négatif. Par rapport aux négations de type affirmatif ou non affirmatif, elle fait partie des négations non affirmatives ; donc, quand le chercheur réalise la vacuité, rien ne se présente à son esprit sauf l'absence d'existence propre – simple élimination de ce qui est réfuté. Il ne se dit pas alors : « Je suis en train de vérifier la vacuité », ni même : « Voici la vacuité. » Ce sentiment l'en éloignerait plutôt. Supposons que la vacuité d'existence inhérente est établie et réalisée.

Ce point une fois acquis, lorsque les phénomènes se présentent, bien qu'ils semblent de toute évidence exister par eux-mêmes, nous savons maintenant que c'est faux. Ils ne sont pas différents des tours de magie d'un illusionniste ; grâce à une *combinaison,* ils apparaissent sous un certain jour, mais, en fait, leur véritable manière d'exister est tout autre. Ils ont l'air d'exister par eux-mêmes, alors qu'ils sont vides d'un tel mode d'être.

Lorsqu'on voit le monde ainsi, on est de moins en moins sujet aux projections qui suscitent le désir et la haine, en cachant la réalité sous des notions de « désirable » et d'« indésirable ». Nous leur offrons moins de prise, parce que nous ne partons plus de l'idée fausse que les phénomènes existent selon un principe qui leur est propre. Et parallèlement, les connaissances fondées sur une pensée rigoureuse sont renforcées pour la bonne raison que la vacuité est significative de la production interdépendante, qui, à son tour, est significative de vacuité. Puisque les phénomènes sont des productions interdépendantes, ils ont la faculté de croître et de décroître au gré des conditions qu'ils rencontrent.

Dans cette perspective, la causalité est vraisemblable. Une fois qu'elle est admise, on peut démontrer que les effets pernicieux tels que la souffrance sont évitables par l'abandon des causes nuisibles, et les effets bienfaisants tels que le bonheur accessibles par l'exercice de causes bénéfiques. D'autre part, si les phénomènes existaient par eux-mêmes, ils ne sauraient dépendre les uns des autres. S'ils ne dépendaient pas les uns des autres, il n'y aurait plus alors ni cause ni effet. Donc, en admettant le principe de la dépendance, on admet la causalité ; sans quoi, il n'y aurait ni causes ni effets.

Or, en dernière analyse, ce qui fait la preuve que les phénomènes sont dénués d'existence propre est justement le fait qu'ils dépendent de causes et de conditions. Ceux qui ne comprennent pas bien cette doctrine font un contresens sur ce point. Selon eux, puisque les phénomènes sont dénués d'existence propre, il n'existe ni bien ni mal, ni cause ni effet. C'est une grave erreur.

Il est tellement essentiel d'admettre la causalité et d'en être convaincu qu'il est dit : s'il fallait cesser de croire en la cause et l'effet des actions ou en la vacuité, il vaudrait mieux abandonner la doctrine de la vacuité. Cette priorité donnée à la reconnaissance des causes et des effets nous a valu diverses interprétations de la vacuité de la part des écoles de la Voie du milieu et de l'Esprit seul. La plupart des systèmes de pensée admettent que les phénomènes ont une existence propre, car, devant l'impossibilité de prouver l'existence par l'analyse, beaucoup de gens perdaient la faculté d'admettre la cause et l'effet.

La connaissance du mode final d'existence des phénomènes doit s'intégrer au contexte conventionnel de la causalité sans jamais le perdre de vue. Si, dans la tentative d'acquérir cette connaissance, on perd la compréhension conventionnelle de l'existence relative, le but est manqué. Pour accéder aux plus hauts niveaux d'études, les enfants doivent fréquenter l'école primaire puis secondaire, avant de se présenter aux grandes écoles ou à l'université. Pareillement, de notre conviction du principe de causalité dépend notre succès futur dans la vue profonde de la vacuité d'existence propre, dont la vérification n'annule ni l'acquis antérieur concernant la cause et l'effet ni les pratiques qui en découlent.

Celui qui prétend qu'il n'y a ni bien ni mal parce que les phénomènes sont vides peut bien répéter le mot « vacuité » des milliers de fois, il ne fera que s'écarter de plus en plus de son sens. C'est pourquoi, si l'on s'intéresse vraiment à la vacuité, on doit prêter une grande attention à la cause et à l'effet des actes.

Voilà, en résumé, ce qu'est la pratique de la perfection de la sagesse. Ces six perfections sont au cœur de l'accomplissement de l'altruisme d'un bodhisattva.

Par-delà toute religion *

Le fait que des fidèles de toutes croyances puissent se rencontrer me paraît de bon augure. Chaque religion est fondée sur un système de pensée qui lui est propre et peut donc parfois être en désaccord sur certains points avec les autres ; les bouddhistes ne conçoivent pas l'idée d'un Créateur, au contraire des chrétiens. Certes, nos vues diffèrent, mais je respecte profondément la foi chrétienne, non pour des raisons de politique ou de courtoisie, mais parce que c'est mon sentiment sincère.

Depuis des siècles, l'Église chrétienne a fait beaucoup pour l'humanité ; les réfugiés tibétains ont largement bénéficié de son aide grâce à des organisations de secours internationales, comme le Conseil mondial des Églises, et tant d'autres dont l'assistance fut précieuse à mes compatriotes en exil dans les périodes difficiles que nous avons traversées. Nos amis chrétiens se sont manifestés dans le monde entier, nous offrant non seulement leur sympathie, mais une aide matérielle substantielle, et je suis heureux que l'occasion se présente de les en remercier.

Toutes les communautés religieuses admettent l'existence d'une force qui dépasse l'entendement ordinaire. Lorsque nous prions ensemble, je ressens quelque chose que je ne saurais définir exactement : bénédiction, grâce, peu importe le mot, mais c'est une expérience certaine. Lorsqu'on en fait bon usage, elle inspire une force intérieure : elle crée un climat qui nous rend particulièrement sensibles au courant de fraternité dans lequel nous

* Rencontres œcuméniques aux États-Unis et au Canada.

nous sentons plus proches les uns des autres. C'est pourquoi j'apprécie vivement les rencontres œcuméniques.

Malgré leurs divergences métaphysiques, toutes les religions ont la même orientation. Elles attachent toutes la même importance au progrès de l'humanité, à l'amour, au respect de tous, à la solidarité avec ceux qui souffrent. Dans leurs grandes lignes, les points de vue et la finalité sont assez semblables.

Les religions essentiellement tournées vers un Dieu tout-puissant en qui elles placent leur foi et leur dévotion ont à cœur d'accomplir sa volonté ; voyant en nous les créatures, les enfants d'un Dieu unique, elles nous engagent à nous aimer les uns les autres, à nous entraider. Être fidèle à Dieu, n'est-ce pas avant tout s'incliner devant ses souhaits ? Et, fondamentalement, qu'attend-Il de nous, sinon le respect, l'amour, l'aide que l'on doit à son prochain ?

Voyant que les autres religions encouragent des sentiments et des comportements semblables, je suis convaincu qu'à cet égard leurs enseignements philosophiques abondent dans le même sens. Leurs fidèles le démontrent d'ailleurs par une conduite salutaire à l'égard de leurs semblables – nos frères, nos sœurs. Le cœur animé d'intentions pures, ils progressent en se dévouant aux autres. L'histoire regorge d'exemples de martyrs chrétiens ayant sacrifié leur vie en servant l'humanité. C'est l'acte de compassion par excellence.

Lorsque les Tibétains se sont trouvés en difficulté, les communautés chrétiennes du monde entier se sont montrées solidaires. Elles ont pris part à nos souffrances, volé à notre secours. Au mépris de toute discrimination raciale, culturelle, religieuse ou philosophique, ne voyant en nous que leurs semblables, elles nous ont offert leur aide. Nous y avons puisé une véritable inspiration. Nous avons réalisé que l'amour n'a pas de prix.

L'amour et la bonté sont les piliers de la société. S'ils venaient à manquer, nous connaîtrions les pires difficultés, et la survie même de l'humanité serait en danger. Pour que nous puissions jouir de la paix, tant dans nos cœurs que dans le monde, il est indispensable que la croissance spirituelle ne reste pas en arrière du développement matériel. Il est très difficile de maintenir la paix dans le monde si elle n'existe pas en nous. Dans ce domaine comme pour tout ce qui concerne la vie intérieure, la religion peut nous être d'un grand secours.

Les traditions proposent des points de vue différents et c'est bien, du moment qu'elles s'accordent sur le plus important : l'amour, la compassion. Mais les théories métaphysiques ne sont pas une fin. Ce n'est pas une cause qui justifie notre dévouement. L'objectif est de soulager la misère, de secourir les autres. Quant à la métaphysique, elle n'a de valeur que dans la mesure où elle sert ce but. Si nous entamons une polémique à propos de nos divergences de vues, nous allons nous mesurer, nous critiquer mutuellement, et cela ne nous mènera nulle part. Nous pourrions en débattre à perte de vue sans autre résultat que de nous quereller et de ne rien accomplir du tout. Mieux vaut aller droit au but qui est commun à ces différents systèmes et nous en tenir à ce qui nous unit : l'amour, la compassion, le respect d'une force supérieure. Aucune religion ne croit que le progrès matériel peut à lui seul faire le bonheur de l'humanité. Elles sont unanimes dans leur foi en des forces qui mènent au-delà de cet objectif et toutes mettent l'accent sur les efforts à faire dans le domaine social.

Mais cela n'adviendra que si une bonne entente règne entre elles. Jadis, des conflits ont parfois divisé les groupes religieux. L'étroitesse d'esprit et d'autres facteurs de discorde en furent les ferments. Il ne faut pas que cela se reproduise. Si nous réalisons bien ce que signifie une religion dans le contexte mondial actuel, nous dépasserons sans peine ces querelles inopportunes. Nous ne manquons pas de points communs pour nous rapprocher et tomber d'accord. Faisons front ensemble, côte à côte dans le respect, la solidarité, en bonne intelligence et conjuguons nos efforts pour aider l'humanité. Notre but passe nécessairement par l'épanouissement de la compassion chez tous.

Les hommes politiques, les chefs d'État font de leur mieux pour parvenir à un contrôle des armements et pour tout ce qui leur incombe. C'est très louable. Mais ceux qui, comme nous, sont animés par la foi ont également un devoir, une responsabilité : contrôler nos pensées hostiles. C'est là le vrai désarmement.

Il a lieu dans le contrôle de nos propres armes. Lorsqu'on détient la paix intérieure et que l'on maîtrise ses pensées négatives, la police extérieure perd beaucoup de son sens. Sans ce contrôle, quelque mesure que l'on prenne, ce sera peine perdue.

C'est pourquoi, dans les conditions présentes, les communautés religieuses ont une lourde responsabilité face à l'humanité – une responsabilité universelle. La situation mondiale actuelle fait que chaque continent est terriblement dépendant des autres : une réelle solidarité s'impose donc. Elle dépend de la pureté de nos intentions. C'est là notre responsabilité universelle.

Question : En tant que chef religieux, désirez-vous inciter d'autres personnes à rallier votre foi ou seulement la rendre accessible à ceux qui voudraient en être instruits ?

Réponse : C'est une question importante. Je ne désire pas convertir les autres au bouddhisme, mais leur faire part de la façon dont nous, bouddhistes, pouvons apporter notre contribution à l'humanité, selon notre propre conception du monde. Et je crois que c'est dans le même esprit que les autres fois religieuses entendent participer au but commun.

Autrefois, au lieu de se concentrer sur cet objectif, les différentes religions se querellaient. C'est pourquoi, au cours de ces vingt dernières années en Inde, j'ai saisi toutes les occasions d'être en contact avec des religieux chrétiens – catholiques et protestants –, musulmans, juifs et, bien entendu, hindous. Au cours de ces rencontres, nous prions, nous méditons ensemble, nous parlons de nos vues philosophiques, de notre approche, de nos techniques. Je m'intéresse beaucoup aux pratiques chrétiennes, c'est un système de pensée riche d'enseignements, dont on peut s'inspirer. De même, l'Église chrétienne gagnerait à introduire dans sa pratique certains éléments de la théorie bouddhiste, comme les techniques de méditation.

Tout comme le Bouddha, montrant l'exemple de la tolérance et du contentement, se mit au service des autres de façon parfaitement désintéressée, ainsi fit le Christ. La plupart des grands instructeurs ont mené une vie de sainteté, préférant au luxe des cours royales ou impériales l'existence banale des gens simples. Leur force intérieure était prodigieuse, leur inspiration incommensurable. Pour l'extérieur, ils se contentaient de peu et vivaient simplement.

Question : Peut-on réaliser une synthèse du bouddhisme, du judaïsme, du christianisme, de l'hindouisme et des autres religions pour en former une plus universelle ?

Réponse : Cela me semble difficile et pas particulièrement souhaitable. Cependant, l'amour étant l'essence de toutes les religions, on pourrait parler d'une religion universelle de l'amour. Mais quant aux méthodes employées pour développer l'amour, atteindre le salut, la libération, elles comportent des différences notables. Je ne pense donc pas que l'on puisse ériger un seul système de pensée ou une religion unique. Au demeurant, la diversité en ce domaine me paraît fructueuse, ces multiples façons d'indiquer le chemin constituent une richesse et un bienfait pour l'humanité. Les particularités, les prédispositions et les inclinations propres à chacun sont ainsi respectées. Malgré leurs différences, les religions ne sont-elles pas portées dans leur pratique par un même élan vers l'amour, la sincérité, la droiture ? L'humble contentement n'est-il pas l'art de vivre de tout être spirituel ? Leurs enseignements ne recommandent-ils pas la tolérance, l'amour, la compassion ?

Fondamentalement, leur but est identique, elles agissent dans l'intérêt de l'espèce humaine, chacune ayant sa forme originale et des moyens spécifiques pour permettre à l'homme d'atteindre sa maturité. Se montrer trop attaché à sa philosophie, à sa religion, à sa théorie, essayer de l'imposer aux autres avec une insistance pesante est générateur de troubles. Tous les grands maîtres comme Gautama Bouddha, Jésus-Christ ou Mahomet ont éclairé le monde de leurs enseignements dans l'unique intention de secourir leurs semblables, et non afin d'en retirer un gain pour eux-mêmes, encore moins pour semer la discorde et l'inquiétude dans le monde.

Soyons seulement attentifs à nous respecter les uns les autres, mettons en commun le meilleur de nos connaissances et que chacun y puise un enrichissement de sa pratique. Même s'ils restent cloisonnés, nous ne pouvons que bénéficier de l'étude réciproque de nos systèmes puisqu'ils abondent dans le même sens.

Question : On a parfois tendance, lorsqu'on compare les religions orientales à la culture occidentale, à faire apparaître celle-ci comme plus matérialiste, moins illuminée que les autres. Est-ce là votre avis ?

Réponse : Il y a deux sortes de nourriture : l'une apaise la faim de l'esprit, l'autre celle du corps. D'un point de vue pratique, il est préférable de tenir compte de chacun de ces besoins en associant progrès matériel et croissance spirituelle. Il me semble qu'un grand nombre d'Occidentaux, surtout parmi la jeune génération, ont compris que les avantages matériels ne répondaient pas pleinement à ce qu'ils attendent de la vie. Actuellement, tous les pays d'Orient s'efforcent d'imiter l'Occident et ses technologies modernes. Votre standing de vie semble des plus enviables, particulièrement pour nous, Tibétains. Nous avons le sentiment que si nous arrivions à un tel niveau sur le plan matériel, notre population jouirait d'un bonheur durable. Mais, depuis que je voyage en Europe et aux États-Unis, je découvre que derrière la vitrine se cachent encore la détresse, l'angoisse, le malaise. Il faut croire que les avantages matériels ne peuvent à eux seuls combler l'espérance humaine.

Richesses du bouddhisme tibétain *

Pour définir brièvement ce qu'est le bouddhisme tibétain, je dirai qu'il est dépositaire de l'ensemble des pratiques diffusées par le bouddhisme dans leur authenticité et leur intégralité.

Cela comprend, comme vous le savez, ce qu'on appelle le petit véhicule *(hinayana)* et le grand véhicule *(mahayana)*, auxquels on donne également les noms de véhicule des auditeurs et véhicule des bodhisattvas. Ce dernier se divise en véhicule des perfections et véhicule du mantra secret ou tantra.

La forme de bouddhisme pratiquée à Ceylan, en Birmanie et en Thaïlande est le Theravada, l'une des quatre branches majeures de l'école du Grand Commentaire *(Vaibhashika)*, école doctrinale du petit véhicule. Mahasamghika, Sarvastivada, Sammitiya et Sthaviravada ou Theravada sont les noms de ces quatre sections. Au Tibet, nous avons reçu la transmission des vœux monastiques par le canal de l'une d'entre elles, le Sarvastivada, qui s'inscrit donc dans l'école du Grand Commentaire.

En raison du partage de l'école en quatre groupes, les théravadins observent une discipline dans laquelle 227 vœux sont à respecter, alors que la nôtre en impose 253. A ces nuances près, nos systèmes sont identiques, puisque tous deux suivent les instructions du petit véhicule. C'est pourquoi nous pouvons dire que, dans le bouddhisme tibétain, nous appliquons les règles monastiques du petit véhicule pour tout ce qui regarde l'enchaînement des activités liées à la discipline, de la prise des vœux

* Société Asia, New York City.

au maintien des préceptes, en passant par les rituels, dont l'exécution permet de respecter ces vœux.

Par ailleurs, nous pratiquons les méthodes de méditation menant à l'absorption méditative *(samadhi)*, telles que Vasubandhu les décrit dans *Trésors de connaissance (Abhidharmakosha)* – précis du petit véhicule –, ainsi que les trente-sept harmonies en accord avec l'illumination, point central autour duquel se structure la voie du petit véhicule : les pratiques que suivent les Tibétains s'accordent avec celles que professent les théravadins.

Les doctrines du grand véhicule se sont largement répandues, gagnant la Chine, le Japon, la Corée et certaines régions de l'Indochine. Elles sont fondées sur des sutras spécifiques tels que le sutra du Cœur ou le sutra du Lotus, qui forment le corpus du véhicule des bodhisattvas. L'ensemble des écrits du grand véhicule est fondé sur l'éveil de l'aspiration altruiste à la bouddhéité et sur la pratique des six perfections qui l'accompagnent.

En ce qui concerne la vue de la vacuité, il existe deux écoles de pensée au sein du grand véhicule : l'école de l'Esprit seul (Chittamatra) et l'école de la Voie du milieu (Madhyamika), dont les méthodes, fondées sur la sagesse et la compassion, sont également mises en application sous leur forme complète dans le bouddhisme tibétain.

Quant au véhicule du mantra – ou du tantra –, il est vrai que sa doctrine s'est répandue en Chine et au Japon, mais des quatre classes qui constituent l'ensemble de sa méthodologie, à savoir les tantras d'action, de performance, le yoga tantra et le yoga tantra supérieur, trois seulement ont connu une diffusion dans ces pays.

Le yoga tantra supérieur semble ne pas leur être parvenu, bien qu'il ait pu exister quelques cas isolés de pratique secrète. Parmi ceux qui ont été introduits au Tibet, outre les yogas d'action, de performance et le yoga tantra, figurent de nombreux tantras appartenant à la plus haute classe.

La pratique tibétaine inclut donc toutes les méthodes comprises dans les trois véhicules bouddhistes. L'ensemble de ces techniques permettant de conjuguer la pratique des sutras et des tantras s'est répandu à partir du Tibet dans les contrées de Mongolie comprenant la Mongolie-Intérieure, la Mongolie-Extérieure, les populations kalmouk, etc. Elles ont également gagné les régions himalayennes du Népal, du Sikkim et du Bhoutan. La pratique tibétaine est donc une forme complète du bouddhisme, je ne le dis pas pour en faire étalage, mais afin de donner sur le sujet les éléments permettant de l'approfondir.

Le bouddhisme tibétain compte quatre écoles ou quatre ordres : Nyingma, Kagyu, Sakya et Gelu, qui se subdivisent à leur tour. C'est ainsi que l'école Nyingma présente neuf véhicules, dont six sont fondés sur les sutras et trois sur les tantras, auxquels il faut ajouter les systèmes dérivant de textes découverts.

On trouve donc au sein même des quatre écoles bouddhistes tibétaines un foisonnement de « spécialités » ; cependant, chacun de ces véhicules propose un système cohérent de pratiques unifiant les sutras et les tantras. C'est dû au fait que, dans la recherche de la réalité telle qu'elle est, ils se réfèrent tous à la vue que soutient l'école de Conséquence de la voie du milieu (Prasangika-Madhyamika). Et en ce qui concerne la motivation et les actes d'altruisme, ils suivent la même méthode pour concevoir l'intention altruiste de parvenir à l'éveil et pratiquent les six perfections.

Quelle va être la démarche d'un chercheur qui désire travailler sur les sutras et les tantras afin de les unifier ? En premier lieu, il est dit qu'extérieurement sa conduite doit demeurer en accord avec la discipline du petit véhicule. Par exemple, les yogis tibétains laïques, même s'ils pratiquent les tantras, respectent les vœux des laïques du petit véhicule et mènent extérieurement un style de vie conforme à sa discipline. Puis, intérieurement, il s'agit d'entraîner et de développer l'esprit, afin d'éveiller et de faire croître en lui l'intention altruiste d'obtenir l'illumination, dont l'amour et la compassion sont les racines. Et enfin, secrètement, dans la pratique du yoga de la déité, il se livre à la concentration sur les canaux, les gouttes essentielles et les vents (énergies), afin d'accroître sa capacité de progresser dans cette voie.

Au Tibet, nous estimons que tous ces aspects de la pratique sont compatibles ; nous ne voyons aucune contradiction entre les sutras et les tantras, comme c'est le cas entre chaud et froid ; nous considérons que la pratique de la vue de la vacuité et celle des actes d'altruisme ne se contredisent en rien. Par conséquent, nous combinons ces deux systèmes pour en faire une pratique unifiée.

En résumé, l'intention altruiste de parvenir à l'éveil est la plate-forme à partir de laquelle se déploie toute une série de pratiques de compassion ; et la doctrine de la vacuité est la racine d'où jaillissent les méthodes d'expérimentation de la vue profonde. Pour amener l'esprit chaque fois plus près de la vision de l'ainséité des phénomènes, la méditation est indispensable.

Dans ce domaine, le chercheur doit parvenir à l'absorption méditative *(samadhi)* et disposer d'une force considérable pour s'y exercer ; à cet égard, le yoga de la déité va se révéler un instrument particulièrement approprié, car, grâce à lui, il accédera à l'absorption méditative qui est l'unification de la quiétude mentale et de la vue pénétrante. Ces techniques doivent reposer sur un maintien rigoureux de l'éthique.

Donc, pour récapituler le schéma complet de la pratique tibétaine, il s'agit de maintenir extérieurement l'éthique du petit véhicule, de rester intérieurement fidèle au grand véhicule des sutras par l'éveil de l'altruisme, de l'amour et de la compassion, et d'entretenir secrètement la pratique du véhicule du mantra.

Après cet aperçu de la pratique dans ses grandes lignes, je vais donner quelques précisions sur ses aspects particuliers. Tous les systèmes de pensée bouddhistes et non bouddhistes apparus en Inde sont construits sur le principe de la quête du bonheur et sur la division des phénomènes en deux groupes : objets utilisés et utilisateurs d'objets. Les Indiens non bouddhistes ont surtout mis l'accent sur le soi disposant des objets ; fondant leurs théories sur l'observation que le soi se présente à l'esprit comme utilisateur de l'esprit et du corps, comme le connaisseur du plaisir et de la douleur – ce qui les fait apparaître quelque peu distincts de lui –, ils en ont conclu que le soi avait une existence propre et l'ont considéré comme une entité différente du corps et de l'esprit, voyant en lui le facteur de renaissance émigrant de vie en vie.

Mais les bouddhistes n'admettent pas le principe d'un soi complètement distinct, d'une entité différente de l'esprit et du corps ; ils réfutent la notion d'un soi permanent, unique, indépendant. Au demeurant, les quatre sceaux attestant qu'une doctrine est authentiquement bouddhiste sont explicites :

1. Toute production est impermanente.
2. Tous les phénomènes contaminés sont souffrance.
3. Tout est dénué (vide) de soi.
4. Le nirvana est paix.

La réfutation d'un soi bien distinct du corps et de l'esprit fut cause de l'apparition, dans la pensée bouddhiste, de différentes thèses sur la façon de trouver le soi par rapport au mental et aux agrégats physiques.

L'école autonomiste de la Voie du milieu (Svatantrika-Madhyamika), l'école de l'Esprit seul (Chittamatra) et l'école du Grand Commentaire (Vaibhashika) soutiennent qu'un facteur provenant des agrégats mentaux et physiques est le principe du soi. Mais selon l'école la plus en faveur, celle de Conséquence de la voie du milieu, il n'est rien parmi les agrégats physiques ou mentaux que l'on puisse soutenir ou décrire comme étant le soi.

Toutes ces écoles soutiennent le non-soi, mais cela ne signifie pas une négation absolue du soi. L'école de Conséquence affirme que toute recherche d'un soi tel que celui qui se présente si concrètement à notre esprit n'aboutit à rien. Selon ce mode, il est indémontrable par l'analyse. Ce qu'il s'agit de démontrer par l'analyse est l'« existence en soi », et c'est justement à cette absence d'existence en soi que se réfère la Voie du milieu quand elle parle de non-soi : en revanche, elle soutient qu'il existe un soi, un Je ou une personne que l'on dénomme par rapport à l'esprit et au corps.

Toutes les théories bouddhistes soutiennent *pratitya-samutpada*, la production interdépendante. L'un des points de doctrine de ce principe est : l'apparition de tout phénomène impermanent – ou choses produites – est dépendante d'un ensemble de causes et de conditions, donc les choses se manifestent de façon dépendante. La production interdépendante présente cependant un autre sens : tout phénomène est nommé – ou se manifeste – par rapport à l'ensemble de ses parties.

Lorsqu'ils se livrent à des expériences de collision de particules pour diviser la matière, les physiciens démontrent ce principe selon lequel les phénomènes sont dénommés relativement à l'ensemble de leurs parties, qu'ils appellent particules élémentaires.

Un troisième point vient encore préciser la théorie de la production interdépendante : les phénomènes n'existent que nominalement. Ce qui signifie que les choses n'existent pas objectivement en elles-mêmes, ni par elles-mêmes, mais dépendent d'une dénomination subjective. Dire que les phénomènes existent ou sont dénommés par rapport à une conscience conceptuelle qui leur attribue tel ou tel nom ne signifie pas qu'il n'y ait pas d'objets extérieurs aux perceptions sensorielles, ainsi que le soutient l'école de l'Esprit seul : selon cette école, les choses ne sont que perceptions mentales, mais bien qu'elle nie leur réalité externe, elle ne dit pas que les formes, etc., n'existent pas.

A la lumière de ces trois interprétations, le sens de la production interdépendante s'approfondit chaque fois un peu plus. Étant donné que l'existence du soi, connaisseur des objets, dépend d'autres facteurs, il n'est pas indépendant mais dépendant. L'hypothèse de son indépendance est exclue, et le soi en est donc nécessairement dénué. Donc, la réalité du soi, connaisseur du plaisir et de la douleur, est son absence d'indépendance, sa vacuité d'existence propre. Quand cette théorie s'éclaire, elle se répercute immédiatement sur notre quotidien. Nous commençons à pouvoir maîtriser nos émotions.

Les sentiments passionnels viennent du fait que nous surestimons ou sous-estimons les phénomènes en leur prêtant des qualités ou des défauts qu'ils ne possèdent pas en eux-mêmes. Notre imagination amplifie la réalité et enflamme nos sentiments ; si bien que, lorsque nous sommes pris de désir ou de haine pour quelqu'un, nous le voyons sous un jour extrêmement attirant ou repoussant. Il s'impose à nous comme s'il était là, objectivement. Plus tard, avec le recul, on a envie de rire, rien que d'y penser ;

le sentiment qui s'était emparé de nous n'est plus là. C'est bien la preuve que le désir et la haine impriment quelque chose qui amplifie et pervertit la réalité. La compréhension de ces processus nous aide grandement à dominer les passions au quotidien.

Le contrôle de l'esprit dépend de la faculté de voir les choses telles qu'elles sont vraiment et non au travers de nos fantasmes. La vue correcte est un facteur de sagesse, mais il faut y ajouter un facteur de méthode.

Dans quel dessein nous efforçons-nous d'acquérir la sagesse ? Si nous n'avons en vue que notre intérêt personnel, elle restera limitée. Pour briller, elle a besoin d'être soulevée par l'amour, la compassion, la sollicitude pour les autres ; elle se déploie en se mettant à leur service. Sagesse et méthode en viennent ainsi à s'unir. Quand les idées fausses ne le défigurent pas, l'amour est plein de bon sens et de sensibilité.

Lorsque la prévenance et la compassion débarrassées des sentiments passionnels sont éclairées par la vision du réel ultime, elles vont jusqu'à s'adresser à nos ennemis. C'est une forme d'amour plus vaste que toute autre. Habituellement, l'amour est trop partial, trop mêlé d'attachement pour pouvoir s'adresser à d'autres qu'à nos parents, à nos amis, etc. Mais quand on connaît la nature ultime des choses, aimer devient un mouvement naturel et pur. Afin de progresser vers l'éveil, le chercheur doit conjuguer sagesse et méthode au quotidien. Dans son comportement extérieur, il peut adopter la discipline du petit véhicule et s'exercer dans les six perfections du grand véhicule telles que les textes les décrivent ; si, de surcroît, il pratique le tantra dans le yoga de la déité, l'absorption méditative *(samadhi)* ne tardera pas à s'instaurer et à se stabiliser rapidement.

C'est la voie qu'empruntent les Tibétains dans leur pratique quotidienne, c'est pourquoi je les appelle les « richesses du bouddhisme tibétain ».

La compassion dans la politique *

Ce siècle est très sophistiqué. La diversité des moyens technologiques, en réduisant les dimensions de la planète, favorise les rencontres et le dialogue entre les hommes.

Une telle facilité de contact permet de mieux appréhender nos modes de vie, nos philosophies, nos croyances respectives, et, d'une meilleure compréhension naît tout naturellement le respect mutuel. C'est d'ailleurs bien parce que le monde devient plus petit que je puis être ici, à Los Angeles, aujourd'hui.

Ainsi, en ce moment même, je ne cesse d'être conscient que nous sommes semblables et appartenons tous à la communauté humaine. Si l'on s'en tient aux apparences, on peut dire que je suis asiatique, un Tibétain venu du fin fond de l'Himalaya, issu d'une culture et d'un milieu différents.

Cependant, à y regarder de plus près, le sentiment légitime que j'ai d'être « moi » me porte vers le bonheur et refuse la souffrance. Chacun, d'où qu'il vienne, éprouve également cette sensation au « je » suis, dans laquelle nous sommes tous semblables.

Dès lors, quand j'établis des relations avec des inconnus, dans des lieux nouveaux, il n'y a dans mon esprit aucune barrière, aucun écran. Je peux communiquer avec eux comme avec de vieux amis, même si c'est notre première rencontre. Pour moi, en tant qu'êtres humains, vous êtes mes frères et mes sœurs. Il n'existe pas vraiment de différences, je peux m'exprimer sans réserve.

* Assemblée de *World Affairs* à Los Angeles.

Dans cet état d'esprit, la relation s'établit sans la moindre difficulté, de cœur à cœur et non du bout des lèvres. Des relations fondées sur l'authenticité des sentiments et la compréhension mutuelle génèrent confiance et respect. Ainsi, nous pouvons partager les souffrances des autres, répandre l'harmonie et instaurer une famille humaine unie.

Cette attitude est très constructive. Mettre l'accent sur les différences superficielles – culturelles, idéologiques, religieuses, raciales, sociales ainsi que toutes les autres formes de discrimination étroites et rigides – expose inévitablement l'humanité à une somme de souffrances.

Il suffit d'amplifier d'infimes différences pour que le climat social s'embrase. Il en va de même dans la politique internationale : de toutes petites divergences peuvent donner lieu à des événements incontrôlables.

Ainsi en Asie, au Moyen-Orient, en Afrique ou en Amérique latine, on assiste à des conflits qui puisent parfois leur origine dans les différences religieuses, raciales ou idéologiques.

Il en est de même dans mon pays, le Tibet, du fait du comportement de notre grand voisin, la République populaire de Chine, durant la Révolution culturelle. En adoptant certaines façons de penser et de procéder, l'humanité engendre des problèmes qui viennent se surajouter à ceux qui lui sont déjà inhérents. Un exemple frappant est celui des réfugiés cambodgiens et vietnamiens mourant par milliers ; des discours politiques se tenaient à leur propos, au lieu de parer efficacement à l'urgence de la situation.

Cela est particulièrement affligeant. Ignorer des populations en détresse révèle bien que – malgré notre intelligence et notre puissance considérable lorsqu'il s'agit d'exploiter des hommes ou de détruire le monde – nous sommes réellement dépourvus de tendresse et d'amour. Nous nous devons de prendre conscience, de façon impérieuse et élémentaire, que nous sommes avant tout des êtres humains qui ne voulons pas mourir.

Ces hommes et ces femmes sont pareils à nous : ils ne veulent pas mourir ; ils ont le droit de vivre ; ils ont besoin d'aide. Et l'aide doit venir d'abord. Ensuite, nous pourrons parler des causes, de la politique qui a conduit à cette tragédie et de tout le reste... Un proverbe indien dit : quand on reçoit une flèche empoisonnée, on commence par la retirer, on ne perd pas son temps à se demander qui l'a lancée, de quelle nature est le poison, etc. Quand on est confronté à la détresse humaine, il importe d'y répondre avec compassion plutôt que de se poser des questions sur la politique de ceux que nous secourons. Au lieu de s'interroger pour déterminer si leur pays est ami ou ennemi, il conviendrait de dire : « Ce sont des êtres humains qui souffrent et ont tout comme nous droit au bonheur. »

Dans les domaines scientifiques et techniques, nous sommes assez bien pourvus ; mais il nous manque la chaleur humaine. Avoir du cœur est une nécessité. Comprendre tout simplement que l'appartenance à l'espèce humaine fait de nous tous une seule famille, justifie le bien-fondé des différents systèmes de pensée et des diverses idéologies. Cette diversité est garante de la liberté de choix autant pour l'individu que pour le groupe. Chacun peut trouver ce qui est le mieux adapté à ses dispositions, à ses goûts, à sa culture dans les conditions de vie qui lui sont propres. Le droit de choisir est inaliénable et il appartient à chacun de l'exercer dans le cadre de cette intelligence profonde de la fraternité humaine.

Au tréfonds de nous-mêmes, nous devons avoir une réelle affection les uns pour les autres, reconnaître l'évidence de notre condition commune.

Parallèlement, nous devons être ouverts à tous les modes de pensée, à toutes les idéologies, et les considérer comme autant de moyens de résoudre nos problèmes. Cependant, une région, un pays, une idéologie ne peuvent détenir la solution universelle.

Il est bon de confronter une diversité d'approches en se fondant sur la perception lucide de ce qui nous est commun. Ainsi, nous pouvons conjuguer nos efforts pour résoudre les conflits de l'humanité. Ils se posent aujourd'hui en termes de développement économique, de crise de l'énergie, de tensions entre pays pauvres et pays riches ; bien des litiges politiques peuvent trouver leurs solutions par la compréhension de notre nature commune, par le respect mutuel de nos droits, par le partage de nos épreuves et de nos souffrances et enfin par nos efforts conjugués.

Même si nous ne parvenions pas à aplanir tous nos différends, nous n'aurions rien à regretter. Il nous faut déjà affronter la mort, la vieillesse, les maladies, les catastrophes naturelles, autant de souffrances inévitables qui nous laissent impuissants. N'est-ce pas bien suffisant ?

Faut-il vraiment se créer d'autres problèmes sous prétexte que nous avons des modes de pensée différents ? C'est inutile, et bien triste !

Des milliers et des milliers d'êtres ont à pâtir de cette situation, qui est véritablement absurde. Pour l'éviter, il suffirait d'adopter un comportement différent : être à même d'évaluer ce qui fonde l'humanisme que les idéologies prétendent servir.

Il y a cinq ou six cents ans, en Inde, les natifs vivaient en petites communautés à peu près autonomes, en clans familiaux pratiquement indépendants. Ce temps est désormais révolu et inconcevable aujourd'hui à l'échelle des nations et des continents. Nous sommes complètement dépendants les uns des autres. Un exemple : des milliers de voitures sillonnent les rues de New York, de Washington ou de Los Angeles. Sans essence, elles ne peuvent plus rouler. Tant qu'il y aura du carburant, les hommes seront transportés par leur véhicule, mais qu'il vienne à manquer et ce sont les hommes qui devront transporter ces grosses voitures.

En d'autres lieux, la prospérité dépend de facteurs différents. Que cela nous plaise ou non, notre interdépendance est une réalité. Nous ne pouvons plus exister dans l'isolement, et tant qu'une coopération véritable, une entente harmonieuse et des actions communes ne seront pas établies, des situations difficiles se créeront.

Alors, puisque nous devons vivre ensemble, pourquoi ne pas le faire de bonne grâce, dans un état d'esprit positif, plutôt que dans la haine et en aggravant ainsi le malheur du monde ?

Je suis un homme de religion et, de mon point de vue, tout prend sa source dans l'esprit. Les faits, les événements dépendent essentiellement de ce qui les motive. Le respect de la nature humaine, la compassion et l'amour sont les points clefs. Si nous développons des qualités de cœur dans quelque domaine que ce soit – science, agriculture ou politique –, nous le ferons progresser, tant la motivation qui nous anime est déterminante.

Dans la vie quotidienne, cette attitude est tout aussi probante et tout autant efficace. Prenons une famille réduite, même sans enfants : si chacun est chaleureux, l'atmosphère sera paisible. Mais si l'un ou l'autre s'irrite, la tension monte instantanément dans le foyer. Malgré un bon repas et un beau programme télévisé, vous ne pourrez jouir de la paix. Donc, les situations dépendent plus de notre état d'esprit que de leurs conditions matérielles. Certes, ces dernières sont importantes, nécessaires, et nous devons savoir en user ; notre époque nous impose de trouver la bonne synergie entre le cœur et l'intelligence.

Tout un chacun aime à parler de paix familiale, nationale ou internationale. Mais, si elle n'existe pas *en nous,* comment pourrions-nous la faire régner ailleurs ! La paix dans le monde demeure incompatible avec la haine et la violence. Même individuellement, le bonheur ne peut cohabiter avec l'agressivité.

Lorsque l'on vit une situation personnelle tendue, perturbante, les facteurs extérieurs ne nous sont d'aucun secours. En revanche, les épreuves extérieures peuvent être plus aisément acceptées et affrontées si dans son for intérieur on est aimant et chaleureux.

Le bon sens inhérent à la nature humaine est dévoré par la colère. Jalousie, haine, impatience sont des fauteurs de troubles qui ne peuvent rien résoudre. Leurs victoires n'ont qu'un temps et feront surgir de nouvelles difficultés. La violence engendre des réactions impulsives.

Il est vrai que la compassion et les motivations sincères prennent plus de temps, mais, en définitive, elles conduisent à de meilleures solutions, car elles épargnent les dangers de toute méthode expéditive. On a parfois tendance à considérer la politique avec mépris. A bien y regarder, elle n'est pas critiquable en soi. C'est un instrument au service de la société s'il est utilisé de façon honnête et loyale. Mais si la politique est employée à des fins personnelles pour servir la haine, la violence ou la jalousie, alors elle devient méprisable.

Cela vaut également pour la religion. Si mes motivations sont égoïstes ou haineuses, j'aurai beau tenir des discours religieux, ils resteront sans effet, car l'arrière-pensée est suspecte. Tout dépend de ce que nous portons en nous.

L'argent ou le pouvoir ne peuvent tout résoudre et le problème urgent pour l'humanité est celui du cœur. Ensuite se résoudront naturellement les problèmes humains que nous avons créés.

Selon moi, puisque nous appartenons tous à ce monde, nous devrions tenter d'adopter un comportement universel fait de bienveillance et de fraternité.

Dans le cas des Tibétains, nous sommes en lutte pour nos droits. Selon certains, la situation est essentiellement politique, mais ce n'est pas mon sentiment. Nous avons, tout comme les Chinois, un héritage culturel unique. Nous n'éprouvons pas de haine envers eux ; nous respectons profondément leur identité façonnée par tant de siècles d'histoire. Mais nous sommes six millions de Tibétains qui avons un droit égal au leur à conserver notre personnalité, dès lors que nous ne faisons de tort à personne.

Matériellement, nous avons du retard, mais, spirituellement, pour ce qui est du développement de l'esprit, nous sommes plutôt riches. Nous sommes bouddhistes, et la forme du bouddhisme que nous pratiquons est des plus complètes. En outre, nous l'avons maintenue active et vivante.

Au siècle dernier, nous étions encore une nation paisible pourvue d'une culture unique. Malheureusement, durant ces dernières décennies, cette nation et son patrimoine sont délibérément détruits.

Nous aimons notre terre, notre culture, et nous avons le droit de les préserver. Au bout du compte, les six millions de Tibétains qui existent sont des êtres humains ; que nous appartenions à un pays développé ou pas importe peu face à six millions d'âmes qui ont le droit de vivre. Voilà le problème.

C'est avec la volonté de servir l'humanité que je défends notre cause. Ce n'est pas simplement en tant que Tibétain, mais à titre d'homme que j'estime nécessaire de pérenniser cette culture et cette nation qui apportent leur contribution au monde. C'est la raison pour laquelle je persiste dans notre mouvement. Certains le réduisent à une démarche de nature exclusivement politique. Je sais qu'il n'en est rien.

Nous espérons beaucoup d'un changement d'attitude de la République populaire de Chine, mais le passé nous a enseigné la prudence. Je n'avance pas cela pour le plaisir de critiquer. C'est un constat. Les faits sont là et l'histoire le dira.

Je considère que la détermination et la volonté humaine suffisent à défier la pression et l'agression extérieures. Si puissante soit la force malfaisante, elle ne peut bâillonner la vérité. Telle est ma conviction.

Je souhaite et vous demande en toute amitié d'essayer de favoriser la fraternité aussi bien à titre individuel que collectif. Nous devons faire progresser l'amour et la compassion. C'est notre véritable devoir. Les gouvernements ont trop à faire pour s'y consacrer.

A titre privé, nous disposons de plus de temps à investir dans cette ligne de conduite : apporter sa contribution à la société des hommes en développant la compassion et une authentique conscience communautaire.

En conclusion, vous pensez sans doute que je parle d'un rêve irréalisable. Or nous avons développé notre intelligence, et ses potentiels sont illimités.

Si même des bêtes sauvages peuvent être domptées à force de patience, à plus forte raison l'esprit humain peut se maîtriser progressivement. Si vous vous y entraînez avec persévérance, vous pourrez en faire l'expérience.

Celui qui a tendance à s'irriter facilement parvient avec le temps à se corriger. Ce processus vaut également pour quelqu'un de très égoïste. Il lui faudra d'abord réaliser les inconvénients d'une attitude individualiste et l'intérêt de la modifier. Ensuite, il devra s'entraîner à dominer ce pôle négatif pour développer le pôle positif. Avec le temps, cette pratique se révélera efficace. C'est le seul choix possible.

Sans amour, la société est dans l'impasse et l'avenir nous imposera d'affronter de terribles épreuves. L'amour est la clef de voûte de la vie humaine.

Méditation *

Si vous me demandez : « L'être humain a-t-il des droits ? », je dirai oui, pour une raison bien simple. La conception innée qui s'exprime en chacun sous la forme du je nous fait spontanément désirer être heureux et refuser de souffrir. Espoir et crainte sont des sentiments légitimes du moi. Ils suffisent amplement à justifier le droit des humains au bonheur et à ne pas souffrir.

Dans le monde, tant de gens se sont mis en quête d'une voie pour atteindre cet objectif, chacun tenant sa pratique pour la meilleure ! Tous les plans de développement social, planifiés sur cinq ou dix ans, ne se proposent rien d'autre que d'améliorer le sort de tous. Mais on peut faire appel à d'autres moyens pour le réaliser. Les méthodes dont je vais vous entretenir diffèrent de celles qui sont couramment employées. Elles ne font pas appel à des moyens extérieurs tels que l'argent, mais à la faculté de transformer son esprit. Dans le passé, un grand nombre de sages se sont penchés sur cette question. Ils ont mis au point des techniques de perfectionnement et de transformation de l'esprit afin qu'il apprenne à se tourner vers les autres. N'est-ce pas là notre objectif commun ?

Il convient donc de les étudier avec tout le respect qu'elles méritent, d'explorer leurs particularités, d'extraire ce qu'elles offrent de riche, de substantiel ; mais, par-dessus tout, de les appliquer au quotidien permet d'en tirer le meilleur parti. Ces enseignements prennent ainsi tout leur sens.

Quant aux principes philosophiques, ils n'ont d'écho véritable

* Wisdom's Goldenrod, Ithaca, New York.

dans la pratique que s'ils s'appuient sur un continuum mental bien maîtrisé. C'est en cela que la méditation est fondamentale tout au long du parcours, et plus encore au début.

Mais laissons là la théorie et, si vous le voulez bien, allons directement à l'expérience.

Pour commencer, soyez attentif à votre posture : asseyez-vous en mettant vos jambes de façon à être très à l'aise. Tenez votre colonne vertébrale droite comme une flèche. Le dos de la main droite repose sur la paume de la main gauche, en équilibre méditatif, quatre doigts au-dessous du nombril. Les pouces se touchent de façon à former un triangle. Dans cette position, les mains sont reliées avec le point du corps où l'on fait naître la *chaleur intérieure*. Inclinez légèrement la tête. La bouche et la mâchoire sont détendues, la langue est contre le palais, la pointe en contact avec les dents ; les yeux sont détendus et dirigés vers le bas ; il n'est pas nécessaire de fixer la pointe du nez. Si cela ne vous demande pas d'effort, regardez le sol devant vous, avec les paupières mi-closes ; si elles se ferment spontanément, laissez-les faire. Mais quand l'esprit se stabilise sur le support de méditation, ce qui s'offre au regard ne peut l'en détourner.

Ceux qui, comme moi, portent des lunettes, remarqueront, en les retirant, que l'environnement devient flou : l'on offre alors moins de prise à l'agitation ; en revanche, il faut se méfier de la torpeur. Notez ce qui vous convient le mieux selon que vous méditez face ou dos au mur. Face au mur, vous serez peut-être moins distrait. Faites des tentatives, l'expérience personnelle est le meilleur juge en la matière.

Parmi les diverses techniques, il en est qui proposent un objet d'observation. Selon les cas, c'est un support interne ou externe. L'esprit, par exemple, est un support de méditation interne.

Mais laissons là l'esprit et prenons un objet externe tel que le corps d'un bouddha, si cela vous inspire, mais vous pouvez également faire choix du crucifix ou de tout autre symbole à votre convenance. Représentez-vous l'objet mentalement, à peu près à un mètre de vous, à hauteur de vos sourcils, avec une taille approximative de cinq centimètres. Imaginez que de la lumière en émane et qu'il possède un certain poids. La notion de poids évite l'agitation mentale, et celle de luminosité, le relâchement de l'attention. Maintenez votre concentration, sachant que deux facteurs réclament tous vos soins : la clarté et la stabilité de l'image. Exercez-vous à accommoder votre regard intérieur.

Percevez-vous quelque image mentale ? L'environnement vous dérange-t-il ? Si c'est le cas, n'hésitez pas, fermez les yeux. Un rougeoiement apparaît-il ? Si les objets extérieurs s'imposent à votre regard et si un rougeoiement apparaît lorsque vous fermez les yeux, c'est signe que votre attention est encore trop dirigée vers la perception visuelle. Essayez de la reporter vers la perception mentale.

Ce qui nuit à la stabilité de l'objet et le rend fluctuant, c'est l'agitation ou la distraction. Pour y mettre fin, amenez l'esprit à se retirer plus profondément en lui-même afin d'atténuer l'intensité que vous mettez à percevoir l'image. Ce mouvement d'intériorisation est facilité par l'introduction d'une note plus grave, d'une pointe de mélancolie dans la pensée. Il se produit alors un relâchement de la tension mentale et l'on devient plus apte à fixer l'objet.

Mais stabiliser la visualisation ne suffit pas, il faut également que l'image devienne nette. L'obstacle à la précision, c'est la torpeur : un laisser-aller consécutif au retrait trop prononcé dans lequel la conscience a décliné. Elle commence par devenir vague, puis, si l'on n'y prend garde, elle glisse vers un état léthargique, perd de vue l'objet et se perd dans une sorte de brouillard. On peut même succomber au sommeil. Quand vous sentez venir la torpeur, augmentez l'intensité de la perception, secouez cette apathie. Pour ce faire, pensez cette fois à quelque chose de plaisant qui vous égaye, ou bien contemplez un vaste panorama, afin que l'esprit puisse surmonter son indolence et se ressaisir. Servez-vous de votre expérience pour surprendre les défaillances de l'attention et réaccorder l'instrument mental. Entraînez-vous à détendre ou au contraire à resserrer votre observation. Et lorsque vous tenez fermement l'image dans le rayon de votre attention, vérifiez sa clarté et sa stabilité, comme si vous étiez posté dans un coin.

Pour exercer cette surveillance, on fait appel à l'*introspection.* Cette faculté, dont le rôle très particulier consiste à vérifier ponctuellement que l'esprit n'a cédé ni à l'agitation ni à la torpeur, se développe dès que l'attention devient suffisamment puissante. Avec un bon entraînement à l'attention et à l'introspection, on peut couper court à la distraction et à la torpeur dès leurs premiers signes. Voilà brièvement comment on pratique la méditation dans l'observation d'un objet externe.

La deuxième technique consiste à contempler l'esprit lui-même, en le maintenant alerte, naturel, sans laisser les pensées remonter le cours des événements passés ni anticiper l'avenir. On demeure ainsi, sans élaboration conceptuelle.

Avez-vous une idée de l'endroit où siège votre conscience ? Peut-être avez-vous l'impression qu'elle se tient dans la région des yeux ? Cela n'aurait rien de surprenant. L'œil et la conscience sont souvent associés. C'est surtout par la vision que nous prenons conscience des choses. En fait, nous nous fions tellement à nos perceptions sensorielles que nous les confondons souvent avec notre perception mentale. Ce sont pourtant deux domaines différents. Un exemple permet de le démontrer : lorsque notre attention est sollicitée par un bruit, nous ne remarquons plus ce qui s'offre à notre vue ; cela prouve qu'en dehors des perceptions sensorielles il existe une perception mentale capable de négliger les messages visuels au profit des messages auditifs.

Avec un entraînement assidu, on finit par entrevoir la conscience : on la ressent comme une entité simplement lumineuse et connaissante, avec une faculté de percevoir toutes choses et de s'identifier à n'importe quel objet pour peu que les conditions adéquates soient réunies. Mais, à moins qu'une étincelle ne vienne de l'extérieur enflammer l'imagination, l'esprit demeure vide, limpide, transparent comme de l'eau.

Quand sa nature se révèle ainsi – et cette expérience est tout ce que l'on peut en connaître –, c'est un signe : pour la première fois, on a identifié l'objet interne de ce type de méditation. Le meilleur moment pour pratiquer cette technique est le matin lorsque l'esprit est clair et vif. Un lieu calme est des plus souhaitables.

Nous allons maintenant étudier une autre méthode faite pour discerner la nature ultime de la personne. En principe, les phénomènes sont classés en deux catégories : d'un côté, il y a les agrégats d'esprit et de corps – objets dont dispose le moi – et, de l'autre, le moi qui en dispose.

Prenons un exemple. Lorsque nous disons : « John arrive », ce nom désigne une personne précise. Se rapporte-t-il à son corps ? Non. Désigne-t-il son esprit ? Si c'était le cas, ne dirions-nous pas « l'esprit de John » ? Esprit et corps sont considérés comme des éléments dont dispose la personne. Ne dirait-on pas qu'il existe un moi distinct du corps et de l'esprit ? Lorsque nous déclarons : « J'ai un corps affreux », ou bien : « J'ai un esprit odieux », nous traduisons le sentiment intime que ce je est quelque chose d'autre que notre corps et notre esprit, n'est-il pas vrai ? Revenons maintenant à John : de quelle nature est cette personne qui n'est ni son corps ni son esprit ? Chacun peut s'interroger de la sorte. Référez-vous à vous-même et demandez-vous : où se situe ce moi par rapport à l'esprit et au corps ? Le corps n'est pas moi, mais, lorsqu'il est malade, cela ne m'empêche pas d'affirmer que « je » suis malade. Au besoin, ne va-t-on pas jusqu'à sacrifier un organe de son corps pour le bien-être et le plaisir du moi ? Le corps n'est pas le moi, cependant il existe une relation entre les deux. La souffrance du corps ne va pas sans celle du moi. Et quand l'œil reçoit l'image d'un objet, la pensée le traduit par : « je » le vois.

Quelle est la nature de ce je ? Comment vous apparaît-il ? En dehors de toute construction mentale artificielle, pouvez-vous dire que votre moi possède une identité séparée de votre esprit et de votre corps ? En cherchant bien, parvenez-vous à le trouver ? Imaginez qu'on vous accuse : « Vous avez volé ceci », « vous avez dépouillé telle et telle personne », que ressentez-vous instantanément lorsque vous pensez : « Moi ? Mais c'est absolument faux ! » A ce moment précis, comment vous apparaît ce moi ? Ne vous semble-t-il pas solide ? N'y a-t-il pas quelque chose de concret, de fixe, de fort qui envahit votre esprit à la pensée : « Ce n'est pas moi ! » ?

Ce moi, apparemment si solide, si concret, si indépendant, ce moi qui, en de telles circonstances, s'affirme avec tellement d'autorité est en fait ce qui n'a pas la moindre trace d'existence. Et cette inexistence est précisément ce que désigne le terme de non-soi. Le moi élémentaire qui, sans autre forme d'examen, s'exprime par : « Je veux ceci... je vais faire cela », est le seul dont on puisse admettre l'existence relative. L'inexistence de ce moi chimérique, dénué de réalité autonome, objective, ce non-soi de l'individu, voilà ce que découvre le chercheur en analysant le moi.

L'inexistence en soi du je est une réalité ultime. Quant au moi perçu dans son contexte conventionnel en dehors de toute analyse, le moi relatif à un ensemble de conditions et servant de base aux notions conventionnelles d'agent, d'action, etc., il est une réalité conventionnelle. Quelles que soient les apparences, lorsque nous procédons à une recherche analytique, nous arrivons à la conclusion que le moi auto-existant n'a pas plus de réalité qu'une illusion dans un tour de magie.

C'est ainsi que l'on questionne la nature ultime de la personne. Et toute recherche sur les choses dont elle dispose se révèle identiquement infructueuse : elles ont le même caractère de vacuité que le moi et, comme lui, existent en dehors de toute analyse. Mais, si conventionnelle soit-elle, l'existence du moi, sujet au plaisir et à la douleur, rend l'éveil de la compassion et de l'altruisme indispensable. Et, au regard de la vérité ultime – la vacuité d'existence en soi de toutes choses –, nous devons cultiver la sagesse. Quand la compassion et la sagesse s'allient dans la pratique, la connaissance s'approfondit et la notion de dualité s'estompe ; car plus on pénètre le sens de la vacuité, moins on se fie aux apparences dualistes. L'esprit gagne en finesse, progresse vers des niveaux de plus en plus subtils et, finalement, se transforme en l'esprit le plus basique, le plus fondamental : l'esprit inné de la claire lumière. Il se tient alors immergé dans l'équilibre contemplatif, exempt de toute perception dualiste, réalisant directement la vacuité avec laquelle il se confond, tous deux intimement mêlés en une saveur unique. Toute la création peut, à loisir, apparaître dans cette saveur qui confère un goût unique à la multiplicité des choses. Cette expérience s'intitule : « Tout en une saveur, une saveur en tout. »

Question : Pourquoi est-il préférable de méditer le matin ?

Réponse : Il y a deux raisons majeures. Quand on se lève tôt, l'habitude aidant, tous les centres nerveux bénéficient d'une fraîcheur propice à la méditation – ce n'est pas le cas à toute heure du jour. Chacun sait par expérience qu'aux premières lueurs de l'aube, après un bon sommeil, on se sent frais et dispos. Le soir, il m'arrive de ne plus pouvoir réfléchir correctement et voilà qu'au réveil ce qui m'échappait la veille s'éclaire automatiquement. C'est signe que les facultés mentales sont mieux aiguisées le matin.

Question : Pourriez-vous parler de la méditation sur le son du mantra ?

Réponse : Dans la méditation avec mantras, l'observation porte soit sur un son externe, et il s'agit alors de récitation orale, soit sur un son interne, et elle est mentale. Il existe également des sons naturels se produisant d'eux-mêmes avec la respiration ; ils accompagnent l'inspiration et l'expiration du souffle dans le même ton que le mantra. Dans cette pratique, on se représente des lettres dressées sur le pourtour d'un disque lunaire plat, ou bien nimbées de lumière au niveau du cœur. Si cela vous convient, vous pouvez imaginer que vous vous trouvez là, enfoui dans votre corps comme dans votre foyer. Si vous avez tendance à situer la conscience dans la région des yeux, visualisez la lumière à l'arrière de vos yeux en pensant intensément que vous vous trouvez au centre de cette luminosité. Faites-la ensuite descendre jusqu'au cœur de façon à vous tenir au milieu du cercle formé par les lettres du mantra. En pratiquant ainsi régulièrement, vous finirez par vous sentir vraiment présent en ce lieu, et vous verrez les syllabes dressées autour de vous. Vous pouvez les lire mentalement tout en récitant le mantra, sans remuer les lèvres. Il existe une grande variété de techniques.

Question : Quels sont les moyens les plus efficaces pour vaincre les difficultés en méditation ?

Réponse : Les textes citent cinq défauts faisant obstacle à la méditation et huit antidotes pour les éliminer. Le premier défaut est la paresse, le deuxième, l'oubli des instructions concernant l'objet – ou le fait de perdre de vue ce sur quoi l'on médite ; viennent ensuite la torpeur et l'agitation, puis l'échec à appliquer les remèdes convenant à l'un ou à l'autre de ces obstacles. Le cinquième est l'usage inadéquat de l'antidote – que l'on continue d'appliquer alors qu'il n'y a plus lieu de le faire. Pour contrecarrer la paresse, on use *a priori* de la foi. Une foi fondée sur la compréhension que l'absorption contemplative possède des vertus qui en font un atout majeur de l'éveil. Sans elle, les sommets de la voie nous demeurent inaccessibles. Une telle conviction fait naître l'aspiration à maîtriser l'absorption contemplative. L'aspiration pousse à l'effort qui permet de réussir. A son tour, l'effort engendre la flexibilité, dont la fonction essentielle est de libérer le corps et l'esprit de leurs résistances ; débarrassés de leur rigidité, ils deviennent aptes à pratiquer tous les exercices spirituels avec une entière efficacité. Foi, aspiration, effort et flexibilité sont quatre remèdes appliqués à la paresse.

Lorsqu'on débute, il est préférable de faire des méditations peu prolongées. N'allez pas au-delà de vos capacités ; des sessions de quinze minutes sont tout à fait suffisantes. A ce stade, la qualité importe plus que l'endurance, et, au-delà d'un quart d'heure, vous risquez fort de vous endormir. La méditation ne vous servirait alors qu'à développer une tendance à la somnolence ; non seulement ce serait du temps perdu, mais également un mauvais pli, difficile à effacer par la suite.

Commencez donc par des séquences brèves et fréquentes. Vous pouvez en faire de huit à seize par jour. Une fois que le processus vous sera devenu familier, votre méditation s'améliorera et elle tendra tout naturellement à se prolonger. Dans la pratique de l'absorption contemplative, le progrès se traduit par l'impression d'avoir passé très peu de temps dans une session alors qu'en réalité elle aura été longue. En revanche, si elle vous a paru interminable, c'est une invite à écourter les sessions. C'est un point important dans les débuts.

Question : Il est question, dans le bouddhisme, de différents niveaux de cognition et d'objets correspondant à ces niveaux. Qui est le connaisseur de ces divers modes de cognition à chacun de ces niveaux ?

Réponse : Il existe en effet de nombreux niveaux de conscience et autant de façons de percevoir les choses. Mais étant donné que ces niveaux de conscience et leurs modes de perception relèvent tous du continuum mental, base d'identité du simple moi, le simple moi en est le connaisseur. Cela répond-il à votre question ?

Parmi les diverses théories bouddhistes, certaines prétendent que les différents modes de perceptions constituent le moi. Mais l'école de Conséquence de la voie du milieu (Prasangika-Madhyamika), la plus estimée pour la profondeur de ses vues, ne retient qu'un simple moi désigné à partir du continuum de conscience.

Question : Qu'est-ce qui distingue la conscience du moi ?

Réponse : Le moi se manifeste sous différents aspects. Parfois, il paraît réellement distinct des agrégats de corps et d'esprit, comme s'il était doué de permanence, d'unicité et de la faculté d'être par lui-même. En certains cas, il ne se différencie pas vraiment des agrégats, mais se présente plutôt comme celui qui en aurait la charge, ou en serait le maître, telle une entité substantielle, autonome. Ou encore, c'est comme si, loin d'être affirmé par la conscience qui le perçoit, il constituait lui-même la preuve de sa réalité par sa façon singulière d'exister. Sous un autre angle, il semble être par lui-même, comme s'il n'existait pas grâce à une dénomination.

Et, enfin, dans un autre regard, bien que le moi « semble » exister par lui-même, nous ne concevons rien en dehors d'un simple moi. Parmi toutes les conceptions énumérées, cette dernière est la seule que l'on puisse logiquement admettre.

Qu'est-ce que le moi ? Lorsque nous le passons au crible de

l'analyse, nos recherches s'avèrent infructueuses. Nous avons beau examiner les mécanismes mentaux, physiques, leur continuum ou le système englobant tous ces éléments, nous ne découvrons rien de tel que le moi.

Dans un clair-obscur, quelqu'un peut voir un rouleau de corde tacheté jeté dans un coin sombre et le prendre pour un serpent. Mais, s'il l'examine de près, il ne trouvera de serpent ni dans les éléments de la corde pris séparément, ni dans leur ensemble, ni dans le continuum de tous ces éléments observés d'instant en instant. Le serpent n'existe que dans l'esprit de la personne effrayée. Quant à la corde, on ne trouvera en elle aucun élément prouvant qu'elle existe en tant que serpent. Suivant le même exemple, la recherche du moi dans les mécanismes du corps et de l'esprit, bases de son identité, ne donne aucun résultat. Et l'hypothèse d'un moi différent de ces bases ne tient pas davantage.

A ce stade, si nous étions tentés de conclure que le moi n'existe en aucune façon, le savoir conventionnel le réfuterait. Le moi existe de toute évidence. Puisque l'expérience commune l'admet conventionnellement malgré le fait qu'il se révèle manquant parmi les éléments portant son nom, nous dirons donc qu'il est purement nominal et n'existe que grâce au concept et à la subjectivité.

Les agrégats d'esprit et de corps, base de cette existence purement nominale, comportent différents niveaux, depuis les plus élémentaires jusqu'aux plus subtils. La conscience sans commencement, dont le courant traverse toutes les existences, en est le stade le plus subtil. Aussi est-il dit que le moi est nommé grâce à la faculté de conceptualisation, par rapport au continuum de conscience sans origine ni fin, qui est le support majeur du nom. Du fait que le moi a une existence purement nominale fondée sur ce continuum mental, on peut conclure que, en dehors du soi existant conceptuellement, il n'a pas d'existence qui lui soit propre. Le fait qu'un objet n'ait pas la propriété de s'établir par ses propres moyens est ce que nous entendons par « non-soi ». Peut-être vous demandez-vous : « Si le moi et les choses n'existent que conceptuellement, qui les conçoit ? Qui les nomme ?

Moi ? Vous ? Quelqu'un est-il intervenu dans le passé, dans le présent ? Ou bien existe-t-il quelque autre possibilité ? »

Là encore, le même type d'analyse s'impose pour tenter de trouver l'objet en question. Mais, une fois encore, votre recherche restera infructueuse. En effet, ce qui existe par le concept n'existe que conceptuellement.

Le Bouddha l'a énoncé : tous les phénomènes ne sont que dénomination, et la dénomination n'est elle-même qu'une dénomination. La vacuité, elle aussi, est vide, et le Bouddha lui-même est vide d'existence propre. La vacuité nous évite de tomber dans l'extrémisme de la réification de l'existence ; et le fait qu'ultimement les choses ne soient pas inexistantes puisqu'elles existent en tant que productions interdépendantes permet de ne pas pencher dans l'extrémisme de la non-existence absolue.

Question : D'où la conscience vient-elle ?

Réponse : D'après nous, la conscience est une production de la conscience. Il ne peut en être autrement. Des particules n'ont pas la propriété de créer une entité de luminosité et de connaissance. La matière n'a pas la propriété de produire la substance de la conscience. Et la conscience ne peut pas davantage être la cause substantielle de la matière.

L'école de l'Esprit seul prétend que matière et conscience seraient une seule et même chose – il n'existerait pratiquement rien en dehors de la conscience. L'école de Conséquence de la voie du milieu n'admet pas cette théorie. Elle estime qu'elle ne résiste pas à l'analyse, parce que conscience et matière sont deux choses distinctes. On ne peut pas parler du principe de la conscience autrement qu'en termes de succession de moments de conscience. C'est la raison pour laquelle elle n'a pas d'origine, ce qui fait que les renaissances n'en ont pas davantage. Dans sa continuité, l'esprit n'a ni commencement ni fin ; cependant, certains états d'esprit ont un commencement et pas de fin, tandis que d'autres n'ont pas de commencement mais prennent fin.

Question : Ma question concerne les deux vérités. La vérité conventionnelle présuppose l'existence en soi du sujet et de l'objet, et la vérité ultime implique le contraire. Cela paraît clair, mais lorsqu'on soutient que la vérité conventionnelle n'est pas différente de la vérité ultime, je trouve cela très difficile à comprendre.

Réponse : L'école de Conséquence ne reconnaît pas, même sur le plan conventionnel, d'existence propre au sujet et à l'objet. Les écoles de pensée inférieures se sont méprises dans leurs interprétations de ce système, au point de prétendre que les conséquentialistes étaient tombés dans le piège du nihilisme. C'est dire que, même à leurs yeux, l'école de Conséquence n'admet pas l'idée d'une existence propre aux phénomènes. Nous ne soutenons pas que les deux vérités sont une, mais les éléments d'une même entité. En fait, elles s'excluent mutuellement, comme la paume et le dos de la main. De même, affirmer que le moi conventionnel est le substrat, et le vide d'existence propre son mode d'être, signifie que le vide est sa caractéristique fondamentale, son statut de base. Le moi brut et sa vacuité sont une seule et même chose. Mais, alors que le moi brut est une connaissance admise au point de vue conventionnel, sa vacuité, elle, est une découverte de la connaissance admise au point de vue ultime : le moi n'est pas la vacuité – l'un et l'autre s'excluent. Les deux vérités constituent les pôles d'une seule et même réalité, mais nous les distinguons pour pouvoir en parler.

La vacuité du sujet et de l'objet s'explique essentiellement par son caractère de production interdépendante. Or les notions de dépendance et d'indépendance s'excluent mutuellement. L'affirmation de l'une implique l'élimination de l'autre. Dans l'exemple de termes tels qu'humain et non humain, on ne peut catégoriser un sujet dans l'un de ces genres sans exclure son appartenance à l'autre et vice-versa. Lorsque l'on s'interroge sur la nature des phénomènes, sitôt que leur dépendance est démontrée, leur indépendance est exclue. C'est précisément ce que nous qualifions de vide d'existence inhérent à l'objet. Et lorsque nous disons qu'un phénomène est vide parce qu'il ne se manifeste que par un système de relations interdépendantes, nous sommes au cœur même de l'existence. Ce qui n'existe pas ne peut pas être dépendant. Lorsqu'on se familiarise avec le principe de la production interdépendante, le seul fait qu'une chose existe suffit à expliquer sa vacuité d'existence propre.

Dans la plupart des systèmes de pensée, le mot « existence » fait référence à un mode d'être autonome, et non à l'absence d'un tel mode ; c'est pourquoi nous étayons la vacuité sur le raisonnement de la production interdépendante avec une réflexion sur ses implications.

Question : Pourriez-vous, s'il vous plaît, nous parler des cinq bouddhas ?

Réponse : Dans les enseignements, les cinq éléments, les cinq agrégats, les cinq émotions perturbatrices et les cinq sagesses de l'état ordinaire sont en résonance avec les bouddhas des cinq lignées.

Par exemple, la terre, l'eau, le feu, l'air et l'espace, en tant qu'éléments basiques du continuum de la personne, sont les constituants qui demandent à être purifiés afin que s'opère la transmutation en bouddha des cinq lignées.

Dans le processus de mort, l'agrégat de forme, notre corps matériel, se désagrège, tandis qu'un agrégat de forme plus subtil nous accompagne dans l'état intermédiaire jusqu'au début de la vie suivante. Si bien que, si nous considérons l'agrégat de forme sans mettre de cloison entre le niveau matériel et le niveau subtil, nous pouvons en parler comme d'un continuum dépourvu d'origine et de fin. Dans son aspect purifié, l'agrégat de forme est le bouddha Vairochana.

Quant à la conscience, nous distinguons en elle six « esprits » et cinquante et un facteurs mentaux, parmi lesquels se regroupent cinq facteurs omniprésents, les cinq agrégats : l'agrégat de la sensation ; sa forme purifiée se traduit dans *ratnasambhava ;* celui des catégorisations, dont l'aspect purifié se manifeste en *amithaba ;* l'agrégat des phénomènes composés *, dont l'aspect purifié se traduit en *amoghasiddhi,* et enfin l'agrégat de conscience primordiale, dont l'aspect purifié est *akshobya.*

Si nos agrégats sont faits d'aspects élémentaires et subtils,

* Des « idéations » *(NdT).*

ceux des bouddhas des cinq lignées sont exclusivement de nature très subtile et intemporelle.

Question : Est-ce que les agrégats très subtils sont l'équivalent des bouddhas des cinq lignées ?

Réponse : Les cinq agrégats très subtils sont appelés à se transformer en bouddhas des cinq lignées. Pour l'heure, ils semblent associés à des imperfections mentales. Lorsqu'elles se retirent, ces constituants ne deviennent ni plus grossiers ni plus subtils, leur nature demeure telle qu'en elle-même ; mais il suffit qu'elle soit dissociée des résidus de la pollution mentale pour que les agrégats se tranforment en ceux des bouddhas des cinq lignées. Peut-être aimeriez-vous savoir si les bouddhas des cinq lignées sont d'ores et déjà présents dans notre continuum mental ? Celui-ci, d'ordinaire, est plein d'imperfections ; or l'absence de tout défaut est le propre des bouddhas et nos agrégats ne peuvent actuellement prétendre à ce statut. En d'autres termes, nous ne sommes pas encore complètement illuminés, mais ce qui est appelé à devenir un bouddha est potentiel en nous. Ces fonctions latentes dans notre continuum sont les germes de la bouddhéité. Nous les appelons la nature de bouddha, l'essence de « ceux-ainsi-allés » *(tathagatagarbha).*

Ce qui va plus spécifiquement se transformer en esprit et corps d'un bouddha, c'est le facteur de simple luminosité et de connaissance de l'esprit le plus subtil, couplé avec la force faisant office de monture – son moyen de transport, que nous appelons « vent ».

Quand la transformation s'opère, l'esprit devient la conscience omniscience d'un bouddha. Je parle de l'esprit qui nous anime actuellement, et non de quelque conscience venue d'ailleurs. La nature de bouddha est inhérente à la nature humaine, ce n'est pas un produit d'importation exotique...

L'essence même de l'esprit permet de l'affirmer. Sa nature uniquement lumineuse et connaissante n'est entachée d'aucun défaut. Les impuretés n'en font pas partie. Même en présence d'émotions parasites, la nature de l'esprit n'est *encore* que luminosité et connaissance. C'est d'ailleurs ce qui fait que nous pouvons nous affranchir des passions.

Rien ne s'oppose à ce que nous pensions que les bouddhas des cinq lignées de l'« état ordinaire » existent dès maintenant en nous. De même que l'on peut dire des trois corps d'un bouddha de l'« état ordinaire » qu'ils sont déjà présents. Mais ce n'est pas vrai des bouddhas immaculés, illuminés, dépourvus de toute imperfection et doués de toutes les qualités.

Si nous agitons l'eau d'un étang, nous la voyons devenir boueuse, mais la nature même de l'eau n'en est pas souillée. Il suffit que nous lui permettions de redevenir calme, pour que la boue se dépose au fond et que l'eau retrouve sa pureté première.

Comment fait-on pour rendre à l'esprit sa pureté originelle ? Comment élimine-t-on les facteurs de la pollution mentale ? On ne s'en débarrasse pas en se débattant à l'extérieur ni en les négligeant, mais en infusant des antidotes puissants par le canal de la méditation. Pour plus de clarté, prenons l'exemple de la colère.

La colère est suscitée par des idées chimériques qui corrompent la vérité. Lorsque quelqu'un nous exaspère, comment le voyons-nous ? Nous en avons une perception vive. Ne dirait-on pas qu'il nous impose sa présence comme s'il avait le pouvoir d'exister par lui-même ? Il nous semble réellement solide, très agressif, et nos sentiments personnels nous étreignent avec la même force.

Le sujet et l'objet semblent exister aussi puissamment, aussi concrètement l'un que l'autre. Chacun paraît doué du pouvoir de se faire exister, de la faculté d'être par sa seule personnalité. Mais, encore une fois, ce n'est pas ainsi que les choses existent. Elles n'ont pas en réalité ce caractère concret. Réalisons que la personne n'existe pas en tant que telle, et l'idée fausse que les choses existent par elles-mêmes s'affaiblira, et, finalement, l'aiguillon de la colère sera extirpé avec elle.

Le signe que nous sommes en train d'amplifier la réalité en recouvrant l'objet de nos pensées de l'idée qu'il est « désirable » ou « indésirable », c'est le sentiment qu'il nous donne d'être tout à fait extraordinaire ou parfaitement exécrable. Mais, après coup, le fait que nous ayons pu le percevoir ainsi provoque notre hilarité. De toute évidence, notre vision était faussée. Un esprit en proie aux passions ne se fonde pas sur le vrai. Gouverné par la raison, il analyse l'objet, s'interroge sur la façon dont il existe et déduit qu'il n'existe pas en soi. Il se fonde sur une logique correcte. C'est très comparable à un procès en justice. Une version des faits s'appuie sur la raison et la vérité, l'autre sur de faux témoignages. Quand il y a suffisamment de preuves, la version juste l'emporte sur l'autre, parce qu'elle a été correctement démontrée.

L'esprit refuse d'appréhender un concept se présentant simultanément à lui sous deux formes contradictoires. Lorsque vous parvenez à comprendre que les choses n'existent pas par elles-mêmes, il vous devient impossible de concevoir qu'elles existent par elles-mêmes. C'est ainsi que, peu à peu, l'on cesse de nourrir de fausses conceptions et l'on entretient une vision correcte du monde.

Pour mettre en éveil cette profonde sagesse, nous devons recourir à la méditation. Dans sa pratique, l'esprit acquiert une puissante faculté de pénétration. Pour l'heure, il est dispersé. Il faut donc rassembler ses énergies afin qu'il dispose d'une grande force. De même que l'on utilise l'énergie de l'eau dans une installation hydroélectrique, on se sert de la méditation pour canaliser l'esprit. Ainsi sera-t-il à même de fournir sa puissance maximale. Quand la concentration est suffisante, on le tourne vers la connaissance. Et, comme tous les éléments de l'illumination sont potentiels en nous, il n'y a pas à chercher bien loin.

Quant au processus de purification de l'émotion violente, il s'opère en fonction de cet état de conscience plein de colère – mais fondamentalement lumineux et connaissant – qui se décante et se change en *akshobhya.* Rien, pas même les passions, ne peut entacher la nature de l'esprit. Comme tout ce qui émane de la conscience, elles aussi sont animées du principe lumineux et connaissant. Bien qu'elle conçoive son objet de façon impropre, la haine est une conscience, et, par conséquent, elle est de nature purement lumineuse et connaissante.

Si les éléments de la bouddhéité sont potentiels en nous, cet état lui-même n'est pas encore actualisé. Dire que la présence de ses causes ici et maintenant fait de soi un bouddha, c'est commettre un contresens que Dharmakirti tourne en ridicule lorsqu'il dit que sur la pointe d'un brin d'herbe où gigote un petit ver se tiennent également les cent éléphants qu'il est appelé à incarner dans ses existences futures, puisque ce karma est inscrit dans son continuum. Un point différencie cet exemple de la bouddhéité : les causes de renaissance sous forme d'éléphant sont des graines que nous semons ponctuellement de nos propres mains, tandis que les graines des bouddhas des cinq lignées sont inhérentes à notre nature.

Question : Voyez-vous un lien entre le soleil, ou une divinité solaire, et l'un des bouddhas des cinq lignées ?

Réponse : Votre question est courte, mais la réponse appelle quelques détails. Dans le bouddhisme, le soleil et la lune sont pour ainsi dire des déités « ordinaires ». Pour comprendre à quel niveau elles se situent, il faut savoir que nous distinguons trois règnes d'existence : ceux du désir, de la forme et du sans-forme. Dans chacun de ces mondes résident des sociétés de dieux. Quatre groupes majeurs peuplent le domaine du sans-forme et dix-sept celui de la forme. Dans celui de désir, on trouve deux types de société : celle des dieux et celle des êtres non divins, comme les humains. Ici, les dieux se répartissent en six classes : les dieux des quatre grandes lignées royales, le paradis des trente-trois, les libérés de tout combat, les bienheureux, ceux qui jouissent d'émanations et ceux qui contrôlent les émanations d'autrui. Les divinités du soleil et de la lune comptent probablement parmi celles du paradis des trente-trois. Aucun de ces dieux n'est encore libéré de l'existence cyclique.

Question : Pourriez-vous, s'il vous plaît, nous dire quelques mots à propos des mandalas ?

Réponse : En principe, *mandala* signifie « ce qui extrait l'essence ». Ce terme prend diverses significations selon le contexte dans lequel on l'emploie. A certaines occasions, il se présente comme une offrande de la totalité de l'univers, avec ses continents et ses sous-continents, offerte en pensée à des êtres supérieurs. Certains mandalas sont des toiles peintes, d'autres sont faits de sables de couleurs diverses. Il existe des mandalas réservés soit à la concentration, soit à l'esprit d'illumination conventionnel, ou encore à l'esprit d'illumination ultime, etc.

Le nom de mandala donné à ces diverses pratiques montre que le méditant peut extraire de chacune d'elles quelque chose d'essentiel.

Mais, bien que l'on puisse s'expliquer ces peintures et ces représentations élaborées, leur sens profond ne s'éclaire qu'à partir du moment où l'on entre dans le mandala. C'est alors que l'on en extrait l'essence. En d'autres termes, on en reçoit l'inspiration. C'est le lieu où l'on est magnifié. La bénédiction que l'on en retire et les réalisations qui s'ensuivent sont ce qui justifie les termes d'« assomption » ou « extraction de l'essentiel ».

Question : Comment se décide-t-on dans le choix d'un maître ? Comment sait-on s'il est digne de confiance ?

Réponse : Votre choix devrait se faire par rapport à vos besoins et à vos inclinations. Réfléchissez bien avant de prendre quelqu'un pour maître. Assurez-vous que cette personne en a réellement les qualités. Dans le *Vinaya,* les « Écrits sur la discipline », il est dit : tout comme les poissons cachés au fond de l'eau trahissent leur présence par une ondulation à la surface, les défauts et les qualités d'un maître se révèlent, à la longue, à des nuances de comportement. Assurez-vous de son érudition, de son aptitude à vous instruire. Étudiez la façon dont il met en application ses enseignements et sa conduite au quotidien. Il est dit dans un tantra qu'il faut longuement réfléchir, même si cela doit prendre douze ans.

J'apprécie beaucoup vos questions : elles dénotent une réflexion sérieuse de votre part dans ces matières.

Faisons maintenant silence et méditons.

Bouddhisme de l'Orient à l'Occident *

Ce qui nous pousse communément à nous rencontrer pour échanger nos idées, c'est que chacun cherche à donner un sens profond à sa vie.

Ce n'est pas tout de porter notre existence à un haut niveau de confort matériel. Notre niveau de vie intérieur doit suivre le même rythme. C'est important, indispensable même. Vous avez certainement remarqué que, dans le malheur, ceux qui possèdent une force intérieure sont beaucoup mieux armés que les autres. Personnellement, je le constate dans ce que nous affrontons au Tibet. Évidemment, ce n'est que mon expérience, mais, si limitée soit-elle, elle m'a permis de le vérifier. En de telles circonstances, dans une situation aussi complexe et lourde de responsabilités, un autre à ma place ferait peut-être grise mine. Ce n'est pas, me semble-t-il, ce que reflète ma physionomie ! En tout cas, cela n'a pas entamé mon moral.

Bien évidemment, nous sommes conscients de l'ampleur du problème ; sa dimension tragique ne nous échappe pas. Mais quand le fait est là, il faut l'accepter et faire de son mieux. Il est incontestable que la force intérieure joue un rôle majeur dans notre attitude devant les épreuves. Elle nous est d'un grand secours.

A cet égard, nous sommes tous plus ou moins démunis, et la pratique spirituelle apporte à notre vie une dimension profonde et bénéfique non seulement à long terme, dans l'optique d'une bonne renaissance, mais dans cette vie, car un comportement

* Centres bouddhistes des États-Unis et du Canada.

juste envers ses semblables procure immédiatement beaucoup de satisfaction.

Cette attitude repose sur deux principes : de pures intentions et de la compassion. Les commentaires détaillés sur la compassion figurent essentiellement dans les traités sur le bodhisattva, parmi les écrits du grand véhicule *(Mahayana).* Mais, en fait, toute la pensée bouddhiste est fondée sur ce sujet.

La doctrine du Bouddha peut tenir en deux phrases :

– « Aide les autres » : elle contient tout ce que professe le grand véhicule.

– « A défaut de les aider, ne nuis pas aux autres » : cette phrase résume l'ensemble des enseignements du petit véhicule *(hinayana* ou *theravadayana),* et exprime tout ce qui fonde l'éthique, puisqu'il s'agit de ne plus faire tort à autrui. Les deux véhicules sont donc enracinés sur le terrain de l'amour et de la compassion.

Le devoir d'un bouddhiste est de tout faire pour secourir les autres. Si les aider lui est impossible, il doit au moins veiller à ne leur faire aucun mal.

La pratique initiale est essentiellement axée sur l'entraînement au contrôle de soi, afin de cesser de nuire à quiconque dans la mesure du possible. C'est une attitude défensive. Puis, lorsque nous nous montrons un peu plus qualifiés, l'objectif devient plus actif : il s'agit d'aider autrui. Au cours de la première phase, on peut éprouver le besoin de s'isoler, afin de développer les qualités intérieures. Mais, dès que l'on est un peu plus sûr de soi, on se raffermit. Il vaut mieux alors retrouver le contact avec le monde, communiquer, se rendre utile à la société dans l'un de ses divers secteurs : la santé, l'éducation, la politique, etc.

Certaines personnes se disent spirituelles et se plaisent à le montrer en s'habillant de façon spéciale, en menant un mode de vie particulier et en se coupant de la société. Ce n'est pas une attitude juste. Parmi les écrits sur la purification mentale (l'entraînement de l'esprit), il est un texte qui dit : « Transforme ton point de vue intérieur, mais laisse ton apparence extérieure telle qu'elle est. » C'est un point important, car le but même de la pratique du grand véhicule est de rendre service aux autres. Il ne s'agit pas de les fuir, mais d'agir au cœur même de la société.

Un deuxième point essentiel dans le bouddhisme est de faire fonctionner aussi bien son cerveau que son cœur. Si l'éthique exige des qualités de sensibilité, de chaleureuse bienveillance, l'intelligence implique de développer des facultés de raisonnement, de logique : la pratique bouddhiste y fait souvent appel. L'esprit et le cœur doivent aller de pair. La connaissance et une utilisation pleinement efficace de l'intelligence sont des données indispensables. Sans elles, il est vain d'espérer pénétrer les subtilités de la doctrine bouddhiste. Le plein épanouissement de la vraie sagesse est particulièrement difficile à réaliser. Il peut y avoir des cas exceptionnels, mais généralement, c'est ardu. Pour progresser vers ce but, il convient de conjuguer l'écoute (de la transmission orale), la réflexion et la méditation. Ddrom-dön ('Brom-ston, 1004-1064), maître de l'école *Kadampa* (bKa'-gdams-pa), disait : « Pendant que j'écoute, je m'adonne aussi à la réflexion et à la méditation. Pendant que je réfléchis, j'approfondis l'écoute et je médite. Pendant que je médite, je n'abandonne ni l'écoute ni la réflexion », et il ajoutait : « Je suis un *kadampa* équilibré. »

L'écoute doit permettre à l'esprit d'intégrer ce qu'il reçoit. On n'étudie pas un chemin spirituel comme on apprend l'histoire. Le continuum mental doit assimiler les instructions orales jusqu'à en être imprégné et ne faire qu'un avec elles. Un sutra compare la pratique à un miroir dans lequel on peut voir se refléter le profil de nos actions, les mouvements de notre corps, de nos paroles, de nos pensées. C'est ainsi que nous pouvons repérer nos défauts et progressivement nous en défaire. L'enseignement oral dit encore : « Si, entre vous et la pratique, il y a ne serait-ce qu'un pas qu'un autre puisse franchir, c'est que vous vous en acquittez mal. » C'est signe qu'elle est pour vous un simple divertissement. S'il en est ainsi, elle peut aussi faire l'objet d'une dispute et, de fil en aiguille, risque même de vous conduire à vous battre, ce qui n'est en aucun cas le but d'une démarche spirituelle. Tout au long de l'apprentissage, il importe de faire de la théorie un pont vers la pratique.

A ce propos, on rapporte l'histoire exemplaire d'un yogi érudit kadampa qui arriva, dans sa lecture du *Vinaya (Discours sur la discipline),* à un passage où il était déconseillé de s'asseoir sur une peau d'animal pour méditer. Comme son siège était fait d'une peau d'ours, il la retira immédiatement. Puis, poursuivant sa lecture, il apprit qu'il était permis de s'en servir en cas de grand froid ou de rhumatisme. Il remit soigneusement sa peau d'ours sur son siège. Voilà ce qu'est la vraie pratique, l'application immédiate de ce que l'on apprend.

Si l'on fait des études universitaires dans le domaine des religions et en particulier sur le bouddhisme, l'approche n'est pas la même, car la motivation est simplement d'acquérir la connaissance d'un sujet parmi tant d'autres. Mais pour ceux d'entre nous qui se disent bouddhistes et prétendent en suivre la démarche, l'application pratique devrait accompagner l'étude. C'est alors seulement qu'elle prend toute sa valeur.

J'aimerais souligner un troisième point : ne soyez pas trop impatients dans l'attente de résultats. Nous vivons, il est vrai, à l'époque de l'informatique, où tout devient automatisé. Mais si vous croyez que la réalisation spirituelle est automatique, qu'il suffit de presser un bouton pour que tout s'éclaire, détrompez-vous, ce n'est pas le cas. L'éveil intérieur n'est pas facile, c'est un long processus. Mais les conquêtes du monde moderne, le succès des dernières missions spatiales, etc., ne se sont pas faits en un jour ! Pour en arriver là, il a fallu des siècles. C'est le fruit de générations et de générations de chercheurs, chacune prenant appui sur la précédente pour aller un peu plus loin. Quand il s'agit de progresser intérieurement, c'est encore plus difficile, car ce qui s'accomplit à l'intérieur ne peut se transmettre d'une génération à l'autre.

Ce que vous avez pu acquérir dans votre vie antérieure influence beaucoup votre vie présente, et l'expérience que vous accumulez actuellement constitue la base de développement de votre prochaine renaissance. Mais personne ne peut reprendre à son compte les progrès accomplis par un autre. Tout ne dépend donc que de vous-même, et cela prend du temps.

J'ai connu des Occidentaux pleins d'enthousiasme au début

de leur apprentissage, et qui l'ont complètement oublié au bout de quelques années. Au point qu'il ne restait pas trace de ce qu'ils avaient acquis. C'est parce qu'ils en attendaient trop au départ.

Dans son *Engagement dans l'action du bodhisattva,* Shantideva a particulièrement insisté sur l'entraînement à la patience, qui implique non seulement la tolérance dont on fait preuve à l'égard d'un adversaire, mais également le dévouement, l'exercice de la volonté face à la paresse et au découragement. Il importe d'être fermement déterminé à acquérir ces qualités.

Laissez-moi vous citer mon exemple personnel. Je suis né dans une famille et dans un pays d'origine bouddhiste. Notez qu'au Tibet on trouve également des chrétiens, des musulmans et des adeptes du bön, la religion antérieure au bouddhisme. J'ai été instruit dans la doctrine du Bouddha dans ma langue maternelle et, dès mon plus jeune âge, j'ai été ordonné moine, ce qui me donne sur vous bien des avantages par rapport à la pratique. Cependant, ce n'est que vers ma quinzième ou seizième année que j'ai commencé à ressentir un réel enthousiasme. Et, depuis lors, je pratique. Si je m'interroge sur le rythme de ma progression tout au long de ces années, je remarque que des résultats apparaissent au bout de deux ou trois ans. En quelques semaines, je n'en vois que très peu. Il faut donc être bien décidé à ne pas relâcher ses efforts.

La croissance spirituelle s'effectue pas à pas. Peut-être pensez-vous : « Pour le moment, je ne suis guère en progrès en matière de quiétude mentale. » Penchez-vous alors sur votre passé et demandez-vous : « Quel était mon état d'esprit voilà cinq ans, ou dix ou quinze ? Dans quelle mesure étais-je en paix ? Et maintenant qu'en est-il ? » En comparant, vous réaliserez que vous avez fait quelque progrès. Un bilan n'est valable que si l'on se fonde sur une certaine période de temps, et non pas en mesurant entre hier et aujourd'hui. Même un an n'est pas suffisant, il faut se reporter cinq ans en arrière. On avance par des efforts constants en pratiquant quotidiennement.

On me demande parfois si le bouddhisme, qui est une tradition ancienne et venant d'Orient, peut convenir à des Occidentaux.

A mes yeux, toutes les religions ont un axe commun, soulager la misère de tous les êtres. Que l'on vienne d'Occident ou d'Orient, que sa peau soit noire, blanche ou rouge, personne n'échappe aux douleurs de la naissance, de la maladie, de la vieillesse et de la mort. A cet égard, nous sommes tous à la même enseigne. Aussi, devant ce bilan, la question de savoir si tel enseignement peut ou non convenir ne se pose-t-elle pas, du moment qu'il se penche sur la condition douloureuse du monde.

En revanche, il appartient à chacun de s'interroger selon ses inclinations. En matière de nourriture, il n'y a pas de critère de goût, chacun va spontanément vers les aliments qu'il préfère. De même, telle religion peut apporter beaucoup aux uns et celle-là être plus profitable à d'autres. C'est un grand bien pour l'humanité que de disposer d'un éventail d'enseignements, et il n'y a pas de doute que certains Occidentaux trouvent dans le bouddhisme une réponse à leurs exigences.

Tant qu'il s'agit de l'essentiel, il n'y a pas lieu de se demander si l'enseignement est adapté ou non ni de modifier sa croyance d'origine. Par contre, au niveau superficiel, on peut s'attendre à un changement. J'ai rencontré récemment en Europe un moine birman de la tradition theravada qui m'inspire beaucoup de respect. Il faisait une distinction entre l'héritage culturel et la religion elle-même. Dans mon langage, je dirais qu'il s'agit de distinguer entre le fond et la forme, celle-ci concernant le niveau superficiel du cérémonial et du rituel religieux. Que ce soit en Inde, au Tibet, en Chine, au Japon ou ailleurs, le fond religieux est le même, tandis que l'héritage culturel diffère avec chaque contrée. En Inde, le bouddhisme s'est intégré à la culture indienne, au Tibet, à la culture tibétaine, etc. De la même façon, le bouddhisme pourrait s'intégrer à la culture occidentale.

Dans la transmission du message, ce qui est universel demeure. La forme, elle, se transforme au gré de son environnement. Dès l'instant où les rituels ne sont pas adaptés à leur nouveau milieu, ils se modifient. Ce qu'ils vont devenir dans telle contrée d'accueil, personne ne le sait. Ils évoluent avec le temps. Lorsque le bouddhisme fut introduit au Tibet, aucune voix ne s'est élevée pour déclarer : « Le bouddhisme étant nouveau dans ce pays, nous allons à partir de maintenant le pratiquer de telle ou telle manière. » Ce ne fut pas le fruit d'une décision, mais d'une lente évolution, qui, en son temps, a donné lieu à une tradition unifiée. Cela pourrait se présenter ainsi dans le cas des Occidentaux, et l'on verrait alors progressivement naître un bouddhisme de culture occidentale. Quoi qu'il en soit, ceux qui, parmi la nouvelle génération, ont entrepris d'introduire cette nouvelle pensée dans leur pays ont une lourde responsabilité. Ils vont devoir en extraire l'essence et l'adapter à leur milieu, ce qui demande d'être très attentif à la situation et de faire preuve d'intelligence. Il importe de ne pas tomber dans des excès : être trop conservateur n'est pas bon, trop radical non plus. Tout comme dans notre philosophie de la Voie du milieu, il convient de se tenir dans le juste milieu. C'est d'ailleurs une démarche à privilégier dans tous les domaines. La modération s'impose jusque dans la façon dont nous nous nourrissons quotidiennement : notre estomac nous sait gré de l'adopter, trop de nourriture le rend malade, trop peu le lèse. Dans tout ce qui touche à notre vie quotidienne, nous avons intérêt à conserver cette mesure. Les excès méritent d'être bien pesés dans les deux sens. On doit avoir une vision globale de la situation, tenir compte du milieu et de l'héritage culturel, et savoir pleinement évaluer ce qui est essentiel à la vie de tous les jours. Certains éléments peuvent faire partie de l'héritage culturel et ne pas être indispensables au quotidien.

Dans le cas de la culture tibétaine par exemple, d'anciennes coutumes peuvent se révéler inutiles à l'avenir. Quand le contexte se transforme, le système social, l'opinion publique, tout est sujet à changement, et certains aspects culturels n'ont plus de raison d'être. De même, si certains éléments de la culture occidentale ne servent plus à rien dans la vie moderne, il conviendra de les modifier et de protéger ceux qui gardent une signification et une fonction. Vous devriez pouvoir faire en sorte d'harmoniser votre culture et le bouddhisme.

Si vous portez un réel intérêt à cette sagesse, attachez-vous surtout à la traduire dans votre comportement. Ne mésusez pas de votre connaissance. Ne faites pas d'elle une arme pour détruire les théories ou les idéologies d'autrui. L'objectif d'une pratique spirituelle est de devenir maître de soi et non de critiquer les autres. Apprenez plutôt à jeter un regard critique sur vous-même. Qu'ai-je fait pour me guérir de ma colère ? de mon attachement ? de ma haine ? de mon orgueil ? de ma jalousie ? Voilà qui mérite d'être quotidiennement passé au crible de l'intelligence, à la lumière des enseignements du Bouddha.

En tant que bouddhistes, il nous appartient d'appliquer ce qu'enseigne notre foi, à commencer par le plus grand respect pour les autres confessions, christianisme, judaïsme, etc. Nous devons reconnaître et apprécier leur contribution au monde tout au long des siècles et, pour l'heure, joindre nos efforts aux leurs afin d'aider l'humanité. Ceux qui sont venus récemment au bouddhisme devraient être particulièrement attentifs à maintenir une attitude juste à l'égard des autres fois religieuses. Il existe, au sein même du bouddhisme, différentes écoles de pensée professant divers systèmes de pratique, et nous ne devrions pas nourrir le sentiment qu'un enseignement est meilleur ou moins bon qu'un autre. Le sectarisme, la tendance à critiquer les enseignements ou les écoles autres que les nôtres sont particulièrement nocifs. Ce sont des poisons dont il faut se défendre.

Mettez tous vos efforts dans la pratique quotidienne : c'est dans une constante mise à l'épreuve de la doctrine religieuse que, jour après jour, elle livre son sens profond. Elle n'apporte pas qu'une simple connaissance, elle a surtout le don de nous ouvrir l'esprit. Une telle éclosion réclame des soins attentifs quotidiens. Si vous laissez, en quittant la salle de méditation, votre activité spirituelle au vestiaire, vous n'en retirerez pas ce qui en fait tout le prix.

J'espère que vous vous mettrez à l'ouvrage avec cœur et que votre motivation vous permettra de contribuer au mieux-être de la société occidentale. C'est ma prière et mon souhait.

Question : Comment peut-on travailler efficacement sur les peurs profondes ?

Réponse : Il existe bon nombre de méthodes. La première consiste à réfléchir sur les actions et leurs effets. D'ordinaire, quand un malheur survient, nous disons : « Quelle malchance ! », et quand c'est un événement heureux : « Quelle chance ! » Si l'on en reste là, on n'est guère plus avancé ! Il doit y avoir une raison, une raison qui fait qu'à un moment donné il y a chance ou malchance, mais souvent nous ne cherchons guère au-delà. Selon le bouddhisme, la cause est liée à ce que l'on appelle le karma, c'est-à-dire nos actes antérieurs.

L'un des moyens de travailler sur les peurs profondes consiste à penser qu'elles sont le produit de nos actions passées. Ensuite, selon que l'objet de votre crainte est la souffrance ou la douleur, examinez-le bien et demandez-vous s'il existe quelque moyen d'y remédier. S'il y en a un, à quoi bon vous faire du souci? S'il n'y a rien à faire, cela vaut encore moins la peine de s'en faire.

On peut encore s'y prendre autrement, en cherchant qui est celui qui a peur. Observez la nature de votre moi. Où est-il ? Qui dit je ? De quelle nature est ce moi ? Existe-t-il un moi différent de mes agrégats physiques et de ma conscience ? Vous y trouverez beaucoup de profit.

La voie des œuvres du bodhisattva offre encore une autre pratique : celle de prendre sur soi la souffrance des autres. Quand la peur vous étreint, pensez : « Les autres sont comme moi, pleins de peurs ; puissé-je prendre sur moi toutes leurs peurs. » En vous exposant ainsi à une souffrance plus grande, et malgré cette ouverture, vous verrez votre peur diminuer.

Vous pouvez également faire en sorte de ne pas laisser votre esprit se focaliser sur la peur. Déplacez le foyer de votre attention sur autre chose jusqu'à ce que la peur s'évanouisse. Mais c'est une méthode seulement provisoire.

Quand la peur vient d'un sentiment d'insécurité, vous pouvez également vous allonger et imaginer que votre tête repose sur les genoux du Bouddha. C'est parfois d'un grand secours psychologique.

Et il reste encore la récitation de mantras.

Question : Dans nos contrées, les hommes et les femmes nouent des relations en toute liberté. Les valeurs anciennes n'ayant plus l'adhésion des gens, nous ne savons plus du tout quelle conduite adopter dans ce domaine. Comment intégrer les relations homme-femme à la pratique du bouddhisme ?

Réponse : Il y a plusieurs niveaux. Les moines et les nonnes font vœu de célibat, mais ceux qui n'ont pas cette vocation peuvent pratiquer en tant que laïcs. La conduite à tenir pour ceux qui ont un foyer est l'abandon de l'adultère.

Question : S'il vous plaît, pourriez-vous nous parler de l'amour et du mariage ?

Réponse : J'ai peu de chose à en dire. A mon humble avis, faire l'amour, c'est très bien. Quant au mariage, ne vous précipitez pas, soyez prudents. Assurez-vous que vous êtes prêt à vous engager une fois pour toutes, en tout cas pour toute cette vie. C'est une chose grave, car si vous vous jetez la tête la première dans le mariage sans trop savoir ce que vous faites et qu'au bout d'un mois ou d'un an cela commence à mal se passer, vous envisagerez la séparation. Du point de vue légal, le divorce est possible. Tant qu'il n'y a pas encore d'enfants, c'est encore acceptable. Mais, dans le cas contraire, ça ne l'est plus. En tant que parents, vous ne pouvez pas vous soucier uniquement de vos histoires d'amour et de votre bon plaisir. Il faut penser à l'enfant, vous avez envers lui une responsabilité morale. Si vous divorcez, il va en souffrir, non seulement sur le moment mais toute sa vie durant. Un être se modèle sur ses parents. S'il les voit se disputer sans cesse et finalement divorcer, je pense qu'au fond de lui, inconsciemment, il en est douloureusement marqué. C'est une empreinte profonde et une tragédie. Un vrai mariage ne se conclut pas à la hâte. C'est pourquoi je vous donne le conseil d'aller prudemment et seulement après avoir constaté que vous vous entendez bien. Ainsi, votre union sera heureuse. Un foyer heureux est un pas vers un monde heureux.

Lorsque deux êtres s'aiment, la compassion, la tendresse qu'ils se portent peuvent se traduire de deux façons : l'une s'accompagne de sentiments tourmentés, l'autre en est dénuée. Quand les passions sont absentes, vous remarquerez que l'amour se fortifie et s'éclaire de jour en jour. Plus le temps passe, plus il est solide. Quand les passions l'embrasent, il ne flambe qu'un jour ou deux, puis il s'éteint.

Question : Je n'ai pas le sentiment d'être quelqu'un de bien. Que puis-je faire par rapport à cela en tant que débutant dans la méditation ?

Réponse : Vous ne devez pas vous décourager. Le potentiel est identique pour tout être humain. Ce qui vous fait dire : « Je ne vaux rien » est un sentiment faux. C'est une fiction complète. Vous vous sous-estimez. Vous possédez comme tout le monde la faculté de penser, alors que peut-il vous manquer ? Si vous avez de la volonté, vous pouvez faire ce qu'il vous plaît. Ce qui vous décourage, c'est de croire qu'un individu tel que vous ne pourrait accomplir quoi que ce soit. Une telle attitude ne vous laisse aucune chance de réussir. Dans le bouddhisme, il est dit que chacun est son propre maître. Vous pouvez tout.

Question : Quel est le rôle d'un maître dans la pratique ? Est-il indispensable d'en avoir un ?

Réponse : Oui, mais tout dépend du niveau de l'enseignement... La pensée bouddhiste dans ce qu'elle a d'universel peut être étudiée dans les livres sans professeur. Mais certains sujets sont complexes. Il est difficile de les aborder par la lecture sans le secours de quelqu'un d'expérimenté pour vous les commenter et vous instruire. Généralement, un maître est nécessaire.

Question : Votre Sainteté a fait allusion au fait de servir. Quel type de service pouvons-nous rendre à la société occidentale ?

Réponse : Si vous aidez une seule personne, c'est déjà de l'aide. Il y a tant d'occasions d'apporter son concours dans le champ de l'éducation, dans les écoles, les universités, etc. Beaucoup de nos frères et sœurs chrétiens s'y emploient, ce que je trouve admirable et tout à fait exemplaire pour les bouddhistes. Vous pouvez donc vous rendre directement utile dans le domaine de l'éducation et de la santé. Mais vous pouvez aussi travailler dans une entreprise ou dans une usine. Vous avez partout la possibilité d'aider les autres. Peut-être n'est-ce pas de façon directe, mais indirectement vous servez la société. Et que vous le fassiez pour un salaire n'empêche pas que tout le monde en bénéficie ; mais il vaut mieux l'effectuer avec une bonne motivation en essayant de penser : « Je fais ce travail dans l'intention d'aider les autres. » Évidemment, si vous fabriquez des canons ou des balles de fusil, il y aura un problème. Manipuler des projectiles en pensant sans arrêt : « Je le fais pour le bien des autres » serait un comble ; ce serait très hypocrite.

Question : Peut-on parvenir à l'illumination sans se retirer du monde ?

Réponse : Certainement. Renoncer au monde signifie abandonner son attachement au monde, et non que vous devez vous en séparer. Le but même de la doctrine bouddhiste est de servir les autres, et, pour ce faire, il faut vivre parmi eux. Vous ne devez pas vous couper de la société.

Question : Depuis votre arrivée dans ce pays, au cours de votre voyage, avez-vous vu des choses surprenantes ou intéressantes qui vous aient particulièrement frappé ? Je suis curieux de vos impressions sur notre pays.

Réponse : Non, rien ne m'a particulièrement surpris. Certes, c'est un grand pays. Je pense qu'il est assez libéral quant à la diversité des idées et des traditions, ce qui est une bonne chose. Je trouve que les gens sont généralement ouverts et directs. J'aime cela.

Les déités :
« Quel est votre secret * ? »

Le Tibet est un pays de tradition culturelle tout à fait à part. Matériellement, nous sommes plutôt pauvres, mais notre patrimoine spirituel et culturel est riche. Nous avons beaucoup à offrir au monde. Par exemple, je sais, pour l'avoir moi-même essayé, que dans le domaine de la santé notre pratique médicale est tout à fait efficace, spécialement dans les cas de maladies chroniques. D'ailleurs, les Chinois ne s'y sont pas trompés ; alors qu'ils ont délibérément effacé la culture du Tibet, ils ont intégralement conservé sa médecine ; sans doute présente-t-elle assez d'intérêt pour qu'ils aient décidé de la préserver et d'en répandre l'usage.

Les objets d'art sont représentatifs d'une culture, mais ce n'en est qu'un aspect. Le plus important ne se trouve pas dans la peinture et d'autres expressions artistiques, mais dans l'esprit des gens. Lorsqu'une culture anime l'esprit de tout un peuple dans sa vie quotidienne, c'est la preuve qu'elle remplit bien sa fonction. Par exemple, en général, les Tibétains sont réputés pour leur gaieté, c'est l'un de nos traits de caractère. Nous l'ignorions, mais les nombreux étrangers venus nous visiter en Inde nous l'ont souvent fait remarquer. « Quel est votre secret ? » Telle est la question qui revient souvent à propos de notre bonne humeur.

J'en suis venu à penser qu'elle était liée à l'idéal de compassion du bodhisattva, dont notre culture bouddhiste nous offre l'exemple de maintes façons. Que nous soyons lettrés ou illettrés, nous

* Musée de Newark.

avons coutume d'appeler tous les êtres vivants nos mères et nos pères : c'est dans ces termes que nous en avons toujours entendu parler au Tibet. Là-bas, même celui que vous prendriez pour un bandit n'a que ces mots à la bouche : « Toutes les créatures, mes mères. » J'ai le sentiment que cette identification à un idéal de compassion est la source de notre joie de vivre. Elle nous donne beaucoup de force dans notre vie quotidienne, particulièrement dans les situations graves.

Mais vous devez vous dire : « Comment les Tibétains peuvent-ils parler sans cesse de compassion alors que certaines de leurs déités ont l'air si féroces ? »

Voici ce qu'il en est. Dans le panthéon bouddhique, les dieux – ou déités – se rangent dans deux catégories, selon qu'ils ont le statut de dieux mondains ou de dieux supramondains. Les écrits citent une multitude de dieux et de demi-dieux de type mondain, figurant parmi les six espèces vivantes qui peuplent tour à tour les états infernaux, le domaine des esprits avides, affamés, les sphères animales, humaines, semi-divines ou divines, au gré de leurs migrations.

Dans le royaume du désir résident six espèces de dieux, et, dans le royaume de la forme, on en compte quatre. Ils correspondent aux quatre états de concentration et se subdivisent eux-mêmes en dix-sept autres types. Dans le royaume sans forme, les dieux sont de quatre sortes. Et, enfin, il existe des catégories d'êtres nuisibles parmi les esprits avides, les demi-dieux et les animaux, toutes sortes d'esprits que nous ne décrirons pas en détail.

Comme les dieux forment de multiples groupes, il importe de bien distinguer les déités mondaines des supramondaines ; sans cela, vous risqueriez de confondre une déité locale avec une déité du yoga tantra supérieur. Certains dieux mondains prennent possession d'individus particuliers qu'ils utilisent comme médias ; ils ne sont pas différents de nous, puisqu'ils subissent également l'inconvénient des passions de désir et de haine. Au cours de nos existences, nous avons pris naissance sous l'aspect de ces êtres ; et eux-mêmes ont connu comme nous des naissances humaines. Selon la perspective bouddhiste, les êtres vivants peuvent revêtir un nombre infini de formes, liées causalement à une infinité d'actes (karma) positifs ou négatifs.

Les déités supramondaines se divisent en deux catégories : les bouddhas et les bodhisattvas qui ont atteint le « chemin de la vision du vrai » ; parmi ces derniers figurent ceux qui apparaissent comme des bodhisattvas alors qu'ils sont en fait déjà des bouddhas, et les autres qui sont vraiment des bodhisattvas.

Les êtres de ce niveau se manifestent souvent sous forme de protecteurs comme Mahakala, Mahakali, etc.

Les déités des mandalas appartiennent à la catégorie supramondaine ; elles ont atteint le « chemin où l'on n'a plus rien à apprendre », et sont des bouddhas. Dans le yoga tantra, on peut voir des mandalas dans lesquels figurent jusqu'à mille déités, qui sont autant de manifestations de la déité centrale. Dans le mandala de Guhyasamaja, appartenant au yoga tantra supérieur, on peut observer trente-deux divinités représentant les facteurs de purification des constituants d'une personne. Ce qui explique que, malgré l'abondance de déités peuplant le mandala, un seul être l'habite en réalité.

La pratique du yoga de la déité vise essentiellement un but : réaliser l'exploit suprême de la bouddhéité, à seule fin d'être pleinement et sans limites au service de tous les êtres vivants. De façon générale, la voie tantrique comprend le yoga de la non-dualité, du profond et du manifeste. Le profond est l'intime sagesse pénétrant le secret de la vacuité d'existence en soi ; l'aspect manifeste est le cercle divin dans lequel cette sagesse apparaît simultanément. Grâce à sa faculté d'imagination, la conscience revêt l'aspect de la déité, fait apparaître son mandala et tout ce que comporte sa sphère d'existence ; tandis que la faculté de vérification de cette même conscience constate leur absence d'existence en soi.

L'exercice du yoga tantra supérieur est d'une qualité très particulière, il sort des sentiers battus et fait appel à des niveaux très subtils de l'esprit. A ce sujet, un passage du *Tantra de Guhyasamaja* donne des indications sur les trois corps « liés à l'état ordinaire », qu'il s'agit de transformer en les trois corps « liés à l'état en cours de chemin » ; ces derniers, à leur tour, sont à l'origine de la transformation en les trois corps d'un bouddha « liés à l'état d'effet ».

Les trois corps liés à l'état ordinaire connaissent la mort ordinaire, survenant dès qu'émerge la claire lumière ; à la mort ordinaire correspond le corps de vérité, lié à l'état ordinaire. Vient alors – sauf en cas de renaissance dans le royaume sans forme – un état intermédiaire, prenant place entre la mort et la renaissance, auquel correspond le corps de jouissance achevée, lié à l'état ordinaire. Au point précis de la conception, à l'aube de la nouvelle vie, correspond le corps d'émanation, lié à l'état ordinaire.

De même que sur un cycle de vingt-quatre heures le sommeil profond est regardé comme le corps de vérité lié à l'état ordinaire, le rêve, comme le corps de jouissance complète lié à l'état ordinaire, et la veille, comme le corps d'émanation lié à l'état ordinaire. Ces cycles de la vie ordinaire sont utilisés sur la voie comme des ponts pour atteindre les facteurs correspondants spécifiques à la bouddhéité.

Cette pratique s'inscrit dans le yoga de la déité, qu'elle enrichit d'un travail précieux sur les niveaux très subtils de la conscience ; elle permet de faire de rapides progrès sur le chemin de la bouddhéité.

Dans ce yoga, le chercheur essaie d'atteindre le niveau le plus haut qui soit : le pic suprême de la bouddhéité ; au niveau intermédiaire, il tente l'une des huit prouesses majeures ; et au niveau inférieur, il pratique la pacification, l'expansion, le domptage, la férocité, mais uniquement dans l'intérêt des autres. Dans ce type de méditation, on fait aussi bien appel à des déités paisibles qu'à des manifestations féroces ; et vous allez comprendre les raisons de cette profusion d'aspects. Les écrits destinés aux auditeurs ne donnent aucune indication sur l'utilisation des passions sur le chemin ; en revanche, dans les textes du véhicule de perfection du bodhisattva, on trouve des méthodes précises sur la façon d'exploiter l'énergie du désir. On en fait un allié qui décuple notre faculté d'aider efficacement autrui, à l'exemple de ce roi bodhisattva qui enfanta une nombreuse progéniture pour sauver son royaume.

Le véhicule du mantra enseigne également comment tirer partie de la haine pour progresser sur la voie ; cette pratique intervient au stade de réalisation et n'entame en rien la motivation de pure compassion. Le courroux motivé par la compassion est alors dirigé sur un objectif spécifique ; c'est l'une des techniques utilisées pendant la phase active de l'accomplissement. Elle s'appuie sur l'énergie puissante qu'engendre l'esprit lorsque la colère se saisit de lui. Or, dans l'exercice d'activités de type « féroce », l'énergie et le pouvoir jouent un rôle important. Les divinités courroucées sont donc là pour illustrer le maniement de la colère dans la voie de l'éveil. Les déités féroces et paisibles sont représentées avec divers attributs ; par exemple, Chakrasamvara tient une calotte crânienne pleine de sang : le crâne signifie qu'il détient la béatitude et le sang symbolise la conscience de la vacuité d'existence en soi. L'association entre le crâne et l'extase vient du fait que, lorsqu'ils se liquéfient, les constituants de base entraînent la jouissance sexuelle ; or, selon nous, ces éléments basiques se situent au niveau de la couronne crânienne. A l'université de Virginie, un professeur de la faculté de médecine enseigne également que la source originelle des sécrétions séminales réside dans la tête.

Dans un autre contexte, le crâne symbolise l'impermanence, et un cadavre, le non-soi. Lorsque cinq têtes desséchées couronnent une divinité supramondaine, il faut y voir un rappel des cinq sagesses suprêmes et des bouddhas des cinq lignées. Des explications détaillées sont indispensables pour comprendre ce que traduisent les déités courroucées.

Dans les louanges que nous leur adressons au cours des rituels, il est dit fréquemment qu'elles ne sont jamais séparées ni du corps de vérité ni de l'amour. Celui qui s'adonnerait à l'apprentissage des tantra sans être armé de la puissante compassion qui en est la condition préalable, surtout dans la pratique de la férocité, aurait plus à y perdre qu'à y gagner. Ainsi que le disait un grand adepte tibétain de Hlodrak, Nam-ka-gyel-tsen (Lhobrag Nam-mkha'-rgyal-mtshan), si vous vous livrez à la pratique des tantra sans une immense compassion, si l'amour et la compréhension de la vacuité vous font défaut, vous vous exposez, par la répétition d'un mantra féroce, à renaître dans l'état d'un esprit malfaisant avide de nuire à tout être vivant. Ces conseils doivent être suivis à la lettre.

Il faut également savoir que l'exercice correct du yoga du vent interne – ou yoga du souffle – est complexe et non sans danger. Aussi est-il dit que la pratique du tantra doit être tenue secrète.

Il est plus facile d'étudier l'art tibétain dans un musée que de le mettre en pratique dans la réalité.

L'entraînement de l'esprit en huit stances *

Voici un beau parc inondé de soleil. J'y vois toutes sortes de gens, parlant diverses langues, portant des vêtements différents, pratiquant sans doute d'autres religions. Mais il y a entre nous un point commun : nous sommes des êtres humains. Nous connaissons le même sentiment inné d'un « moi », un même désir de bonheur, une même crainte de la souffrance. Nous partageons cette pensée : « Pourvu que je sois heureux et que la souffrance me soit épargnée. » Notre vie durant, cette pensée innée nous habite, et nous sommes tous également en droit d'obtenir le bien-être et de ne pas subir de tourments. Parmi toutes les méthodes proposées pour réaliser cet objectif, chacun choisit celle qu'il estime la plus efficace et s'en inspire dans sa démarche.

Lorsque nous nous interrogeons sur la nature du bonheur que nous cherchons et de la souffrance que nous fuyons, nous découvrons qu'elle adopte de multiples formes. Globalement, nous connaissons le plaisir et la souffrance sur le plan physique et sur le plan mental.

Le progrès matériel se charge de nous satisfaire sur le plan physique et de nous soulager des souffrances relatives au corps. Mais, en réalité, il est difficile d'éliminer toute souffrance et d'obtenir pleine satisfaction par des moyens externes.

Il est très différent de faire dépendre son bonheur des conditions extérieures ou de sa croissance spirituelle. Au départ, la souffrance est la même dans les deux cas. Toute la différence réside dans la façon dont on la ressent, l'écho plus ou moins

* Monastère bouddhiste lamaïste d'Amérique, Washington, New Jersey.

angoissé qu'elle trouve dans l'esprit, la relation que l'on établit avec elle. Le choix de l'attitude est déterminant dans ce qu'il nous est donné de vivre.

En général, les religions proposent des préceptes et des conseils sur la façon d'ajuster sa pensée, et toutes les Églises, sans exception, se soucient d'amener les esprits à une plus grande quiétude, à se discipliner, à se fonder sur la moralité et l'éthique. De sorte que, dans leur essence, les religions se ressemblent fort, bien qu'elles aient toutes leur système d'interprétation philosophique. Si nous nous arrêtons à ces différences, nous n'en finirons pas et, en fin de compte, nous nous donnerions bien du mal pour pas grand-chose. Nous serions beaucoup plus avisés de nous attacher à appliquer les principes de bonté dont toutes les religions nous parlent.

D'une certaine façon, un pratiquant, homme ou femme, est véritablement un guerrier engagé dans un combat. Contre qui se bat-il ? Des ennemis intérieurs : l'ignorance, la colère, l'attachement, l'orgueil sont ses adversaires ultimes. Ils ne viennent pas de l'extérieur, ils sont dans la place et doivent être combattus avec les armes de la sagesse et de la concentration. Pour toute munition, les projectiles de la sagesse, et pour faire feu, l'arme de la concentration : l'absorption contemplative. C'est une guerre toute pareille à celles qui sévissent dans le monde. Elle a ses blessures, ses souffrances. Mais, ici, le théâtre des opérations est l'espace intérieur, c'est-à-dire au cœur de la recherche spirituelle et des préceptes religieux qui sont liés au développement intérieur.

En d'autres termes, nous progressons beaucoup dans la connaissance de l'espace extérieur grâce aux instruments de la science et de la technologie perfectionnés par l'esprit humain. Mais la nature même de cet esprit est un vaste domaine encore très peu exploré. Cela mérite réflexion.

La nature de l'esprit obéit-elle à la causalité ? Quelle en est la cause substantielle ? Quelles en sont les conditions coopérantes, les effets, etc. ?

Parmi les nombreux préceptes visant à développer le potentiel de l'esprit, l'amour et la compassion sont des facteurs de première importance. Pour les mettre en éveil, la doctrine bouddhiste s'est dotée de techniques subtiles et puissantes. C'est un atout majeur que d'avoir du cœur, un esprit bienveillant et chaleureux. Non seulement on y trouve de la joie, mais on la fait partager à ses proches. Mari, femme, parents, enfants, voisins, tous en sont éclairés. Tandis qu'en l'absence d'une telle chaleur, personne n'est bien. Les relations entre individus, nations ou continents se dégradent faute de bonne volonté et de bienveillance. C'est tellement précieux, si nécessaire à la qualité de la vie en société. Aussi cela mérite-t-il de faire quelque effort pour les développer.

Chacun est en tout point semblable aux autres dans son désir d'être heureux et de ne pas souffrir. Mais chacun ne fait qu'un, alors que les autres sont innombrables. Si l'on compare ce que représente la satisfaction d'un seul à celle d'un nombre infini d'êtres, les autres – c'est évident – comptent plus que soi-même.

Si la souffrance est intolérable pour soi, comment ne le serait-elle pas pour chacun ? Il est donc juste de travailler au mieux-être des autres et injuste de les utiliser dans son propre intérêt. Pour mettre toutes ses qualités physiques, verbales et mentales à leur service, il faut être particulièrement désintéressé, avoir à cœur de les soulager de leur souffrance et de les rendre heureux. Nul n'est insensible à la compassion. Qu'elle s'adresse à un pratiquant ou à un non-pratiquant, que l'on soit ou non convaincu de la réincarnation, qui ne l'apprécie ? Dès le premier instant de notre naissance, nous attendons tout de la tendresse et des soins de nos parents. Plus tard, lorsque notre existence touche à sa fin et que viennent les souffrances du grand âge, nous sommes encore une fois à la merci du bon cœur et de la compassion d'autrui. Puisque notre condition veut que nous soyons tributaires de leur bonté au début comme à la fin de notre vie, n'est-ce pas la moindre des choses, entre ces deux périodes, que de faire preuve des mêmes qualités de cœur à leur endroit ?

Partout où je vais, à tous ceux que je rencontre, je conseille de cultiver l'altruisme et la bonté. J'ai personnellement suivi cette démarche depuis que je suis en âge de penser ; elle caractérise l'enseignement bouddhiste.

Nous devrions faire de l'amour d'autrui la base et le corps de notre pratique. Toute activité spirituelle devrait être tournée vers la croissance de cette qualité jusqu'à son plus haut point. Afin de l'avoir constamment en mémoire, nous devrions nous imbiber de cette pensée, l'exprimer en paroles, la traduire en écrits. C'est ce qu'a fait le geshé Gadampa Lang-ri-tang-ba (gang-ri-thang-pa, 1054-1123) dans l'*Entraînement de l'esprit en huit stances.* Ces versets sont d'une inspiration puissante, même pour ceux qui n'ont que leur enthousiasme et un élan pour cette pratique.

Avec la volonté d'accomplir
Le bonheur suprême de tous les êtres,
Tellement plus précieux que la pierre-exauçant-les-vœux,
J'apprendrai à les choyer comme un trésor inestimable.

Gardez-vous de l'*indifférence* envers les êtres vivants. Traitez-les avec tous les égards que vous auriez pour un trésor qui vous donne les moyens d'arriver à vos fins temporelles et ultimes. Faites de chacun l'unique objet de votre amour. Que les autres vous soient plus chers, plus précieux que vous-même, car, dès le premier pas vers la libération, vous avez besoin d'eux pour cultiver l'aspiration altruiste à l'illumination suprême. Au cours du chemin, c'est dans votre relation à autrui que cette motivation se renforce, car, pour les autres, vous accomplissez les actes méritoires menant à l'illumination. Et, en fin de parcours, c'est pour le bien de tous que vous réalisez la bouddhéité. Les êtres vivants étant à la fois le but et le point de départ de toute cette merveilleuse éclosion, leur valeur est bien supérieure à celle de la pierre précieuse qui exauce les vœux. Ils méritent donc toute notre attention, tout notre respect et tout notre amour.

Vous pensez peut-être : « Comment pourrais-je jamais y parvenir avec toutes les passions qui affligent mon esprit ? » L'esprit n'est qu'habitudes, en changer nous paraît ardu ; mais, lorsqu'il se familiarise avec de nouvelles dispositions, la difficulté s'aplanit. Comme le déclare Shantideva dans son *Engagement dans l'action du bodhisattva :* « Il n'est d'habitude qui ne s'acquière avec le temps. »

En toute assemblée, j'apprendrai
A me regarder comme le plus humble,
Mais du fond du cœur et avec respect,
Je tiendrai autrui en suprême estime.

Si vous cultivez l'amour et la compassion en ayant à l'esprit votre propre intérêt, vous êtes pris au piège de l'égocentrisme. Il n'en résulte rien de bon. Mieux vaut adopter la démarche altruiste et se consacrer de tout son cœur au salut de tous.

Lié à l'amour de soi, l'orgueil est un sentiment qui nous porte à regarder les autres comme inférieurs à nous, ce qui nuit au développement de l'attitude altruiste d'amour et de respect d'autrui. Lorsqu'il se manifeste, il faut lui opposer l'antidote qui consiste à se considérer comme un inférieur par rapport aux autres, quels qu'ils soient. En assumant cette position, nous permettons à nos qualités de croître, tandis qu'en cédant à l'orgueil nous allons au-devant de la souffrance. L'orgueil a le don de nous rendre jaloux, violents et méprisants à l'égard d'autrui. Il n'y a rien de tel pour créer un climat pénible, et ainsi le malaise social ne fait que grandir.

C'est par suite d'un raisonnement faux que nous devenons imbus de nous-mêmes et que nous nous sentons supérieurs aux autres. Le moyen de contrecarrer l'orgueil est donc de prendre comme sujet de réflexion les qualités des autres et nos propres défauts. Par exemple, examinons le cas de cette mouche occupée à bourdonner autour de moi. Sous un certain angle, comme être humain et comme moine, je suis plus important que ce tout petit insecte. Mais, par ailleurs, il n'est pas surprenant que cette malheureuse petite bête, dont l'horizon est obstrué, ne se consacre pas à la pratique religieuse. Au moins ne se consacre-t-elle pas à créer des techniques sophistiquées pour se perfectionner dans l'art de nuire. De mon côté, bien que je sois un homme doté d'un formidable potentiel et d'un cerveau complexe, il se pourrait que je mésuse de mes facultés. Moi qui suis sensé être un pratiquant, un moine, quelqu'un qui exerce l'altruisme, si j'use de mes capacités dans une fausse direction, je vaux alors beaucoup moins qu'une mouche. Ce type de réflexion est d'un effet immédiat. Toutefois, se regarder avec humilité afin de ne pas donner prise à l'orgueil ne signifie nullement céder à la pression de gens dont la démarche n'est pas juste. On doit s'élever et mettre un terme aux agissements de telles personnes. Mais, même lorsqu'on est amené à démontrer sa force, on peut garder une attitude de respect.

M'exerçant à passer tous mes actes
Au crible de ma conscience,
Dès que s'annonce en moi quelque passion brûlante,
Menaçant ma paix et celle d'autrui,
Je l'affronte hardiment et préviens le danger.

Si vous cultivez un esprit d'altruisme, sans intervenir sur vos réactions émotionnelles, elles vont entraîner des conflits : les mouvements de colère, d'orgueil, etc., sont des obstacles dans la pratique.

Au lieu de leur céder de plus en plus de terrain, il faut immédiatement stopper leur progression et contre-attaquer avec les antidotes. Ainsi que je le disais précédemment, c'est le terrain d'une bataille qui se livre au plus profond de soi. Les ennemis à vaincre sont la colère, l'orgueil, la compétition, etc. Personne au monde n'est à l'abri de la colère, et nous sommes tous bien placés pour savoir qu'elle ne procure aucun bonheur. Qui pourrait être heureux dans un tel état ? Est-il un seul médecin qui prescrive la colère en guise de traitement ? Quelqu'un a-t-il jamais dit que cela rendait plus heureux ? Ne donnons aucune prise à des émotions capables de nous conduire à des excès tels que, sous leur emprise et bien que l'on tienne beaucoup à la vie, on en vient à penser au suicide.

Une fois que vous savez identifier les passions et toutes les formes qu'elles peuvent prendre, ne pensez pas, dès le plus faible signe : « Oh, pour si peu, cela passe encore ! » Ça n'ira que de mal en pis, comme une braise mal éteinte dans un coin du foyer. Un proverbe tibétain dit : « Ne devenez pas l'ami des " ça ira encore ", car c'est ainsi que l'on se met en danger. » Sitôt que monte en vous un mauvais sentiment, pensez à son opposé et, à l'aide du raisonnement, faites naître le sentiment inverse.

Par exemple, si vous êtes assailli par le désir, amenez votre esprit à réfléchir sur ce qui est repoussant ou bien fixez votre attention sur le corps ou sur la sensation. S'il s'agit de colère, faites naître l'amour ; si c'est de l'orgueil, pensez aux douze liens de la production interdépendante ou aux subdivisions des divers constituants. L'antidote de base capable de remédier à toutes les passions est la sagesse révélatrice de la vacuité. Nous y reviendrons plus tard avec l'étude de la dernière stance.

Le point important quand s'éveille un sentiment perturbateur est d'avoir recours tout de suite à l'antidote approprié pour y mettre fin complètement, avant qu'il ne se développe davantage. Si vous n'y parvenez pas, essayez au moins de détourner votre esprit de ce qui l'afflige. Sortez, faites un tour ou bien concentrez-vous sur votre respiration.

Qu'y a-t-il donc de répréhensible dans les passions ?

Dès l'instant où elles s'emparent de l'esprit, non seulement nous nous sentons immédiatement mal, mais les actes accomplis physiquement et les mots prononcés sont porteurs de souffrances à venir. Sous l'effet de la colère, on tient des propos violents, on en vient aux mains, des gens risquent d'être blessés. Ces actions établissent dans l'esprit des prédispositions qui déterminent de futurs tourments.

C'est pourquoi il est dit : si vous voulez savoir ce que vous avez fait jadis, regardez votre corps aujourd'hui. Si vous voulez savoir comment vous serez plus tard, observez ce que fait votre esprit maintenant. C'est le sens même de la théorie bouddhiste des causes et des effets : comme le corps et les conditions dont nous jouissons actuellement sont l'effet d'actions passées, bonheur et souffrance à venir sont dès maintenant entre nos mains. Nous désirons tous être le plus heureux possible, nous refusons la plus infime souffrance. Aussi, sachant que notre sort dépend d'actes vertueux et non vertueux, nous devrions abandonner les actes générateurs de souffrance et agir avec justesse.

Nous ne pouvons, cela va sans dire, escompter réussir pleinement dans cette tâche en quelques jours. Mais un entraînement nous permettra d'éliminer progressivement les mauvais réflexes et d'aller vers des comportements de plus en plus impeccables.

Je m'exercerai à aimer les êtres de nature ombrageuse,
Et ceux que hantent de lourds péchés et que tourmente la souffrance,
Les rencontrer sera pour moi comme si de tous les trésors, j'avais trouvé le plus précieux,
La perle rare inespérée.

Lorsque nous côtoyons des gens affligés d'un caractère irascible, d'une maladie particulièrement grave ou de quelque autre problème, au lieu d'adopter une attitude indifférente, d'être distant comme en présence d'étrangers, il convient de se montrer plein de sollicitude et d'amour envers eux, plus encore qu'envers les autres. Jadis, au Tibet, ceux qui pratiquaient l'entraînement de l'esprit se consacraient à soigner les lépreux, comme certains religieux chrétiens ou d'autres le font encore aujourd'hui. Dans l'apprentissage de l'intention altruiste de s'éveiller, la patience, la capacité d'assumer volontairement la souffrance sont des pratiques indispensables ; et rencontrer des êtres déshérités qui nous permettent de les appliquer est une chance comparable à la découverte d'un immense trésor.

Si d'autres gens par jalousie me traitent mal,
Me calomnient, me font outrage et autres torts,
J'apprendrai à m'attribuer sans réserve la défaite
Et à leur offrir la victoire.

Dans les rapports sociaux, quand on vous accuse à tort, avec une évidente mauvaise foi, vous avez coutume de vous défendre énergiquement. Mais ce qui est habituel dans ce contexte est incompatible avec l'apprentissage de l'aspiration à l'éveil. Ce serait y faillir que de riposter ainsi – sauf dans un cas exceptionnel et dans un dessein précis. Mais, en général, si dans un accès de jalousie ou d'antipathie quelqu'un vous traite durement, vous abreuve d'insultes, vous frappe même, au lieu de répondre par les mêmes procédés, il est préférable d'assumer la défaite et de laisser autrui triompher. Cela vous semble-t-il irréaliste ? Certes, c'est une conduite difficile à tenir. Elle est réservée à ceux qui n'ont qu'une idée en tête : développer leur esprit d'altruisme.

N'allez pas en conclure qu'être bouddhiste, c'est se condamner à subir continuellement des pertes et à s'infliger volontairement des conditions de vie misérables. L'objet de cette pratique est d'arriver à un résultat important en s'imposant de petites pertes. Si, dans un cas particulier, il s'avère que cette attitude n'est pas particulièrement fructueuse, on peut alors riposter énergiquement, mais sans haine et avec une motivation de compassion.

Par exemple, parmi les quarante-six vœux secondaires que prononce le bodhisattva, il en est un qui demande de s'élever contre toute personne entreprenant une activité nuisible et de mettre fin à ses agissements. Il convient de s'interposer sans hésiter dans un tel cas.

On raconte que, dans l'une de ses vies passées, Shakyamuni, le Bouddha compatissant, était le capitaine d'un bateau et transportait à son bord cinq cents marchands. Voyant que l'un d'entre eux s'apprêtait à massacrer les quatre cent quatre-vingt-dix-neuf autres, il tua l'assassin en puissance. Cette action négative lui valut néanmoins beaucoup de mérites, car sa motivation était pleine de compassion. C'est une histoire exemplaire du type d'action qu'un bodhisattva peut être amené à entreprendre pour empêcher quelqu'un de nuire.

Si celui à qui j'ai prodigué tous mes bienfaits
Et dont j'espérais tant, contre toute raison,
Me blesse profondément, j'apprendrai
A voir en lui l'ami spirituel excellent.

En principe, lorsque nous nous montrons particulièrement bons et secourables envers quelqu'un, il devrait nous en être reconnaissant. S'il manifeste de l'ingratitude et nous malmène au lieu de nous traiter avec tendresse, c'est affligeant certes, mais la pratique de l'altruisme veut que nous ayons pour lui un sentiment d'amour encore accru.

Dans l'*Engagement dans l'action du bodhisattva,* Shantideva dit que le premier venu qui nous traite en ennemi est le meilleur maître que l'on puisse rencontrer. Un instructeur peut nous donner une idée théorique de la patience, mais il ne nous fournit pas d'occasions de l'exercer. Nous ne passons véritablement à la pratique qu'au contact de l'ennemi.

L'amour impartial, la vraie compassion ont besoin de patience pour croître, et celle-ci ne grandit que lorsqu'on l'exerce. C'est pourquoi, dans l'apprentissage de l'altruisme, nous considérons l'ennemi comme le meilleur des maîtres spirituels, et en tant que tel, comme une personne bienveillante qui mérite notre respect. Il n'est pas nécessaire que les gens ou les choses soient bien intentionnés à notre égard pour nous inspirer respect et amour. Les voies que nous empruntons pour nous réaliser, telles que l'extinction véritable de la souffrance, ne sont ni bien ni mal intentionnées envers nous ; cependant, nous les aimons et les respectons profondément. Du moment que quelqu'un se fait l'instrument de notre progression, qu'importe qu'il le fasse avec ou sans motivation, il n'en est pas moins efficace.

Néanmoins, ce qui nous permet de reconnaître un ennemi, c'est sa motivation et en particulier son désir de nous nuire. Par exemple, un chirurgien nous fait souffrir en nous opérant, mais comme ses intentions sont bonnes, nous n'en faisons pas un ennemi. Nous réservons ce titre à ceux qui nous veulent du mal et c'est avec eux, et non avec notre lama, que nous pouvons mettre à l'épreuve notre patience. Pour cultiver cette qualité, les ennemis sont donc irremplaçables.

Une histoire tibétaine raconte que, un jour, un pèlerin en cheminant autour d'un temple aperçut un homme assis en posture de méditation. Comme il lui demandait ce qu'il était en train de faire, le méditant répondit : « Je m'exerce à la patience » ; sur ce, le pèlerin lui lança une grossièreté, et aussitôt l'autre perdit son calme... Cette réaction montre que sa pratique de la patience était toute théorique. Il ne s'était encore jamais trouvé face à quelqu'un dont les actes ou les propos violents l'aient amené à l'appliquer. L'ennemi offre les conditions idéales pour une telle pratique. Aussi le chercheur engagé sur la voie de l'action du bodhisattva se doit-il de le traiter avec le plus grand respect.

Sans la tolérance et la patience, la vraie compassion ne peut prendre son essor. Dans la vie courante, ce que nous appelons compassion n'en est qu'une forme mêlée d'attachement. C'est ce qui nous empêche d'en ressentir pour nos ennemis. Seul un amour authentique est assez vaste pour n'exclure personne, et on l'atteint par un travail sur soi-même.

Les moments les plus éprouvants de notre vie nous sont également des occasions de grandir spirituellement. Nous en sortons mûris, alors que, dans les périodes fastes, nous avons tendance à nous amollir. Les circonstances dramatiques nous obligent à déployer des ressources intérieures insoupçonnées. Nous y puisons le courage d'affronter les épreuves sans être submergés par nos sentiments. Quel est celui qui nous l'enseigne ? Certainement pas notre ami ni notre maître, mais à coup sûr notre ennemi.

En bref, à tous sans exception, je m'exercerai à offrir,
Directement et indirectement, aide et bonheur,
Et avec tout le respect que méritent des mères,
Je me chargerai de leur mal et de leur souffrance.

Cette strophe évoque la pratique dite du « don et de la prise en charge » : dans un élan d'amour, on offre à autrui son propre bonheur et ce qui en est la source ; et dans un élan de compassion, on prend sur soi sa souffrance et ce dont elle découle. Ces deux qualités sont essentielles à la pratique du bodhisattva : la compassion le pousse à soulager la souffrance d'autrui, l'amour à faire leur bonheur. Lorsqu'on cultive ces vertus, toute manifestation de souffrance est occasion d'appliquer le don et la prise en charge. On réfléchit ainsi :

« Voici un être en grande peine. Il a un ardent désir de bonheur et d'être soulagé de la souffrance. Mais il ne sait rien des comportements néfastes qui sont à éviter, ni des attitudes justes qu'il est salutaire d'adopter. Une telle ignorance le prive de toute joie. Je vais me charger de sa souffrance et lui donner tout ce que je possède de bonheur. »

Certains êtres d'exception ont effectivement acquis ce pouvoir, mais faire de cette pratique une réalité n'est pas à la portée de tous. La plupart d'entre nous se contentent de l'imaginer. Mais le seul fait de penser que nous écartons la souffrance d'autrui et que nous nous en chargeons influence positivement notre esprit. La volonté d'atteindre le niveau où l'on devient capable de le réaliser en est fortifiée. Associée à la respiration, cette pratique consiste à absorber la souffrance d'autrui avec l'air que l'on inspire, et à lui envoyer du bonheur à chaque expiration du souffle.

Apprenant à garder sans tache ces pratiques,
Libre des corruptions des huit soucis mondains,
Connaissant toute chose comme illusion magique,
De mon attachement je briserai les liens.

Ces pratiques liées à la méthode exigent de la part du chercheur un souci exclusif de l'intérêt d'autrui. Tout au long de l'apprentissage, il doit se garder de l'influence de ces huit préoccupations majeures qui conditionnent la vie dans le monde : le plaisir et le déplaisir, le gain et la perte, la louange et le blâme, le renom et l'opprobre. Si ses efforts sont motivés par l'orgueil, s'il désire acquérir la renommée que l'on réserve aux saints afin d'en retirer quelque gloire, sa pratique n'est pas pure ; elle est contaminée par des préoccupations sociales. La vertu, au contraire, doit être pratiquée sans réserve, dans l'intérêt de tous.

Les derniers vers de la strophe sont consacrés à la sagesse. Ils engagent le méditant à prendre conscience que la compassion, ceux qui la pratiquent et ceux qui en sont l'objet, sont aussi artificiels que les illusions d'un magicien : tout semble réel en soi, mais rien n'existe ainsi. Quelle que soit la force avec laquelle s'imposent les apparences, ces trois facteurs sont entièrement vides d'existence propre. Aussi sont-ils semblables à des illusions. Si le chercheur pratiquant l'intention altruiste d'atteindre à l'illumination attribue une existence propre à son individualité, aux créatures à l'intention desquelles il s'exerce et à l'illumination, cette conception le bloque dans sa progression vers l'éveil. Il doit, tout au contraire, ajuster son regard de façon à réaliser qu'ils n'existent pas ainsi, mais à la manière d'artifices qui existent d'une certaine manière et apparaissent autrement. Lorsqu'on se rend compte que les phénomènes sont des trompe-l'œil, on leur refuse toute existence propre. Dans cette négation, on n'élimine pas quelque chose qui existait auparavant, on reconnaît simplement que ce qui n'a jamais existé n'existe pas. Victime d'une méprise, nous tenons l'apparence des phénomènes pour vraie – mais les apparences ne correspondent à rien de réel. Mystifiés par l'apparence, nous nous imaginons que les choses sont telles que nous les percevons ; cette façon de voir nous plonge dans un tourbillon de passions qui, en tout état de cause, nous ravagent. Par exemple, en me voyant, vous pensez : « Voici le Dalaï-Lama », et aussitôt, il vous vient spontanément à l'esprit que le Dalaï-Lama existe en lui-même, indépendamment de son corps et même de son esprit. Mais faites-en tout de suite l'observation sur vous-même. Supposons que vous vous appeliez David. Lorsque nous parlons de vous, nous disons : « Le corps de David, l'esprit de David », et vous estimez qu'il existe un David possesseur de son corps et de son esprit, lesquels sont des instruments possédés par David. Lorsque vous parlez du Dalaï-Lama en tant que moine, être humain, Tibétain, avez-vous l'impression que vous vous référez à son corps et à son esprit ? N'avez-vous pas plutôt le sentiment qu'il existe quelque chose d'autre, indépendamment de cela ?

La personne existe, mais de façon purement nominale, grâce au nom qui lui a été dévolu. Cependant, en voyant quelqu'un, l'idée ne nous effleure pas qu'il existe du fait de sa dénomination, grâce à une terminologie. Nous le regardons plutôt comme s'il avait la propriété d'exister en lui-même, *a priori*, par auto-affirmation. En fait, les phénomènes n'existent ni en soi ni par eux-mêmes. Si indépendants qu'ils paraissent, ils dépendent d'autres facteurs pour être. Si les choses étaient vraiment concrètes, un examen approfondi devrait permettre de voir leur existence individuelle se révéler en clair. Cela devrait devenir criant. Or, quand nous nous penchons sur un objet dénommé, le questionnement analytique ne nous permet pas de le trouver. Par exemple, il y a bien un moi conventionnel, un connaisseur du plaisir et de la peine, un accumulateur de karma, etc. Mais toute recherche pour le trouver, demeure infructueuse. Et il en va de même de n'importe quel objet d'observation. Que ce soit un phénomène interne, externe, qu'il s'agisse de notre corps ou de n'importe quoi, lorsque nous le passons au crible de la logique afin de découvrir ce qui porte son nom, nous ne trouvons rien de tel. L'esprit et le corps sont les supports de la perception du moi, mais, si nous les étudions séparément, nous ne le trouvons pas.

De la même façon, le corps dans sa globalité est dénommé par rapport à l'ensemble de ses parties. Mais si nous isolons chacun des éléments qui le constituent afin de découvrir de quelle nature il est, nous ne trouvons pas davantage ce que nous appelons le corps. Même ses particules les plus infimes ont des côtés directionnels, donc des parties qui les composent. Si une seule chose était indivisible, elle serait indépendante, mais il n'existe rien de tel. Tout ce qui est dépend des éléments qui le constituent, n'est nommé que par rapport à ces éléments et n'existe que par la conceptualisation. Par quelque bout qu'on le prenne, rien ne ressort de l'analyse. Il n'existe aucun ensemble distinct de ses parties.

Cependant, nous percevons les choses comme si elles existaient objectivement et par elles-mêmes. C'est donc qu'il y a une différence entre leur apparence et ce que nous appréhendons de leur réalité dans une démarche logique. Si la façon dont les phénomènes s'affirment correspondait à quelque chose de réel, la recherche devrait en donner la preuve. Or chacun peut en faire la démonstration : en dernière analyse, on est forcé d'admettre qu'ils sont introuvables. Aussi les compare-t-on à des illusions.

Le fait que nous les percevions avec un mode d'être différent de celui que nous découvrons par le raisonnement prouve que leur apparence concrète provient d'une perception mentale incorrecte.

Lorsqu'on n'est plus dupe de cette perception et que l'on sait les choses vides d'existence propre et pareilles à des illusions, l'intelligence saisit, entrelacées, la perception de l'apparence des phénomènes et leur vacuité d'existence propre.

Que nous apporte cette vision du monde ? Les émotions nocives de désir, de haine, etc., naissent des projections que nous élaborons. Nous recouvrons la réalité des phénomènes de notre sens du « désirable » et de l'« indésirable ». Vus ainsi, ils prennent des proportions qu'en fait ils n'ont pas.

Par exemple, lorsque nous sommes au comble de l'irritation ou du désir, l'objet qui éveille ces sentiments nous semble souverainement déplaisant ou séduisant. Par la suite, une fois les passions apaisées, ces sentiments nous semblent ridicules.

La sagesse nous est ici d'un grand secours. Elle est le garde-fou qui nous empêche de verser dans ce genre d'affabulation, et quand nous cessons d'apprécier la réalité en termes de « désirable » et d'« indésirable », nous ne sommes plus soumis au désir et à la haine. Les deux principes unifiés dans cette pratique sont la méthode qui consiste à cultiver l'attitude altruiste de compassion et d'amour, et, d'autre part, la sagesse, grâce à laquelle les phénomènes se révèlent vides d'existence propre.

Je récite tous les jours ces versets et, dans les circonstances difficiles, je m'attache à en pénétrer le sens. J'y puise un réconfort. Peut-être pourront-ils être également éclairants pour certains d'entre vous. C'est dans cet espoir que je vous les ai expliqués. Si vous en voyez l'efficacité, mettez-les en pratique ; sinon, cela ne se discute pas, mettez-les de côté.

Le *dharma* – ou la doctrine – n'est pas fait pour en débattre. Nous tenons ces enseignements de la bouche de grands maîtres dont l'intention était de venir en aide aux gens, et non de nourrir des querelles.

En tant que bouddhiste, si je me surprenais à me disputer avec un fidèle d'une autre religion, je penserais que le Bouddha – s'il était présent – me réprimanderait. La doctrine n'a de raison d'être dans notre continuum mental que pour nous permettre de le contrôler.

En conclusion, je vous demande instamment de cultiver le plus possible l'amour et la compassion, le respect des autres, le partage de leur souffrance. Ayez à cœur d'améliorer le sort d'autrui et d'être moins égoïste. Que vous soyez croyant ou non croyant, que vos prières s'adressent à Dieu ou au Bouddha, cela importe peu. L'essentiel est d'avoir du cœur, d'être chaleureux dans les relations quotidiennes. C'est le principe même de la vie.

Om mani padme hum *

Pratiquer le mantra *Om mani padme hum* est une excellente chose, mais il importe d'être attentif à son sens quand on le récite, car les six syllabes ont une portée vaste et profonde.

La première, *Om,* se compose en fait de trois lettres, A, U, M, symboles du corps, de la parole et de l'esprit impurs du méditant. Elles symbolisent aussi le corps, la parole et l'esprit éminemment purs d'un bouddha. Ces éléments impurs ont-ils la faculté de se transformer en agrégats purs ? En sont-ils entièrement distincts ? Tous les bouddhas furent ce que nous sommes et ont atteint l'illumination en suivant la voie. Selon le bouddhisme, personne, au départ, n'est libéré des imperfections et ne possède toutes les qualités. Le corps, la parole et l'esprit se purifient par un abandon progressif des états impurs, jusqu'à la transformation en l'état de pureté.

Comment une telle transformation s'opère-t-elle ? Toute la démarche est contenue dans les quatre syllabes suivantes.

Mani signifie joyau et symbolise les facteurs de la méthode – l'intention altruiste d'atteindre l'illumination, la compassion, l'amour. Comme un joyau met fin à la pauvreté, l'intention altruiste d'être illuminé a le pouvoir d'éliminer la misère et les difficultés de l'existence cyclique et de la libération individuelle. Comme un joyau comble les vœux des êtres vivants, l'intention altruiste d'être illuminé accomplit leurs souhaits.

Les deux syllabes du mot *padme* signifient « lotus » et symbolisent la sagesse, car, de même que le lotus pousse dans la

* Centres bouddhistes des Kalmouks de Mongolie, New Jersey.

boue sans être souillé par ses impuretés, la sagesse a le pouvoir de nous mettre en adéquation, alors que, sans elle, nous tombons dans la contradiction.

Prenant des formes multiples, la sagesse est réalisation de l'impermanence ; réalisation que les individus sont vides d'existence propre (ou substantielle), réalisation du vide de la dualité (de la distinction entre sujet et objet), réalisation de la vacuité d'existence en soi. De toutes ces facettes que présente la sagesse, la réalisation de la vacuité est la plus importante.

Inséparables l'une de l'autre, méthode et sagesse doivent s'unifier pour que la purification s'accomplisse. Leur union est symbolisée par la dernière syllabe, *hum,* le signe de l'indivisibilité. Dans la voie des sutras, l'indivisibilité de la méthode et de la sagesse signifie que chacune a un retentissement sur l'autre. Dans le véhicule tantrique, l'indivisibilité est le fait d'une conscience en laquelle méthode et sagesse, dans leur forme achevée, s'épousent en formant une entité indifférenciée.

Dans le contexte des cinq victorieux bouddhas, le *hum* est la syllabe germe d'*Akshobhya,* l'inébranlable, l'imperturbable, celui que rien ne peut affecter.

Donc, les six syllabes du mantra *om mani padme hum* nous informent que, par la pratique de la voie, dans l'union indivisible de la méthode et de la sagesse, nous avons la faculté de faire de notre corps, de notre parole et de notre esprit impurs le corps, la parole et l'esprit éminemment purifiés d'un bouddha. Il est dit que la bouddhéité ne doit pas être cherchée ailleurs qu'en soi, car les éléments nécessaires à sa réalisation se trouvent en nous. Dans le *Continuum sublime du grand véhicule (uttaratantra),* Maitreya dit que la nature de bouddha est inhérente au continuum de tout être vivant. Enfouies en nous, la graine de la pureté, l'essence d'un ainsi-allé *(tathagatagarbha)* attendent leur transformation et leur plein épanouissement dans la bouddhéité.

Le chemin de l'illumination *

J'aimerais vous parler maintenant du chemin de l'illumination, selon les *Trois Aspects majeurs du chemin de l'illumination suprême,* de Dzong-ka-ba.

Dans la perspective d'une libération de l'existence cyclique, il faut d'abord que naisse l'envie d'en sortir ; en manifester l'intention est donc le premier pas sur le chemin. Mais il est également nécessaire de s'équiper de la vue exacte de la vacuité ; et si, par surcroît, on se destine à la libération supérieure et à la réalisation de l'état omniscient du grand véhicule, on devra entretenir ce qu'on appelle l'intention purement altruiste de devenir illuminé, ou un esprit d'éveil.

La volonté de se libérer de l'existence cyclique, la vue exacte de la vacuité et l'esprit d'éveil altruiste, tels sont les trois aspects majeurs du chemin.

Avant de procéder à l'enseignement, nous avons coutume d'écarter les obstacles. Traditionnellement, au Japon comme au Tibet, nous nous y employons en récitant le sutra du cœur, qui contient l'enseignement de la vacuité ; puis pour soumettre les êtres malintentionnés et éliminer les autres interférences, nous faisons appel à la récitation du mantra d'une déité courroucée, personnifiant la vertu de sagesse sous une forme féminine. D'ordinaire, nous comptons les mantras à l'aide d'un chapelet en l'égrenant de l'extérieur vers l'intérieur, pour symboliser l'entrée en nous des dons venant de nos prières ; mais, lorsqu'il s'agit de chasser les obstacles, nous faisons circuler

* Communauté bouddhiste, Toronto.

les grains en sens contraire, vers l'extérieur. Ensuite vient l'offrande du mandala, perpétuant la mémoire des hauts faits accomplis par le Bouddha lors de ses vies antérieures : dans son ascension sur la voie, il consentit à toutes les épreuves, sacrifiant son corps, ses proches, ses biens, pour se consacrer à l'écoute et à la pratique des enseignements. Donc, en hommage au Bouddha, exemple même du don et de l'oubli de soi, nous offrons symboliquement notre corps, nos biens et notre énergie positive. Nous construisons une image mentale de tout l'univers, qui s'est formé tel qu'il est du fait de notre karma (réaction en chaîne) collectif, mais, durant cette pratique, nous l'imaginons empli de merveilles, paré de toutes les qualités, et nous l'offrons sous ce jour glorieux.

Puis, afin que celui qui enseigne la doctrine et ceux qui l'écoutent gardent à l'esprit la pensée du refuge et l'aspiration purement altruiste à secourir autrui nous récitons trois fois la strophe suivante en méditant sur son sens :

Dès cet instant et jusqu'à l'illumination
Je prends refuge dans le Bouddha, la bonne loi
Et la communauté des êtres sublimes.
Grâce à l'énergie positive qu'engendre l'écoute de la bonne loi [dharma]
Puissé-je m'accomplir dans la bouddhéité
Afin de secourir les êtres transmigrants.

Si l'on recommande d'accompagner la récitation de cette strophe d'une méditation et d'une réflexion, c'est parce qu'il importe d'en pénétrer le sens, mais également parce que les bons effets d'une action positive, comme les mauvais résultats d'une action négative, dépendent de la motivation qui l'anime. Aussi ces vers sont-ils une invitation à raffermir notre intention purement désintéressée.

Pour terminer ce rituel, avant l'exposition de la doctrine, nous offrons des louanges au Bouddha avec une stance extraite du *Traité de la voie du milieu (Madhyamakashastra, dbU ma'i bstan bcos)* [1], dont l'un de mes maîtres, Ku-nu Lama Den-dzin-gyel-tsen (bsTan-'dzin-rgyal-mtshan), fut l'initiateur :

Je rends hommage à Gautama
Lui qui, par pure compassion,
Enseigna la bonne loi
Afin d'écarter les fausses vues.

Ce qui nous réunit aujourd'hui est sans doute l'intérêt que nous partageons pour la pensée bouddhiste, et peut-être aussi l'espoir que nos efforts seront récompensés par un peu plus de quiétude et quelque répit dans la souffrance. Nous sommes venus au monde avec un corps qu'il nous faut bien nourrir, vêtir, protéger, etc., mais la sécurité matérielle n'est pas la réponse à tout. L'être humain a d'autres aspirations. Si privilégiées que soient nos conditions de vie, quand l'esprit est anxieux, déprimé, il ne nous permet pas d'en jouir. Alors, poussés par le besoin, nous ressentons l'urgence de chercher ce qui nous manque intérieurement pour être heureux, et, en comblant cette lacune, nous trouvons également la force de surmonter nos souffrances physiques. Par conséquent, soyons attentifs à notre situation matérielle, soignons notre extérieur, mais nos exigences intérieures méritent bien quelques efforts, car elles ne sont pas moins essentielles à notre vie. La civilisation occidentale a une avance considérable sur le plan matériel. Si elle se montre aussi féconde en techniques de développement intérieur que dans sa technologie, elle sera à l'avant-garde du monde moderne. Quand l'homme néglige de cultiver

1. XXVII.30 : *gang gis thugs brtse nyer bzung nas/ lta ba thams cad spang ba'i phyir/dam pa'i chos ni bstan mdzad pa/ gau tam de la phyag 'tshal lo/ ;* sanskrit : *sarvadrshtiprahanaya yah saddharmamadeshayat/anukampamupadaya tam namasyami gautamam,* tous deux extraits du *Mulamadhyamakakarikas de Nagarjuna* avec la *Prasannapada,* commentaire de Chandrakirti publié par Louis de la Vallée Poussin, Bibliotheca Buddhica IV, Biblio Verlag, Osnabrück, 1970, p. 592.

cette dimension de l'être, il se fait le rouage d'une machine, devient esclave des choses ; alors, il n'a plus d'humain que le nom. C'est pourquoi, dans ce qui va suivre, nous allons parler des moyens d'aller vers un bien-être intérieur et d'être à la pointe de la recherche dans ce domaine.

Dans l'histoire du monde, de nombreux maîtres sont apparus. Leur expérience faisant autorité, ils entraînèrent dans leur sillage des chercheurs en quête d'un niveau de vie intérieurement plus riche, les éclairant de leurs conseils, les guidant de leurs instructions. Parmi les diverses philosophies qui furent ainsi portées à la connaissance de l'humanité figure celle du souverain maître, le bouddha Shakyamuni, dont je vais vous entretenir.

On distingue dans son enseignement plusieurs niveaux de pratique, déterminés selon les différentes possibilités de ses disciples. Deux véhicules s'en dégagent : le petit véhicule *(hinayana, Theg-dman)* et le grand véhicule *(mahayana, Theg chen)*. Dans ce dernier, le Bouddha a tracé un système de sutra et un système de mantra constituant le corpus global de la méthode. On les différencie l'un de l'autre grâce à des instructions particulières concernant la transformation en corps de bouddha. Par ailleurs, quatre approches distinctes se dégagent des enseignements du Bouddha. Nous les retrouvons dans les quatre écoles de pensée, celle du Grand Commentaire (Vaibhashika, Bye brag smra ba), l'école des Sutras (Sautrantika, mDo sde pa), l'école de l'Esprit seul (Chittamatra, Sems tsam pa), l'école de la Voie du milieu (Madhyamika, dbU ma pa). Les enseignements des deux véhicules, des quatre écoles de pensée ainsi que les systèmes des sutras et des mantras forment le contenu d'une centaine de livres, traduits pour la plupart du sanskrit en tibétain. Près de deux cents volumes de commentaires furent rédigés par les érudits indiens, et par conséquent également traduits en tibétain. Les écrits présentent quatre divisions principales : les textes sur la discipline – traitant des pratiques que nous avons en commun avec le petit véhicule –, les textes sur la perfection de sagesse, un recueil de sutras, et une section sur le tantra. Selon le *Vajrapanjara,* tantra interprétatifs, le système tantrique se divise en quatre classes : action, performance, yoga et yoga tantras supérieur [1].

Les systèmes des sutras et des tantras – petit véhicule et grand véhicule – se sont répandus au Tibet ; de légères différences y sont apparues par la suite dans l'interprétation et la méthodologie ; elles sont dues aux diverses méthodes de transmission adoptées par quelques maîtres et à leur façon d'utiliser le vocabulaire philosophique. Jadis, le Tibet a connu une pléiade d'écoles, mais, actuellement, quatre grandes écoles détiennent l'ensemble de la doctrine : Nyingma, Sakya, kagyu et Gelug sont les descendantes de la lignée du Bouddha, dont elles ont préservé l'enseignement jusqu'à nos jours. Chacune a ses caractéristiques, mais, malgré ces nuances, elles émanent d'une même pensée. Le texte que nous allons maintenant étudier, les *Trois Aspects majeurs du chemin,* est une démarche proposée par Dzong-ka-ba (1357-1419) dans laquelle les multiples étapes du chemin sont ramenées à trois grandes voies d'accès ; bien que cette œuvre ait trait au corpus complet des écritures, il faut voir dans les sutras de la perfection de sagesse sa principale source. Voici comment le texte s'y relie. Les sutras contiennent l'enseignement explicite de la vacuité et l'enseignement secret des degrés du sentier. Celui des trois aspects majeurs traitant de la vue exacte de la réalité provient des enseignements explicites de la vacuité. Dans le grand véhicule, la vue exacte est présentée dans l'interprétation qu'en donnent les écoles de l'Esprit seul et de la Voie du milieu. Le texte de Dzong-ka-ba s'appuie uniquement sur la voie du milieu, et il apparaît que des deux subdivisions de cette école il a choisi l'école de Conséquence (Prasangika, Thal'gyur pa), laissant de côté l'école d'Autonomie (Svatantrika, Rang rgyud

1. *Le Tantra de Vajrapanjara* dit :

Les tantras de l'action s'adressent à la moyenne des individus.
Le yoga sans action s'adresse à ceux dont le niveau est au-dessus de la moyenne.
Le yoga suprême s'adresse aux êtres suprêmes.
Le yoga supérieur s'adresse à ceux qui leur sont supérieurs.

Voir *Tantra in Tibet,* de Dzong-ka-ba, George Allen and Unwin, Londres, 1977, p. 151.

pa). Donc, tout ce qui a trait à la vacuité est étudié d'après la thèse de l'école de Conséquence. Les deux autres aspects du chemin – la volonté de s'affranchir de l'existence cyclique et l'esprit d'éveil altruiste – sont issus des enseignements secrets des sutras de la Perfection de sagesse, traitant des chemins et des degrés menant à la claire réalisation. Deux sortes de commentaires des sutras de la Perfection de sagesse ont vu le jour : le modèle interprétatif transmis à Nagarjuna par Manjushri et portant sur l'enseignement explicite de la vacuité, et celui qui a été transmis à Asanga par Maitreya sur l'enseignement secret des degrés du chemin. Ce dernier est exposé dans le texte racine de Maitreya, la *Parure de la claire réalisation (Abhisamayalamkara, mNgon rtogs rgyan).* Il se compose de huit chapitres, dont les trois premiers commentent les trois connaissances éminentes, les quatre suivants décrivent les techniques des quatre entraînements, alors que le huitième est consacré au corps de vérité lié à l'effet. L'étude comparative des deux textes montre que, pour la *Parure de la claire réalisation,* Maitreya s'est inspiré des sutras de la Perfection de sagesse pour ses instructions secrètes sur les étapes du chemin.

L'enseignement des trois aspects majeurs du chemin demande à être écouté non avec l'intention d'en retirer quelque avantage personnel, mais pour qu'il apporte santé et bonheur à tous, dans toutes les dimensions de l'espace, puisqu'en vérité tout le monde aspire à être heureux et à ne pas souffrir.

Voici maintenant le texte, et, comme il est d'usage au début d'un écrit de rendre hommage à ce qui nous inspire le plus, Dzong-ka-ba a choisi, entre autres objets de respect, d'honorer « les saints et nobles lamas », car c'est grâce à eux que les trois aspects majeurs du chemin sont réalisés. Pour agir en qualité de lama, il ne suffit pas de porter ce très haut titre, il faut en posséder les compétences dont les trois termes, « noble » *(rje),* « saint » *(btsun)* et « lama » *(bla ma)* rendent compte. On qualifie de « noble » celui qui ne fait pas du présent le premier de ses soucis, mais s'intéresse essentiellement au devenir et aux questions profondes. Son regard va bien au-delà de celui du commun des mortels, dont la perspective est limitée aux contraintes domestiques de la vie quotidienne. Aussi, par rapport à eux, est-il regardé comme un précurseur, un noble guide. On le dit « saint », parce que, détaché de toutes les formes de vie possibles dans le cycle des existences, il n'est plus ébloui par les merveilles du monde ; seule la libération a des attraits pour lui. L'esprit d'un saint – ou d'une sainte – n'attend rien de l'extérieur. Il est entièrement tourné vers le dedans. Le mot lama est formé de deux syllabes dont la première, *la,* signifie haut, et la seconde, *ma,* est privative, donnant à ce terme le sens de « personne ne lui est supérieur » ; c'est le cas du lama qui est passé de l'amour de soi à celui d'autrui, des fins personnelles étroites à l'unique souhait de s'accomplir au plus haut point dans l'intérêt de tous.

Quand on fait un rapprochement avec le *Grand Commentaire des étapes du chemin (Lam rim chen mo),* une autre œuvre de Dzong-ka-ba, les termes de noble, saint et lama correspondent respectivement aux voies de l'individu de « capacité inférieure », de « capacité moyenne » et de « capacité supérieure ». Quant à celui qui possède ces trois niveaux d'accomplissement, on l'appelle « saint et noble lama ».

Un lama des débuts de l'ère bouddhiste au Tibet eut l'idée de mettre en relation les trois termes de cet hommage avec les trois niveaux de la voie pour qualifier un lama, mais on ne doit pas systématiquement leur accoler ce sens. Dans les écrits bouddhistes, il convient d'interpréter les mots par rapport à leur contexte, sans quoi on risque de s'empêtrer dans la compréhension d'un texte. L'hommage de Dzong-ka-ba aux saints et nobles lamas est une marque de respect à leur égard. Un maintien respectueux envers le maître est une condition indispensable pour que la réalisation des trois aspects se traduise dans notre continuum vécu. Lorsqu'on étudie les syllabes du mot « hommage » en tibétain, elles expriment le fait de « vouloir un état non sujet à un changement ou à un détournement » ; l'auteur exprime donc ici le souhait que les trois thèmes de l'enseignement puissent faire l'objet d'une compréhension inébranlable, indétournable.

Dzong-ka-ba était entouré de nombreux maîtres. Il fut instruit par des lamas des ordres Nyingma, Kagyu et Sakya, sans parler de sa relation privilégiée avec Manjushri, dont il reçut la grâce d'être éveillé à la vue directe, impeccable, de la profonde vacuité. De plus, la quintessence des instructions de Manjushri est à l'origine de cette méthode particulièrement ramassée, dans laquelle tous les enseignements de la voie tiennent en trois dispositions fondamentales. Aussi est-ce à tous ces maîtres que s'adresse l'hommage de l'auteur dès la première ligne [1] :

Hommage aux nobles, aux saints lamas

puis il s'engage à mener à bien l'ouvrage qu'il entreprend.

Je vais vous expliquer du mieux que je peux
Le contenu essentiel de toutes les écritures du Vainqueur,
Le chemin loué par les fils et les filles excellents du Vainqueur,
Le havre des êtres fortunés assoiffés de libération.

On pourrait très bien voir dans les trois dernières lignes de cette strophe comme une référence à la même notion ; il faudrait lire alors : « Le contenu essentiel... qui est le chemin loué par les fils et les filles excellents du Vainqueur, qui est le havre des êtres fortunés assoiffés de libération. » Mais dans un autre éclairage, on peut y voir encore une allusion aux trois aspects majeurs. Ce que contiennent d'« essentiel toutes les écritures du Vainqueur » sous-entend la volonté de se libérer de l'existence cyclique. « Le chemin loué par les fils et les filles excellents du Vainqueur » concerne l'intention altruiste d'atteindre à l'illumination, et « le havre des êtres fortunés assoiffés de libération », la vue exacte de la vacuité. En quoi ces mots : « L'essence de ce que veulent dire toutes les écritures du Vainqueur » sont-ils liés à la volonté de se libérer de l'existence cyclique ? Ainsi que l'a dit Dzong-

1. La traduction du texte de Dzong-ka-ba par Géshé Sopa et Hopkins dans *Practice and Theory of Tibetan Buddhism,* Rider and Co, Londres, 1976, a été reproduite ici légèrement modifiée avec l'agrément de l'éditeur.

ka-ba dans sa *Louange à la production interdépendante (rTen 'brel stod pa)* [1] :

> *Vos multiples enseignements se fondent uniquement sur*
> *ce qui naît de l'interdépendance*
> *Et ils sont faits pour éteindre en nous toute douleur.*
> *Il n'est rien en vous qui ne tende vers la paix.*

Tous les enseignements du Bouddha visent à nous faire atteindre la libération de l'existence cyclique ; il n'a rien enseigné qui n'ait en vue la paix. Parce que la volonté de se libérer de l'existence cyclique est la pierre angulaire du chemin, lui-même pavé de moyens impeccables, menant pas à pas vers la libération, elle forme « le contenu essentiel de toutes les écritures du Vainqueur ».

A la ligne suivante : « Le chemin loué par les fils et les filles excellents du Vainqueur », les mots « fils et filles du Vainqueur » *(Jinaputra, rGyal sras)* désignent les bodhisattvas, ceux qui sont nés de la parole du Bouddha – le Vainqueur – et le chemin qu'ils louent, c'est l'intention altruiste de devenir illuminé ; en stimulant la faculté d'aider autrui, cet état d'esprit fait d'un être ordinaire un bodhisattva. « Le havre des êtres fortunés assoiffés de libération » est le port que l'on atteint par la vue exacte de la vacuité, car ce qu'elle nous donne à voir nous libère de l'existence cyclique. Dans son œuvre intitulée les *Quatre Cents* [2] *(Chatuhshataka, bZhi brgya pa)*, Aryadeva en parle comme de « la porte

1. *Khyod kyis ji snyed bka' stsal pa/ rten 'brel nyid las brtsams te 'jug/ de yang mya ngan 'da' phyir te/ zhi 'gyur min mdzad khyod la med/*, P 6016, vol. 153, 38.1. 1-38.1.3.

2. Les *Quatre Cents*, chap. XII, 13 : *zhi sgo gnyis pa med pa dang/*, Varanasi, *Pleasure of Elegant Sayings*, 1974, vol. 18, 140.7. Sanskrit : *advitiyam shivadvaram*, dans Karen Lang, *Aryadeva on the Bodhisattva's Cultivation of Merit and Knowledge*, Ann Arbor, University Microfilms, 1983, p. 638. Chandrakirti traite de ce sujet dans son *Commentaire des « Quatre Cents » d'Aryadeva (Bodhisattva-yogacharachatuhshataka-tika, Byang chub sems dpa'i rnal 'byor spyod pa bzhi brgya pa'i rgya cher 'grel pa)*, p. 190b.1-191a.6, vol. 8 (nº 3865) de *sDe dge Tibetan Tripitaka-bsTan hgyur*, conservé à la faculté des lettres, université de Tokyo, Tokyo, 1979. Sujet traité par Gyel-tsap dans son *Explication des « Quatre Cents »* (de Chandrakirti), *Essence des bonnes explications (bZhi brgya pa'i rnam bshad legs bshad snying po)*, cf. *Pleasure of Elegant Sayings*, Printing Press, Sarnath, 1971, p. 9.

de la paix qui est sans seconde ». La libération se produit seulement après que nous avons éliminé les émotions perturbatrices ; pour obtenir ce résultat, nous faisons en sorte d'éveiller dans notre continuum l'antidote adéquat : la vue correcte permettant de réaliser la vacuité d'existence en soi des phénomènes. Ensuite, nous nous familiarisons avec cette vision du monde. Sans la vue exacte de la vacuité, nous n'avons aucune chance de nous libérer de l'existence cyclique, quand bien même nous serions très avancés par ailleurs.

Lorsque Dzong-ka-ba annonce dans la première strophe qu'il va expliquer les trois sujets « de son mieux », on peut penser qu'il exprime une attitude humble devant la tâche qu'il entreprend, mais on peut également y voir son souci de se montrer le plus concis possible dans l'explication des trois sujets. En fait, au moment où Dzong-ka-ba se met à la rédaction des *Trois Aspects majeurs du chemin,* il a déjà, et de longue date, développé la volonté de se libérer de l'existence cyclique, l'intention altruiste de devenir illuminé et la vue de la vacuité – ce dont témoigne sa thèse brillante dans le cadre de l'école de Conséquence. Il a même atteint le stade achevé du yoga tantra supérieur ; et si l'on se réfère au tantra de Guhyasamaja [1], parmi les cinq degrés que comporte ce stade, on situe son niveau entre le premier degré, celui de l'« isolation verbale », et le deuxième degré, celui de l'« isolation mentale ».

A la strophe suivante, Dzong-ka-ba exhorte ceux qui sont de parfaits réceptacles de la doctrine à écouter son enseignement :

Vous qui n'êtes pas suspendus aux plaisirs
De la vie dans le monde
Vous qui avez à cœur d'exploiter pleinement
Possibilités et chances
Vous qui inclinez à suivre le chemin
De prédilection du Bouddha conquérant,
Êtres fortunés, écoutez avec un esprit clair.

1. Pour les étapes du stade de réalisation, voir *Claire Lumière de félicité,* de Géshé Kalsang Gyatso, France, Éd. Dharma.

Les trois thèmes évoqués ici s'appliquent encore aux trois aspects majeurs du chemin. Le détachement des plaisirs de la vie ordinaire est lié à la volonté de se libérer de l'existence cyclique. Le fait de tirer le meilleur parti de ses possibilités et de ses chances suggère que, lorsqu'on fait naître l'intention altruiste de devenir illuminé, ces privilèges de notre condition humaine prennent tout leur sens et sont bien mis à profit. Le goût prononcé pour le chemin favori du Bouddha conquérant caractérise celui qui s'emploie avec enthousiasme à méditer pour réaliser la vue correcte de la vacuité. En empruntant le chemin impeccable menant à la libération, il accomplit pleinement le but, ce pourquoi le Bouddha a montré la voie. L'auditeur le plus qualifié pour l'écoute de ce texte est celui qui montre pour ces trois aspects majeurs un intérêt profond, un élan venant du cœur, et l'auteur les interpelle ainsi : « Vous... êtres fortunés. » Dzong-ka-ba explique maintenant pourquoi il est indispensable de faire naître la volonté de se libérer de l'existence cyclique :

Tant que n'a pas germé la volonté farouche
De quitter à jamais l'existence cyclique,
Il ne faut pas compter mettre un terme à la quête
Des vagues de plaisir dans l'océan de la vie.
De même l'ardente soif d'existence cyclique tient
Serré dans ses liens le mortel incarné.
Aussi, dès le début, se doit-on d'acquérir la volonté de
Rompre avec l'existence cyclique.

Si notre détermination n'est pas totale, le désir de répéter les expériences de plaisir dans l'océan de l'existence n'a aucune chance de prendre fin. La fascination de l'existence cyclique enchaîne complètement les êtres « incarnés » – ce terme imagé évoque le corps fait de chair. D'où l'importance, lorsqu'on se met en chemin, d'être profondément déterminé à quitter l'existence cyclique. Ainsi que l'a dit Aryadeva [1] : « Comment voulez-

1. Les *Quatre Cents*, chap. VIII, 12 : *gang la'di skyo yod min pa/ de la zhi gus ga la yod/*, cf. *Varanasi, Pleasure of Elegant Sayings*, 1974, vol. 18, 122.2. Sanskrit : *udvego yasya nastiha bhaktis tasya kutah shive*, Lang, p. 609.

vous qu'un individu qui ne s'en lasse pas puisse s'absorber dans la quiétude mentale ? »

Celui qui ne se fatigue jamais du spectacle de l'existence cyclique est incapable d'éprouver l'envie de s'en libérer. Avant qu'une telle idée ne mûrisse dans l'esprit, il faut avoir compris les avantages de la libération et les désavantages de l'existence cyclique.

Dharmakirti parle du monde phénoménal comme du fardeau des agrégats mentaux et physiques, précisant que ces derniers sont endossés sous la pression d'actions contaminées par le venin des émotions [1]. L'existence cyclique ne se situe pas dans l'espace. Elle n'est localisable nulle part si ce n'est en nous-mêmes ; quant à ces agrégats de corps et d'esprit, comme ils sont la conséquence d'actions contaminées et d'émotions aliénantes antérieurement contractées, nous n'en avons pas les commandes. Ce qui veut dire que, malgré notre soif de plaisir et notre aversion pour la souffrance, celle-ci nous talonne et celui-là nous fuit ; et c'est lié au fait que notre esprit et notre corps obéissent à des réflexes conditionnés par des actions et des émotions perturbatrices passées. Dès l'instant où nous revêtons ces agrégats contaminés, nous commençons à souffrir ; et non seulement ils sont le support de la souffrance présente, mais ils induisent des souffrances à venir.

Nous accordons beaucoup de prix à ce que nous réclamons comme nôtre ; et quand il s'agit de « mon corps », de « mes agrégats mentaux et physiques », nous y tenons encore plus. Pourtant, ce bien qui nous est si cher est frappé du sceau de la souffrance : naissance, vieillesse, maladies et mort sont les plaies qu'appellent les agrégats contaminés de corps et d'esprit auxquels nous tenons tant en dépit de leur indésirable contrepartie.

Existe-t-il une technique, quelque intervention chirurgicale pour atténuer la souffrance ? Ce sont des questions que nous

1. *Commentaire sur le « Compendium de la connaissance valide »* de Dignaga, chap. II : *sdug bsngal 'khor ba can phung po/*, cf. Varanasi, *Pleasure of Elegant Sayings,* 1974, vol. 17, 56.7. Sanskrit : *duhkham samsarinah skandh,* extrait de Swami Dwarikadas Shastri, *Pramanavarttika of Acharya Dharmakirtti,* cf. Varanasi, *Bauddha Bharati,* 1968, vol. 3, 54.8.

devrions nous poser. Ces agrégats sont-ils issus de causes ? En sont-ils dépourvus ? S'ils ne dépendaient pas de causes, ils ne pourraient changer.

Or ils changent, nous le savons, et c'est la preuve qu'ils ne peuvent naître sans elles. L'esprit et le corps viennent respectivement de causes substantielles et de conditions coopérantes distinctes. Sous l'influence des émotions perturbatrices, notre esprit nous pousse à commettre des actes qui sèment en lui des prédispositions, appelant à de futures existences dans le cycle. Tel est le processus d'intoxication dans lequel nos agrégats d'esprit et de corps héritent d'une nature de souffrance. Nous disposons actuellement d'un esprit et d'un corps, et tel sera le cas jusqu'à la bouddhéité ; mais pour le moment, dans le cadre de l'existence cyclique, les conditions qui président à leur formation sont enracinées dans un processus de contagion, lié au manque de contrôle mental et aux actes qui s'ensuivent. Or les constituants psycho-physiques ont la faculté de se dissocier du processus causal d'intoxication et, par là, de rompre avec leur nature de souffrance ; ainsi, leur continuum se maintient dans une forme pure.

Pour que les agrégats n'aient plus à souffrir de la contagion entretenue par les actes *(karma, las)* et les émotions aliénantes, il faut, d'une part, cesser d'accumuler de nouvelles actions de ce type et, d'autre part, cesser de nourrir celles qui viennent de tendances accumulées dans le passé.

La condition nécessaire est donc le retrait des émotions toxiques. Dans *Trésor de la connaissance (Abhidharmakosha, Chos mngon pa'i mdzod* [1]*),* Vasubandhu nous dit ceci : « Les racines de l'existence cyclique sont constituées de six facteurs subtils de propagation [de la contagion]. » Il est question, dans ce texte, de cinq vues et de cinq cécités ; les cinq vues se réduisent ensuite à une seule qui, en se combinant avec les cinq afflictions aveugles, donne les six sources de perturbations fondamentales : le désir, la colère, l'orgueil, le doute, la vue perturbatrice et l'opacité.

1. V. 1 : *srid pa'i rtsa ba phra rgyas drug,* cf. Varanasi. *Pleasure of Elegant Sayings,* 1978, vol. 26, 205.2.

Mais à l'origine de tous ces facteurs de trouble se trouve l'ignorance. Elle a été définie de diverses manières, mais selon la Voie du milieu, l'école la plus éminente, l'ignorance est la conception erronée d'une existence en soi. La force de cette idée fausse est ce qui donne leur élan à toutes les autres passions. Lorsqu'on se livre à une recherche analytique afin de voir si l'ignorance est inhérente à la nature de l'esprit, on est amené à conclure avec Dharmakirti [1] que « la nature de l'esprit est claire lumière ; les impuretés sont adventices ». Puisque les défauts ne résident pas dans la nature de l'esprit, il est possible de les éliminer et, pour ce faire, il convient de faire appel à l'antidote adéquat. L'idée inexacte que tout existe réellement est profondément enracinée en nous, mais elle ne repose sur rien de valable. Son opposé, la réalisation que rien n'existe en soi, bien que contraire à notre perception habituelle du monde, se démontre par le raisonnement. Cette vue se fonde donc sur une logique rigoureuse, et lorsqu'on se familiarise avec le processus analytique démontrant sa validité, alors s'éveille la sagesse innée qui combat l'ignorance.

L'ignorance nous montre les phénomènes comme s'ils existaient par eux-mêmes. La sagesse nous les révèle dépourvus d'existence propre. Ce sont deux façons diamétralement opposées d'appréhender un même objet d'observation ; mais tandis que l'une est correctement étayée et procède d'un raisonnement logique, l'autre ne repose sur rien de valable. Elle se méprend dans ses conceptions. Lorsqu'on est rigoureux dans sa pensée, la sagesse gagne du terrain et l'ignorance en perd, l'expérience le prouve. Or tant que rien n'interrompt la concentration mentale, la compréhension demeure stable, c'est-à-dire que la réalisation continue d'opérer sans qu'on ait besoin d'exercer d'autre effort. Ce qui permet de conclure que la sagesse permettant de réaliser le non-soi peut non seulement s'éveiller, mais s'étendre indéfiniment, si on la

1. *Commentaire sur le « Compendium de la connaissance valide » de Dignana*, chap. II : *sems kyi rang bzhin 'od gsal te/ dri ma rnams ni blo bur ba/*, cf. Varanasi, *Pleasure of Elegant Sayings*, 1974, vol. 17, 63.11. Sanskrit : *prabhasvaramidam chittam prakrtyagantatro malah*, extrait de Swami Dwarikadas Shastri, *Pramanavarttika of Acharya Dharmakirtti ;* cf. Varanasi, *Bauddha Bharati*, 1968, vol. 3, 73.1.

cultive. Une fois qu'elle s'épanouit, elle entraîne d'abord un dépérissement progressif de l'idée d'existence intrinsèque, puis sa disparition pure et simple. Les peines et les imperfections s'évanouissent alors dans le champ du réel ; elles n'ont plus cours dans la sphère de la réalité pure : on appelle cet état la libération, car les distorsions accidentelles se sont dissoutes sous l'effet de leur antidote. Pour démontrer que la libération est réalisable, on se fonde sur le constat que l'esprit est d'une nature purement lumineuse et connaissante. Autrement dit, on accède à la libération en connaissant la vraie nature de son esprit. Elle ne nous vient pas d'une source extérieure. Personne ne nous en fait don. Une fois libéré, on est également affranchi des émotions aliénantes ; elles n'apparaîtront plus, quelles que soient les circonstances, et par conséquent nous n'amasserons plus de karma. Le processus de libération dépend donc du retrait des passions, en tête desquelles vient l'ignorance ; à son tour, celle-ci sera éliminée par son antidote, la sagesse. Mais celle-ci ne se développe qu'à partir du moment où naît la volonté de se libérer de l'existence cyclique ; sans cet élan, il est impossible d'aller de l'avant.

Aussi l'intention de quitter le cycle est-elle un élément déterminant au début. Puis, en réalisant ses inconvénients, la fascination que le monde exerce sur nous s'estompe, pour faire place à l'aspiration à s'en affranchir. Lorsque ce désir grandit, nous déployons les efforts nécessaires à la pratique des techniques qui conduisent à rompre le cercle. La strophe suivante décrit le processus permettant de cultiver cette attitude :

Possibilités et chances ne se rencontrent que rarement.
Éphémère est la vie.
En cultivant ces pensées,
L'attachement aux apparences de cette vie s'inversera.

Lorsqu'on s'accoutume à l'idée que « possibilités et chances ne se rencontrent que rarement » et que « la vie est éphémère », le charme qu'exercent sur nous les apparences en cette vie s'inverse. Dans ce texte, la volonté de quitter l'existence cyclique doit naître à plusieurs niveaux, puisqu'il s'agit d'éliminer l'attachement aux apparences dans cette vie, puis dans les vies futures. Dans son *Grand Commentaire des étapes du chemin,* Dzong-kaba décrit séparément les pratiques adaptées aux personnes de capacités inférieure et moyenne, ainsi que les résultats temporaires que l'on peut en attendre. Alors que, dans les *Trois Aspects majeurs,* toutes ces pratiques se fondent en une seule, visant à susciter l'intention de quitter le cycle.

Il est vain de s'attacher à cette existence, car, même si nous vivons cent ans, il nous faudra mourir un jour, et c'en sera fini de cette espérance de vie. Qui plus est, l'instant de notre mort ne nous est pas connu, il peut se présenter à tout moment. Alors, cette vie se défera, et, si entourés, si aisés que nous soyons, ce sera sans appel. A quoi nous serviront nos biens ? Nous ne pourrons pas nous offrir une extension de vie ; même si nous avons en banque des milliards, ils seront impuissants à nous aider. Il nous faudra tout laisser. A cet égard, la mort d'un milliardaire ne vaut pas mieux que celle d'une bête sauvage. Gagner sa vie est une nécessité, mais certainement pas une finalité. Malgré tous nos progrès, en dépit des avantages que nous procure notre époque, la souffrance continue d'exister sous des formes multiples et dans bien des domaines. Le seul fait d'être né nous condamne à souffrir.

Est-il vrai que la condition humaine est inséparable de l'affliction ? Est-ce inéluctable ? Dans le contexte qui est le nôtre, tant que nous restons soumis au processus qui nous façonne, alors oui, la nature même de la vie est indissociable de la souffrance. Mais lorsqu'on fait appel au raisonnement logique, et que l'on y voit démontrée la possibilité de se libérer, on constate que les moyens de vaincre les causes du mal sont à notre portée. Il ne tient qu'à nous de retirer notre esprit des passions aliénantes dans lesquelles il s'implique. Dans ce cas, il devient évident que la souffrance n'est pas nécessairement inhérente à la condition humaine.

Si nous savons faire bon usage de notre intelligence, nous aurons tout lieu de nous en féliciter ; en revanche, si elle ne nous sert qu'à nous empoigner avec cette vie, nous perdrons l'occasion d'exploiter les facultés puissantes que détient notre cerveau humain. Ce serait comme d'investir sa fortune dans une babiole insignifiante ; rien n'est plus triste que de voir ce formidable potentiel d'intelligence mis à contribution pour des fins anodines. Aussi faut-il réaliser l'absurdité d'une telle attitude, revenir à la raison, réaliser que se consacrer tout entier à ces événements passagers frôle la démence. En procédant ainsi, la fascination qu'exerce sur nous l'existence cyclique décroît progressivement et la volonté de la quitter grandit.

Un tel renoncement n'implique nullement de négliger des besoins essentiels comme de se nourrir, mais de faire en sorte d'être moins attaché à ce qui est strictement du domaine de cette existence. Au demeurant, la souffrance n'est pas le lot exclusif de cette vie : elle imprègne toutes les formes d'existences à venir, puisque toutes les merveilles et les infinies possibilités du système finissent par se dégrader.

Il se peut que notre prochaine vie se présente bien, mais, après elle, une autre suivra, puis une autre encore. Disposerons-nous toujours de conditions privilégiées ? Rien n'est moins sûr. C'est pourquoi il vaut mieux se détacher des apparences présentes et ne pas mettre son espoir dans les vies futures. Ne perdez pas un instant de vue que toute existence conditionnée par les actes et les passions contaminées est dénuée d'essence, parfaitement inconsistante. Dzong-ka-ba poursuit :

Si vous pensez et repensez
Aux actes, à leurs inéluctables effets
Et aux souffrances de l'existence cyclique,
L'attachement aux apparences des vies futures s'inversera.

D'innombrables renaissances nous attendent, de bonnes et de mauvaises. Les effets d'action (karma) sont inéluctables ; or, tout au long de nos existences passées, nous avons accumulé des comportements négatifs. Nous n'échapperons pas à leurs résultats, que ce soit dans cette vie ou dans les prochaines. De même qu'un malfaiteur repéré par la police doit s'attendre à être arrêté d'un moment à l'autre et condamné, nous devrons à notre tour nous confronter un jour aux conséquences de nos mauvaises actions, même si nous avons jusqu'ici échappé aux poursuites. Dès l'instant où des actes non vertueux ont laissé en nous des prédispositions à la souffrance, c'en est fini de notre tranquillité. Les actions sont irréversibles. Un jour ou l'autre, nous devrons en connaître les effets.

Si nous ne savons pas éliminer ce karma négatif, enfoui pour l'instant dans notre esprit sous forme de graines, nous avons de faibles chances d'obtenir des renaissances favorables. Dans l'ensemble, il nous sera difficile d'échapper à l'inévitable misère de l'existence cyclique. Et si nous regardons de près ce qu'elle a de meilleur à nous offrir, nous découvrons que, là encore, la souffrance est présente, car tôt ou tard, cela se flétrira. Nous connaissons trois formes de souffrance dans ce cycle : la souffrance due à la souffrance elle-même, celle de l'alternance et la souffrance diffuse du conditionnement.

Lorsqu'on réfléchit sur les conséquences inévitables des erreurs passées et sur le caractère douloureux des beautés de l'existence cyclique, on se cramponne moins à la vie présente et aux vies futures, et l'envie grandit de s'en affranchir.

En conjuguant ces deux thèmes de réflexion (le dépassement des apparences de cette vie et celui des séductions du monde en général), on fait naître la volonté de se libérer de l'existence cyclique.

Ce qui nous vaut de souffrir ne vient pas de l'extérieur, mais de notre propre continuum de conscience. Car les émotions conflictuelles se manifestent dans la sphère naturellement pure de l'esprit, et, faute de contrôle, nous nous laissons entraîner à des actes violents, générateurs de futures souffrances. Quand les passions viennent à se déclencher, il faut être extrêmement attentif et faire en sorte de renvoyer ces conceptions dans la sphère naturelle de l'esprit afin qu'elles s'y dissolvent, comme les nuages s'amassent et se dissipent dans la sphère céleste. Leur extinction coupe court aux impulsions nuisibles qui leur font cortège. Ainsi que l'a chanté Milarepa (Mi-la-ras-pa) : « Qu'elles viennent à se lever, elles se lèvent dans l'espace, qu'elles viennent à se dissoudre, dans l'espace elles se dissolvent. » Apprenons à connaître le mode d'existence des phénomènes, à distinguer ce qui est erroné, à opposer une fin de non-recevoir à ces conceptions afin qu'elles aillent se fondre dans la sphère du réel.

Aucune joie n'est possible tant que l'on n'est pas maître de son esprit, et, pour y parvenir, la volonté de se libérer de l'existence cyclique est fondamentale.

Les écritures bouddhistes enseignent que l'esprit n'a pas de commencement, ce qui fait que les renaissances n'en ont pas non plus. Une recherche méthodique permet de conclure que la conscience ne peut en aucune façon être la cause substantielle de la matière, ni la matière, celle de la conscience. La seule hypothèse admissible en tant que cause substantielle de la conscience est une conscience pré-existante. C'est ainsi que l'on démontre le principe des vies passées et futures.

Cela étant, reconnaissez qu'en dépit de tout ce que vous pouvez avoir amassé dans cette existence, quand ce serait des milliards, vous n'emporterez pas un centime avec vous dans la mort. Peu importe le nombre de vos amis, aucun ne vous y accompagnera. Vous ne pourrez plus compter dès lors que sur la force de votre mérite, sur l'énergie que vous aurez accumulée dans de justes actions. D'où le danger de s'investir à part entière dans les activités journalières limitées au présent. Il n'est pas question de tourner le dos à la vie matérielle et de s'intérioriser à temps plein en ne pensant qu'à ses renaissances futures, mais un mi-temps serait bien pensé si vous investissiez 50 % de votre énergie pour les affaires courantes et 50 % pour vous cultiver intérieurement.

Il faut bien vivre. Notre estomac aussi a droit à notre sollicitude, mais notre espérance de vie va rarement au-delà d'une centaine d'années : c'est peu comparé aux existences à venir. Cela vaut la peine d'y penser et de s'y préparer. Il faut parfois savoir négliger ses objectifs immédiats.

Lorsqu'on se penche sur les aspects séduisants de l'existence cyclique, on voit se révéler leur caractère de souffrance. Ils sont loin d'être une source de plaisir inépuisable. Par exemple, si vous êtes l'unique héritier de plusieurs maisons, quand vous en occupez une, vous ne pouvez jouir des autres, et elles restent vides ; si vous décidez d'en changer pour une autre, la première à son tour ne vous est plus bonne à rien. Ou bien supposons que vous soyez immensément riche et que vous disposiez d'une énorme réserve de nourriture ; n'ayant qu'une bouche et qu'un seul estomac, vous ne pourrez manger au-delà de ce qu'une personne peut avaler. Si vous mangez pour deux, vous mourrez. Il vaut mieux établir des limites dès le début et se sentir satisfait.

Sans quoi, le désir vous fera courir après ceci, vouloir encore cela, et vous ne parviendrez jamais à satisfaire toutes vos envies. Quand bien même vous auriez le monde à vos pieds, cela ne vous suffirait pas. Le désir est insatiable. Et, qui plus est, dans cette quête sans fin, que d'obstacles, de déceptions, de difficultés, de souffrances ! Le désir excessif n'est pas seulement impossible à satisfaire, c'est aussi un sujet de tourments.

Plaisir et douleur sont des effets. Le fait qu'ils changent montre qu'ils dépendent de causes. C'est pourquoi vous n'obtiendrez le plaisir que vous désirez que si vous en créez les causes, et vous vous épargnerez la souffrance que vous redoutez en vous débarrassant de ce qui la produit. Du moment qu'une cause de souffrance est inscrite dans votre continuum de conscience, quelle que soit votre répugnance à souffrir, vous devrez en passer par elle. Dans la mesure où le plaisir et la douleur dépendent de causes, nous pouvons savoir ce que l'avenir nous réserve, puisque les conditions des vies futures dépendent de nos activités et de nos pensées présentes. Lorsqu'on voit les choses sous cet angle, on réalise qu'à chaque instant on accumule toutes sortes de karmas – actions – qui pèseront sur nos renaissances futures ; et nous pouvons en déduire que, si nous n'appliquons pas une méthode pour mettre fin aux causes qui déterminent le processus de l'existence cyclique, nous ne nous débarrasserons pas de la souffrance.

L'observation de nos constituants mentaux et physiques révèle qu'ils sont façonnés par les actions et les émotions contaminées. Les causes *antérieures* dont ils dépendent étant impures, ils héritent d'un état de souffrance passé, et ils la subissent non seulement dans l'état *présent,* mais ils l'induisent également pour le *futur.* Nous connaissons la douleur dès la naissance, elle jalonne notre enfance et nous accompagne jusqu'à la fin de notre vie, car, avec la vieillesse, viennent la déchéance physique, l'incapacité de se mouvoir, d'entendre et de voir correctement, sans parler des mille et un tourments du grand âge ; et, enfin, vient la souffrance de la mort. Mais, entre naissance et mort, nous n'avons pas non plus de répit : nous sommes confrontés aux maladies, nous n'avons pas ce que nous voulons, ou bien nous avons ce que nous ne voulons pas. Tout montre que les agrégats d'esprit et de corps sont le terrain de la souffrance.

Est-ce à dire que cet enseignement est pessimiste ? Nullement. Plus on est conscient de la souffrance, plus on s'efforce de la vaincre. Par exemple, vous vous éreintez à travailler cinq jours par semaine pour avoir plus d'argent, pour élever votre niveau de vie, etc. Dès votre jeune âge, vous vous donnez du mal pour jouir plus tard d'une vie agréable. Pour avoir un peu plus de confort, n'avez-vous pas consenti à quelques sacrifices ? Le fait de reconnaître la souffrance vous rapproche de la libération qui vous en délivre. Cela mérite d'y penser. Ne vous réjouissez pas trop à l'idée que, dans de futures existences, vous reprendrez ce type de corps et d'esprit, conditionnés par des actions et des émotions contaminées. Attachez-vous plutôt à connaître un état dans lequel ces supports de la souffrance sont parvenus à complète extinction. L'espace de la réalité, l'infini dans lequel s'éteignent les imperfections douloureuses, c'est ce qu'on appelle la libération. Nous devrions non seulement nous détacher des apparences dans cette vie présente, mais également des séduisantes promesses des vies futures, car, tant que nous adhérons à des agrégats contaminés, nous ne connaîtrons pas de véritable paix. Tels sont les inconvénients de l'existence cyclique dont on doit se souvenir sans cesse, car ils éveillent le souhait de l'abandonner et nous donnent aussi le goût de nous libérer.

Dans cette démarche, il convient de conjuguer la méditation analytique et l'absorption contemplative. Commencez par analyser les arguments qui renforcent la volonté de quitter l'existence cyclique, puis, lorsque monte en vous une certaine conviction, demeurez dans cette compréhension sans plus analyser, afin de stabiliser la réalisation. Dès que votre conviction faiblit, retournez à la méditation analytique, puis absorbez-vous à nouveau dans la contemplation, etc.

A la suite d'un tel entraînement, sur quoi se fonde-t-on pour mesurer sa réussite ? Comment sait-on si l'on a pleinement développé la volonté de se libérer de l'existence cyclique ?

> *Si, ayant ainsi médité, le riche*
> *Déploiement de l'existence cyclique n'éveille en vous*
> *Aucun éclair, si bref soit-il, d'admiration,*
> *Si l'esprit de recherche nuit et jour vous habite,*
> *Vous poussant jour et nuit vers la libération,*
> *Alors, c'est qu'a germé la ferme volonté*
> *De quitter à jamais l'existence cyclique.*

Si, à force d'entretenir ces pensées, vous avez surmonté l'attachement aux apparences de la vie présente et aux promesses des existences futures, si votre esprit est constamment et spontanément en quête de la libération sans que rien ne vienne l'en distraire, ni « ceci est merveilleux », ni « cela, il me le faut », ni « si seulement j'avais... », etc., alors vous avez impeccablement réussi à engendrer la volonté de vous libérer de l'existence cyclique. Cette réalisation n'est effective que lorsqu'elle se traduit dans l'attitude et pas simplement dans le discours. « Un malade va-t-il être soigné par la simple lecture d'un traité de médecine ? » C'est ainsi que Shantideva [1] interpelle le méditant. L'ordonnance ne suffit pas. Il faut aussi absorber le remède pour aller vers la guérison.

Il est aisé de lire la doctrine ou de l'entendre commenter, mais beaucoup plus difficile de la mettre en pratique. Tant que nous n'avons pas de l'enseignement une expérience directe, il demeure sans effet. Si la cause de votre progression n'est qu'une explication verbale, l'effet ne pourra être que de cette nature. Quand vous

1. *Engaging in the Bodhisattva Deeds*, V. 109cd : *sman dpyad bklags pa tsam gyis ni/ nad pas dag la phan 'gyur ram/*, sanskrit : *chikitsapathamatrena roginah kim bhavishyati*, extrait du *Bodhicaryavatara*, éd. Vidhushekhara Bhattacharya, Bibliotheca Indica, vol. 280, Calcutta, The Asiatic Society, 1960, p. 79-80.

avez faim, il vous faut de vrais aliments. Vous ne vous contentez pas de manger le menu. La simple description des plats savoureux de la cuisine française ou chinoise n'a rien de nourrissant. Le Bouddha n'a-t-il pas dit : « Je vous indique le chemin de la libération ; mais, quant à la libération elle-même, sachez qu'elle ne dépend que de vous » ?

Au premier abord, ce que préconise le bouddhisme peut vous paraître quelque peu singulier, peut-être même utopique, mais Shantideva répond :

Il n'est rien qui ne finisse par devenir aisé
Lorsqu'on en prend l'habitude[1].

Avec le temps, aucun accomplissement ne demeure hors d'atteinte ; la pratique régulière de ces thèmes de méditation stimule nos facultés, mais l'enseignement ne devient éveil de conscience qu'à la longue, avec de l'ardeur et du sérieux. Dans un tantra, le Bouddha a parlé de son enseignement à peu près en ces termes : si, après avoir suivi mes instructions, l'objectif se révèle impossible à atteindre, alors ce que j'ai dit est mensonger. Il faut donc commencer par s'exercer, acquérir de l'expérience ; on peut ensuite vérifier par soi-même la justesse de l'enseignement du Bouddha.

Cela clôt le chapitre sur l'éveil de la volonté de se libérer de l'existence cyclique, sur ses causes, sur les moyens de la faire naître et la façon de mesurer sa réussite dans cette voie.

Le deuxième des trois aspects majeurs, c'est l'intention altruiste de devenir illuminé. Selon Dzong-ka-ba, ces deux premiers aspects majeurs doivent se conjuguer, sans quoi, la pratique (la cause) ne permettrait pas d'atteindre à la bouddhéité (l'effet) ; c'est ce qu'explique le verset suivant, qui apporte également une raison de développer l'attitude altruiste :

1. *Engaging in the Bodhisattva Deeds*, Vi.14ab : *goms na sla bar mi 'gyur ba'i/ dngos de gang yang yod ma yin/* ; sanskrit : *na kimchidasti tadvastu yadabhyasasya dushkaram*, extraits du *Bodhicaryavatara*, éd. par Vidhushekhara Bhattacharya, Bibliotheca Indica, vol. 280, Calcutta, The Asiatic Society, 1960, p. 83.

Mais encore faut-il que la ferme volonté de quitter à jamais l'existence cyclique
Aille de pair avec l'éveil d'une pleine aspiration à la plus haute illumination.
Sans quoi, elle ne serait pas source de la prodigieuse béatitude de l'incomparable éveil.
Aussi l'intelligent devrait-il faire naître la noble intention altruiste de devenir illuminé.

Avoir l'intention de devenir illuminé – en sanskrit : *bodhicitta,* « esprit d'éveil » –, c'est prendre le parti de rechercher sa propre illumination et de devenir un bouddha pour le bien de tous les êtres vivants.

Pour éveiller un tel état d'esprit, il faut nourrir une immense compassion, être attentif aux autres, désirer qu'ils soient libérés de la souffrance et des causes qui l'engendrent. Cet élan va jaillir d'une réflexion sur tout ce qu'ils endurent ; et, finalement, pour mener à bien cette méditation, on étend à autrui ce qu'on a soi-même réalisé par rapport à la souffrance tandis qu'on cultivait la détermination de se libérer de l'existence cyclique.

Les deux strophes suivantes décrivent les moyens de faire germer l'intention altruiste, la première évoquant plus précisément les souffrances qui caractérisent les êtres ordinaires dans l'existence cyclique :

Emportés par le continuum des quatre courants violents,
Ligotés par les liens serrés des impulsions difficiles à contrôler,
[*Ils*] *sont entrés dans la cage de fer de la saisie d'un soi* [*réellement existant*],
[*Ils*] *sont totalement obscurcis par les ténèbres épaisses de l'ignorance,*
[*Ils*] *connaissent d'infinies naissances dans le cycle des existences, et, de naissance en naissance,*
[*Ils*] *sont sans cesse suppliciés par les trois souffrances.*
En ressassant ces pensées sur la condition des créatures nos mères parvenues en un tel état,

Fais naître à leur intention le dessein suprêmement altruiste d'atteindre à l'illumination.

Cette façon de penser est extrêmement inspirante. Il suffit de réaliser combien cela s'applique à notre propre condition pour que le désir de quitter l'existence cyclique en soit fortifié ; et à l'idée que les autres sont concernés au même titre que nous, on se sent pris de compassion.

Le premier vers prête à diverses interprétations, mais « Emportés par le continuum des quatre courants violents » signifie essentiellement que toutes les créatures sont submergées par la naissance, la vieillesse, la maladie et la mort, comme par de très forts courants. Bien que nous ne désirions pas ces souffrances, nous devons les endurer, nous sommes en leur pouvoir, et c'est comme d'être irrésistiblement emporté par un énorme fleuve. Ce qui nous réduit à l'impuissance, ce sont les liens serrés de nos actions passées et les prédispositions qu'elles ont imprimées en nous – des réflexes auxquels il est difficile de résister. Mais ce qui nous tyrannise en nous liant, ce sont les passions nocives telles que le désir et la haine : elles se sont manifestées dès que nous sommes entrés dans la prison terriblement solide, obscure, étanche de la saisie innée d'un moi et d'un mien existant en eux-mêmes.

Lorsqu'on se réfère à soi, on s'imagine que l'existence est inhérente à notre être ; et de cette idée fausse naissent les passions ; sous leur dictée, nous commettons des actions viles, dont chacune nous prive un peu plus de mouvement, et, pour finir, nous sommes balayés par les quatre courants violents du fleuve de la souffrance. Ce qui nous induit en erreur, c'est l'« obscurité épaisse » de l'idée fausse que les phénomènes, et en particulier nos constituants mentaux et physiques – support de l'identité du moi –, ont une existence propre. Et, à partir de là, nous concevons la fausse idée d'un moi et d'un mien existant par eux-mêmes. Sur cette idée se greffent les passions conflictuelles de désir, de haine, etc., qui déterminent des actions contaminées, accumulant des karmas qui nous étouffent de leurs liens.

Tel est le processus causal par lequel les êtres se trouvent enchaînés aux agrégats mentaux et physiques, qui les forcent à naître, à vieillir, à souffrir et à mourir. Cet enchaînement de causes et d'effets nous impose trois sortes de souffrances : la peine physique et mentale, la souffrance de l'alternance et la souffrance diffuse du conditionnement. Cette dernière est uniquement liée au fait que nous sommes conditionnés par une chaîne de causes et d'effets contaminée. Lorsqu'on réfléchit bien à la situation en s'appuyant sur son expérience personnelle de la souffrance et des sources d'où elle jaillit, on y trouve un regain de volonté pour se libérer de l'existence cyclique ; et à la pensée que toutes les créatures, qui furent nos mères en d'autres vies, souffrent d'incessants tourments, on sent naître l'amour, la compassion et le projet altruiste de devenir un bouddha pour mieux les aider. Nous désirons personnellement être heureux et ne pas souffrir, mais tous les êtres accablés par les misères de l'existence cyclique ont ce même désir et cette même crainte. Et, qui plus est, ils n'ont pas les éléments de connaissance indispensables pour savoir faire le tri entre prendre ce qui conduit au bonheur, et éviter ce qui entraîne le malheur.

Dans l'*Engagement dans l'action du bodhisattva* [1], Shantideva en parle dans ces termes :

> *Bien qu'ils veuillent bannir la souffrance,*
> *Ils se jettent manifestement dans ses bras.*
> *Malgré leur soif de bonheur, dans leur ignorance,*
> *Ils l'anéantissent comme un ennemi.*

L'aveuglement conduit les êtres à tourner le dos à ce qu'ils cherchent. Le moyen de les aider à se libérer est de leur transmettre les techniques qui leur permettront de reconnaître

1. I.28 : *sdug bsngal 'dor 'dod sems yod kyang/ sdug bsngal nyid la mngon par rgyug/ bde ba 'dod kyang gti mug pas/ rang gi bde ba dgra ltar 'joms/* ; sanskrit : *duhkhamevabhidhavanti duhkhanihsaranashaya/ sukhechch'uyaiva sammohat svasukham ghnanti shatruvat,* extraits du *Bodhicaryavatara,* éd. par Vidhushekhara Bhattacharya, Bibliotheca Indica, vol. 280, Calcutta, The Asiatic Society, 1960, p. 9.

sans erreur possible ce qui doit être fait pour s'attirer le bonheur et ce qui doit être écarté pour éviter la souffrance.

Dans son *Commentaire (Dignaga) du Compendium de la connaissance valide (Pramanavarttika, Tshad ma rnam 'grel)*, Dharmakirti a dit [1] :

> *Afin de triompher de la souffrance (pour le bien d'autrui),*
> *Le charitable s'attelle aux méthodes.*
> *Quand les méthodes éveillent des effets dont les causes [nous] sont obscures,*
> *Elles s'avèrent difficiles à expliquer [à autrui].*

Si vous n'avez pas les connaissances requises pour améliorer le sort des gens, vous ne pourrez rien faire pour eux. Vous ne serez véritablement utile que si vous avez déjà une intelligence très subtile des moyens à employer ; vous devez être capable de leur indiquer les écueils à éviter et les voies bonnes à emprunter. Il vous faut également des compétences pour savoir déceler leurs aptitudes, leurs centres d'intérêt, etc. C'est pourquoi il est indispensable d'éliminer tout ce qui obstrue notre horizon afin d'acquérir une connaissance globale, car, une fois que tous les obstacles sont balayés, on atteint à l'omniscience d'un bouddha, à la sagesse suprême qui permet de comprendre tout ce qui se présente.

Porté par son souhait d'aider toutes les créatures, le bodhisattva s'exerce au renoncement. Dans ce domaine, son premier souci est de se défaire des voiles obstruant l'omniscience. Pour l'aider dans ce travail, il dispose d'antidotes. Il est vrai qu'il n'est pas nécessaire de tout connaître pour apporter quelque aide à un

1. *« Commentaire sur le " Compendium de la connaissance valide "* de Dignaga, chap. II : *brtse ldan sdug bsngal gzhom pa'i phyir/ thabs rnams la ni mngon sbyor mdzad/ thabs byung de rgyu lkog gyur pa/ de 'chad pa ni dka' ba yin/*, cf. Varanasi, *Pleasure of Elegant Sayings*, 1974, vol. 17, p. 54.14. Sanskrit : *dayavan duhkhahanarthamupayes hvabhiyujyate/ parokshopeyataddhetostadakhyanam hi duskaram*, extrait de Swami Dwarikadas Shastri, *Pramanavarttika of Acharya Dharmakirtti*, cf. Varanasi, *Bauddha Bharati*, 1968, vol. 3, 50.3.

petit nombre, mais, quand on veut être extrêmement efficace et secourir une multitude, on ne peut pas se contenter d'à-peu-près. C'est pourquoi le bodhisattva a besoin d'atteindre à la bouddhéité.

A partir d'un certain moment, la souffrance des êtres vous devient intolérable, vous ne supportez plus d'en être le témoin passif. Dans un profond mouvement de compassion et d'amour, vous n'aspirez plus qu'à les délivrer de la souffrance et à les rendre heureux. Mais vous vous rendez compte que, à moins d'être illuminé, vous n'avez aucune chance d'y parvenir ; c'est ainsi que germe dans votre esprit l'intention de réaliser l'éveil. Et dans une double aspiration, vous décidez de vous accomplir dans la bouddhéité à seule fin d'éteindre la souffrance d'autrui.

Dzong-ka-ba n'a pas proposé de méthode spécifique pour mesurer le degré de réussite d'éveil de l'esprit d'illumination, mais nous pouvons nous inspirer de celle qu'il a mentionnée pour la détermination de se libérer de l'existence cyclique, et, à coup sûr, si, en toutes vos activités, une portion de votre esprit entretient constamment le profond souhait de faire le bonheur de tous et le projet d'atteindre à l'illumination à leur intention, c'est signe qu'un esprit d'illumination impeccable s'est éveillé en vous.

Lorsqu'on s'exerce dans ce sens, il ne faut pas s'attendre à voir sa personnalité se transformer du jour au lendemain. Nos caractéristiques, nos tendances ne se modifient que très progressivement, et les changements n'apparaissent pas de façon immédiate. C'est un travail de longue haleine, qui ne donne ses fruits qu'après plusieurs années d'application sérieuse. Il faut attendre cinq ou dix ans avant de se retourner ; on peut alors constater des progrès indéniables dans sa façon de penser, d'être, d'agir.

L'histoire dit que le bouddha Shakyamuni consacra six ans de sa vie à la pratique de l'ascétisme. Donnant l'exemple du renoncement, il abandonna les joies de la vie familiale pour devenir moine, les plaisirs mondains pour un ermitage. Il accomplit encore bien d'autres choses, toutes destinées à éclairer ses disciples sur les difficultés qu'ils auraient à vaincre dans leur ascension sur la voie.

Comment imaginer que ce qui a demandé de longs et prodigieux efforts au Bouddha puisse être réalisé vite et sans mal ? Il n'y faut point penser.

Lorsqu'on en arrive au stade où le souhait de s'éveiller pour autrui est constamment présent dans un coin de l'esprit, on y ajoute le rite d'éveil de l'esprit d'aspiration qui le stabilise. On devra faire également le nécessaire pour que cette réalisation ne puisse être entamée ni dans cette vie ni dans celles à venir.

Nous n'allons pas nous en tenir là : l'aspiration altruiste, c'est bien, mais l'intention ne suffit pas. Il nous reste encore à développer l'esprit pratique de l'illumination. Il s'agit maintenant de se convaincre d'aller de l'avant pour acquérir les qualités indispensables à la réalisation de son objectif, et le pas suivant consiste à s'exercer dans la pratique des six perfections : le don, l'éthique, la patience, l'effort, la concentration et la sagesse. Puis, lorsqu'on veut les appliquer, on prend les vœux du bodhisattva afin de n'y point faillir.

Dès la prise de vœux, si l'application des six perfections est en bonne voie, nous sommes prêts pour l'initiation et la pratique du mantra (tantra).

Vous avez maintenant une vue d'ensemble du processus correct et complet, tel qu'il est exposé dans les grands textes ; il convient de l'entreprendre lorsque le temps et les circonstances se prêtent à une démarche de cet ordre. Ou bien encore, comme la coutume s'en répand de nos jours, on peut avoir accès à la pratique du mantra après avoir acquis une certaine compréhension des trois aspects majeurs du chemin (la volonté de se libérer de l'existence cyclique, l'intention altruiste d'être illuminé et la vue correcte de la vacuité) et une grande rigueur permettant de se maintenir dans l'attitude voulue.

Sans un minimum de compréhension, sans une foi profonde dans les trois joyaux (le Bouddha, sa doctrine et la communauté spirituelle), vous ne pouvez pas véritablement vous dire initié au mantra, même si vous avez assisté à une cérémonie de ce niveau.

La pensée d'éveil altruiste repose essentiellement sur des qualités de cœur, sur un esprit positif de tous les instants, ce dont chacun ne peut que se louer, alors que tout le monde souffre de la colère, de la violence, de la médisance. Ceux qui cèdent à ces mouvements le font dans leur intérêt, mais, en réalité, ils se créent infiniment de tort. Efforçons-nous plutôt d'être ouverts, bons, d'avoir du cœur et un meilleur état d'esprit. Ce que je vous dis là n'est pas que théorique : je m'efforce moi-même de l'appliquer de mon mieux, et chacun de nous doit y mettre du sien, car plus nous ferons d'efforts dans ce sens, mieux nous nous porterons tous.

Quand vous commencez à avoir quelque expérience dans cette démarche, votre façon d'être et de voir les gens se transforme ; qu'un conflit vienne à éclater, et vous constatez que vous ne réagissez déjà plus comme vous aviez coutume de le faire. Vous avez de moins en moins tendance à vous irriter, à broyer de sombres idées. Rien n'a bougé à l'extérieur, il ne vous est pas poussé un nouveau nez, votre coupe de cheveux n'a pas changé ; en revanche, votre esprit, lui, s'est modifié. Nous savons tous plus ou moins bien nous tirer d'affaire en cas de difficultés, certains y parviennent mieux que d'autres. Ce n'est qu'une question d'attitude intérieure.

La pratique de ces enseignements chemine doucement dans l'esprit. Au bout d'un certain temps, il se peut que, dans votre entourage, on note un changement chez vous. C'est bon signe, vous êtes en progrès et vous accueillez cette réaction avec plaisir. Elle montre que, déjà, vous n'êtes plus un sujet de perturbation pour autrui. Vous commencez à vous conduire en bon citoyen du monde. Vous n'allez peut-être pas vous mettre à léviter, à voler, à manifester toutes sortes de prodiges ; de tels talents sont somme toute secondaires. A vrai dire, ils poussent plutôt à la conduite inverse, surtout si vous vous mettez à semer le trouble dans l'esprit des gens. Par contre, savoir gouverner son esprit, faire preuve de bonté, voilà ce qu'il est essentiel d'apprendre ; et si vous l'appliquez, le nirvana se fera de plus en plus proche ; mais, chaque fois que vous cédez à l'amertume, à l'irritation, vous lui tournez le dos.

La démarche bouddhiste met l'accent sur le chercheur et sur son aptitude à faire un bon usage de la doctrine. L'enseignement lui offre un refuge dans le Bouddha, la doctrine et la communauté spirituelle, pour qu'il y puise la force de pratiquer efficacement.

Des trois objets du refuge, le principal est la doctrine ; non pas la doctrine empruntée à quelqu'un d'autre, mais celle qui doit naître en notre continuum. Sans participation ni efforts, sans une pratique de notre part, les trois joyaux ne peuvent nous être un refuge.

Ainsi se termine le chapitre sur l'intention de devenir illuminé, et nous arrivons maintenant au troisième aspect majeur du chemin, la vue correcte de la vacuité. Nous allons comprendre l'intérêt que présente la sagesse de la vue juste en revenant au texte de Dzong-ka-ba.

Tant que la sagesse permettant de réaliser le mode d'existence des phénomènes vous fait défaut,
Même si vous avez fait germer la volonté parfaite de quitter l'existence cyclique et l'intention altruiste,
La racine de l'existence cyclique ne saurait être coupée.
Alors, attelez-vous aux moyens de réaliser la production interdépendante.

Quand il parle du « mode d'existence des phénomènes », Dzong-ka-ba attire notre attention sur la façon dont ils subsistent dans la dimension la plus subtile de l'existence, au niveau de la réalité ultime. Il ne s'agit pas de leurs différents modes d'être conventionnels, mais de ce que révèle, en dernière analyse, la vision correcte de la vacuité ; dans le contexte des deux vérités, c'est là ce que l'on nomme la vérité ultime.

Tant que la sagesse spontanée nous fait défaut, les efforts déployés pour éveiller l'aspiration à sortir de l'existence cyclique et l'intention altruiste de s'éveiller sont impuissants à nous détacher de l'existence cyclique ; car celle-ci est enracinée dans l'ignorance de cette réalité, dans la mystification qui nous aveugle sur ce qu'est la personne et sur le reste de la création. Pour venir à bout de cette ignorance, nous devons mettre en éveil un esprit de pénétration, qui, tout en percevant les mêmes êtres, les mêmes phénomènes, les appréhende dans une perspective complètement opposée à la perception erronée. Les deux premiers aspects majeurs participent indirectement de ce résultat, mais n'attaquent pas directement l'erreur qui est la racine même de l'existence cyclique. Pour corriger sa vision, on a besoin de l'antidote direct qu'est la vue correcte de la vacuité. C'est pourquoi elle nous est indispensable.

Si Dzong-ka-ba nous exhorte à « nous atteler aux moyens de réaliser la production interdépendante » et non aux « moyens de réaliser la vacuité », c'est parce que le sens de la production interdépendante est contenu dans celui de vacuité, et le sens de la vacuité est pareillement impliqué dans celui de la production interdépendante. Autrement dit, il appelle notre regard sur le fait que la vacuité est significative de production interdépendante, elle-même significative de vacuité. En le réalisant, on évite les erreurs des deux vues extrémistes, d'où le conseil de faire des efforts dans cette direction.

On ne doit pas comprendre la vacuité comme la négation pure et simple de tout, mais comme le déni d'une existence en soi – négation tout à fait compatible avec le principe de production interdépendante. Si vous ne voyez pas que vacuité et production interdépendante s'éclairent mutuellement, vous risquez de vous méprendre sur la vacuité et de l'interpréter comme du nihilisme : ce serait non seulement un contresens, mais une faute grave que d'accréditer une telle conception, car, loin de nous enrichir, elle nous fait tomber dans le piège de la vue extrémiste du néant. Dzong-ka-ba poursuit en explicitant davantage le concept de production interdépendante :

> *Quiconque, voyant la cause et l'effet de tous les phénomènes de l'existence cyclique et du nirvana comme un principe infaillible,*
> *Fait table rase de l'idée fausse* [*d'existence en soi*] *associée à ces objets*
> *A pris le chemin qui est agréable au Bouddha.*

Quand l'analyse du mode d'être ultime des phénomènes nous permet de comprendre que ni les individus ni les choses n'ont d'existence propre, sans que cela nous empêche d'admettre en toute clarté leur causalité, c'est signe que nous sommes sur la bonne voie qui réjouit le Bouddha. La compréhension de la vacuité ne doit pas empiéter sur celle de la causalité. Il est indéniable que les causes et les effets influent favorablement ou défavorablement sur les phénomènes mondains et supramondains. Quand la vacuité est appréhendée à la lumière du processus causal non erroné, non incohérent, non anarchique, c'est-à-dire dans le contexte même de la production interdépendante, le seul fait de cette réalisation suffit à pourfendre les fausses conceptions.

Tant que ces deux : la réalisation des apparences
– Infaillibilité de la production interdépendante –
Et la réalisation de la vacuité – non-assertion [d'une existence en soi] –
Semblent séparées, la pensée du bouddha Shakyamuni n'est pas réalisée.

La vue correcte n'est pas au point tant que la compréhension des apparences, en tant que productions interdépendantes non chaotiques, et la compréhension de leur vacuité d'existence propre semblent s'exclure mutuellement. En d'autres termes, si l'une ne vous aide pas à comprendre l'autre ou la rend inadmissible, c'est que vous n'avez pas perçu la pensée du bouddha Shakyamuni ; de telle sorte que, quand vous percevez la vacuité, votre compréhension de la production interdépendante devient floue, et vice versa ; les deux réalisations alternent alors comme deux choses irréconciliables ; c'est le symptôme d'une absence de vue correcte.

Lorsque [les deux réalisations] s'éclairent simultanément sans alternance,
Et qu'à la seule vue de l'infaillibilité de la production interdépendante
Une intelligence affûtée tranche l'erreur de perception [de l'existence en soi],
C'est signe que l'analyse de la vue [de la réalité] est parachevée.

L'intelligence capable de percer le faux dans le concept d'existence en soi s'éveille lorsque le chercheur passe au crible du raisonnement un objet désigné et constate que son nom ne recouvre rien. Le raisonnement en sept points [1] est la méthode couramment employée à cette fin, et le corps y fait régulièrement l'objet d'une recherche. Point par point, le chercheur démontre que le corps étant relatif à d'autres facteurs, il est nécessairement dépendant, donc dénué de la faculté d'être par lui-même. Et il en conclut que l'objet n'étant que production interdépendante, il est dénué d'existence propre. Dans ce processus, il fait d'abord ressortir ce qui n'existe pas, pour pouvoir ensuite énoncer ce qui reste, à savoir un phénomène se produisant à la faveur d'interactions.

Lorsqu'on emploie le raisonnement en sept points pour interroger parallèlement la nature d'un être humain apparu en rêve et celle d'une personne en état de veille, on ne décèle ni dans ce cas ni dans l'autre d'entité auto-existante. Mais l'on ne peut pas dire que les deux soient identiques, car l'expérience et la connaissance conventionnelle des choses réfuteraient cette assertion. En revanche, si l'on avance qu'un être humain véritable est un être humain, on ne s'expose à aucune contestation de cet ordre.

Résumons-nous. Bien que le raisonnement en sept points ne permette pas de découvrir un être humain, il ne convient pas de contredire la connaissance correcte d'un point de vue conventionnel en soutenant que l'être humain n'existe pas. Étant donné qu'elle ne ressort pas du raisonnement, mais toutefois existe, nous avancerons donc que la personne n'existe pas par sa faculté personnelle, mais par rapport à d'autres facteurs dont elle est dépendante. De sorte que la signification de ce qui est « vide d'une faculté d'être par soi-même » en vient à signifier « dépendant par rapport à d'autres ». Pour établir la preuve de la vacuité

1. Dans cette analyse, il s'agit de découvrir si l'ego et la structure esprit/corps sont une seule ou différentes entités, si l'ego dépend de l'esprit/corps, si l'esprit/corps dépend de l'ego, si l'ego est le corps, et si l'ego est l'ensemble esprit/corps. Voir *Méditation sur la vacuité,* Londres, Wisdom Publications, 1983, I, chap. III et IV, et II, chap. V.

des phénomènes, Nagarjuna et ses étudiants s'appuient volontiers sur le principe de la production interdépendante et, en particulier, sur le fait que les phénomènes dépendent des causes, des conditions, etc., qui participent de leur manifestation. Écoutons Nagarjuna dans le *Traité de la voie du milieu* [1] :

Étant donné qu'il n'existe rien qui ne soit production interdépendante,
Il n'existe rien qui ne soit vide [d'existence propre].

Et dans *Quatre Cents* [2], Aryadeva déclare :

Aucun de ces [phénomènes] n'a le pouvoir d'être par lui-même.
Donc, il n'y a pas de soi [inhérent à la personne].

Aucun phénomène n'est auto-existant, donc tout est dénué d'existence propre et rien ne peut s'établir par des caractéristiques individuelles. Pour démontrer qu'ils sont vides, les auteurs de ces lignes ne disent pas que les objets ne sont pas vus, touchés, éprouvés ; « vide » ne veut pas dire inopérant, mais dénué du pouvoir d'être par soi-même. Par ailleurs, ils ne s'autoproduisent pas à partir des causes et des conditions ; ils en dépendent. Ils apparaissent à la façon d'une illusion, mise en scène par un magicien. Lorsqu'on comprend ce qu'est la vacuité de l'objet examiné et son origine interdépendante, on

1. XXIV.10 : *gang phyir rten 'byung ma yin pa'i/ chos 'ga' yod pa ma yin pa/ de phyir stong pa ma yin pa'i/ chos 'ga' yod pa ma yin no/* Sanskrit : *apratitya samutpanno dharmah kashchinna vidyate/ yasmattasmadashunyo 'hi dharmah kashchinna vidyate,* extraits de *Mulamadhyamakakarikas de Nagarjuna avec la Prasannapada,* Commentaire de Chandrakirti, publié par Louis de la Vallée Poussin, Bibliotheca Buddhica IV, Biblio Verlag, Osnabrück, 1970, p. 505.

2. P5246, vol. 95 139.2.7, XIV.23. *'di kun rang dbang med pa ste/ des na bdag ni yod ma yin/,* extrait du *Madhyamakavatara par Candrakirti,* publié par Louis de la Vallée Poussin, Bibliotheca Buddhica IX, Biblio Verlag, Osnabrück, 1970, p. 279. N'existe pas en sanskrit. Les notes entre crochets figurent dans le commentaire de Chandrakirti (P5266, vol. 98, 270.3.6).

réalise que son apparition est une conséquence inévitable, cohérente, et en même temps vide d'existence propre. Ces deux principes ne sont nullement contradictoires ; hors de cette compréhension, vous penseriez qu'il est impossible d'appliquer à l'objet deux facteurs tels que la réalité non fabriquée de la vacuité et la manifestation fabriquée de la production interdépendante.

En revanche, quand vous établissez que les phénomènes sont vides pour la bonne raison qu'ils sont des productions interdépendantes, la compréhension de leur manifestation et celle de leur vacuité s'imposent comme indissociables. La disparition de l'idée d'existence en soi de l'objet laisse dans l'esprit un vide qui est la simple négation de ce que l'on a écarté ; une absence qu'il n'y a pas lieu de combler par une quelconque affirmation. La vacuité n'apparaît donc qu'avec l'élimination de l'objet réfuté. Par exemple, pour constater l'absence du bouquet de fleurs que j'ai devant moi, il faut éliminer sa présence. Lorsque nous parlons de la vacuité comme d'une simple négation de l'auto-existence, nous décrivons bien évidemment la façon dont elle se manifeste à l'esprit du méditant : nous ne disons pas qu'à ce moment-là il n'y a pas de conscience ni personne qui réalise la vacuité.

Donc, en tant que productions interdépendantes issues d'interactions, les phénomènes sont vides d'existence en soi. En prenant la production interdépendante comme la justification même de ce vide, le chercheur évite aisément les deux excès que sont l'existence en soi et l'inexistence absolue.

Quand la vacuité est immédiatement associée à l'objet dès qu'il apparaît en tant que manifestation interdépendante, on réalise plus facilement ce qu'elle est. Et lorsqu'on n'a besoin d'aucun autre argument que celui de la production interdépendante pour s'expliquer la vacuité au lieu de se porter ombrage, chacune met l'autre en lumière. Il n'y a plus alors ce va-et-vient entre la vue des apparences et celle de la vacuité, qui les faisait paraître divergentes ; c'est la preuve que l'analyse est parachevée.

Comme le constate Chandrakirti dans son *Supplément au*

traité (de Nagarjuna) *de la voie du milieu (Madhyamakavatara, dbU ma la 'jug pa)*[1] *:*

Quand le Yogi ne trouve pas l'existence de ce (char),
Comment pourrait-on affirmer que ce qui n'existe pas de sept manières différentes existe [*en soi*] *?*
Par ce biais, il pénètre également l'ainséité sans difficulté.
Donc, ici, la démonstration de ce [*chariot*] *doit être soutenue dans ces termes.*

Abordés sous sept angles différents, les phénomènes ne sont pas trouvés ; or leur existence est admise. Donc, ils n'existent pas objectivement par eux-mêmes, mais subjectivement et par rapport à une conceptualisation. D'où l'intérêt d'une étude sérieuse du mode d'être conventionnel des phénomènes afin d'aller vers la compréhension de leur nature ultime.

Mais, pour atteindre ce niveau, dès que vous avez une petite idée de ce qu'est la vacuité, observez donc les mécanismes de la causalité, le sujet, l'action et l'objet, et demandez-vous s'ils sont compatibles avec la vacuité. Lors de cette réflexion, référez-vous à l'image dans le miroir : elle est simple reflet et, cependant, elle se manifeste quand certaines conditions sont réunies alors qu'elle disparaît quand elles ne le sont plus. C'est un exemple de ce qui peut être opérant tout en étant vide d'existence propre.

Vous pouvez aussi, à partir de votre expérience personnelle, observer comment la présence ou l'absence de certaines conditions favorisent ou entravent les situations ; vous verrez ainsi se renforcer votre conviction quant à la production interdépendante. Si vous inclinez vers une réification excessive de l'existence, penchez-vous sur la vacuité, et, dès que vous tendez vers un extrême nihilisme, insistez davantage sur la production interdé-

1. VI.160 : *rnam bdun gyis med gang de ji lta bur/ yod ces rnal 'byor pas 'di'i yod mi rnyed/ des de nyid la'ang bde blag 'jug 'gyur bas/ 'dir de'i grub pa de bzhin 'dod par bya/.* Citations entre crochets de Dzong-ka-ba. *Illumination of the Thought (dGongs pa rab gsal),* 218.14-19, Shes rig par khang edition, Dharamsala, n.d.

pendante ; quand, à nouveau, l'auto-existence s'impose à vous, revenez à la vacuité. En conjuguant adroitement l'absorption contemplative et la méditation analytique, vous pénétrez chaque fois plus profondément dans la compréhension de l'interdépendance et de la vacuité, jusqu'à ce que les deux vous deviennent également transparentes.

Revenons au texte :

> *En outre, l'extrémisme de l'existence (inhérente) est exclu*
> [*par la connaissance de la nature*] *des apparences*
> [*existant seulement en tant que désignations nominales*]
> *Et l'extrémisme de l'existence* [*absolue*] *est exclu* [*par la connaissance de la nature*] *de la vacuité*
> [*absence d'existence propre et non pas d'existence nominale*].

Les quatre écoles de pensée bouddhiste, samkhyas et même nihilistes compris, admettent d'un commun accord que l'inexistence absolue – négation de ce qui existe – est balayée grâce à l'apparence, tandis que l'extrémisme de l'existence – affirmation de l'existence de ce qui est non existant – est balayé grâce à la vacuité. Mais, au regard particulier de l'école de Conséquence de la voie du milieu, le contraire est également vrai : par le biais de l'apparence, l'extrémisme de l'existence est évité, et la vacuité fait table rase de la non-existence absolue. Dans cette thèse, tout pivote autour du fait que la production interdépendante est significative de la vacuité et vice versa.

La production interdépendante est expliquée différemment par les écoles de l'Esprit seul, d'Autonomie de la voie du milieu et de Conséquence de la voie du milieu. L'école de l'Esprit seul la définit uniquement en termes de phénomènes composés *, surgissant de causes et de conditions dont ils dépendent. Selon l'école d'Autonomie de la voie du milieu, elle concerne tous les phénomènes permanents et impermanents, étant donné que tous

* En sanskrit, *samskara :* idéation *(NdT).*

dépendent de leurs parties. L'école de Conséquence de la voie du milieu introduit un élément nouveau, en voyant dans la production interdépendante tous les phénomènes dont le déploiement ou l'établissement dépend d'un nom, attribué par la faculté conceptuelle. Il faut comprendre que la production interdépendante et la vacuité sont compatibles. Chacune renvoie à l'autre. Le texte poursuit dans la même veine :

Si, au cœur même de la vacuité,
L'apparition de la cause et de l'effet est connue,
Vous ne serez pas pris au piège des vues extrêmes.

Lorsque au sein du vide on s'aperçoit que la cause et l'effet dépendent de la vacuité, parce que c'est à cause d'elle que les productions interdépendantes fonctionnent, c'est alors comme si tout émanait d'elle. En voyant leur réciprocité, on est à l'abri des deux vues extrêmes.

C'est ainsi que la compréhension même de la vacuité vous évite de tomber dans le nihilisme. Et, en distinguant clairement que ce qui dépend de causes, de conditions, de parties et d'une conscience qui dénomme est le contraire même de l'auto-existence, votre intelligence de la production interdépendante vous met à l'abri d'une réification excessive de l'existence.

Si vous vous exercez à la vue de la vacuité tout en fortifiant votre volonté de vous libérer de l'existence cyclique, cette pratique sera le levier de votre libération. Et si vous l'associez à l'intention altruiste de devenir illuminé, ce levier entraînera les mécanismes qui feront de vous un bouddha pleinement illuminé. La vue juste est comparée à une mère, car la réalisation de la vacuité est considérée comme un facteur d'illumination dans les trois véhicules bouddhistes des auditeurs, des réalisateurs solitaires et des bodhisattvas.

Ceux qui empruntent la voie spécifique du mantra, oralement transmise jadis à leur intention, ont intérêt à choisir l'angle de vue de l'école de Conséquence de la voie du milieu, bien que ce ne soit pas une obligation. Les systèmes philosophiques de l'esprit seul et d'autonomie de la voie du milieu conviennent également, mais, par rapport au mantra, on ne peut se contenter de moins. La vue rudimentaire limitée au soi irréel de la personne, telle que l'exposent les écoles du Grand Commentaire et des Sutras, est insuffisante pour cette démarche.

Ainsi s'achève notre propos sur les trois aspects majeurs du chemin de l'illumination : la volonté de se libérer de l'existence cyclique, l'intention altruiste de s'accomplir dans l'illumination et la vue exacte de la vacuité. La dimension exceptionnellement profonde et toute-puissante du mantra nous devient essentiellement accessible dans l'exercice de la concentration, de la sagesse pénétrante et de ces trois aspects. Tout le processus d'évolution part de l'intention altruiste de s'accomplir dans l'illumination et passe par la volonté de se libérer du cycle des existences qui en est la préparation. Les six vertus sont les outils de perfectionnement des bodhisattvas, avec, au premier plan, la concentration et la sagesse pour répondre aux exigences du mantra.

L'entière méthodologie suivie par l'ensemble des trois véhicules – le petit, le grand et, dans ce dernier, le système du grand véhicule des sutras et celui du tantra – est contenue dans : 1. les préliminaires ; 2. la partie centrale avec les pratiques des bodhisattvas ; 3. et ses additifs.

Pour conclure, Dzong-ka-ba nous conseille d'étudier, puis d'assimiler ces trois points majeurs de telle sorte qu'ils ensemencent notre continuum et portent leurs fruits :

Après avoir saisi exactement tels qu'ils sont
Ces trois aspects majeurs du chemin dans leur essence,
Recherche la solitude et fais naître un zèle ardent.
Atteins rapidement ton but final, mon enfant.

L'accomplissement du but passe d'abord par l'écoute des instructions, puis par la réflexion qui balaie toute fausse idée préconçue quant aux sujets étudiés et conduit à les assimiler complètement ; et enfin, par la méditation, qui élimine les distractions et permet de se concentrer mentalement sur un seul point. Tel est le processus dans lequel les trois aspects majeurs du chemin sont parachevés et dont le fruit est la toute reconnaissance de la bouddhéité.

Ici prend fin notre commentaire du texte de Dzong-ka-ba. Sa valeur réside dans la richesse de ses techniques et dans les instructions qui en font un guide excellent. L'entendre est également une source d'inspiration. Si vous entretenez constamment ces trois attitudes en vous, vous ne connaîtrez pas l'échec.

Attachez-vous à cultiver de bonnes dispositions. Faites tout pour mettre votre cœur en éveil. Votre bien-être et celui de tous, notre présent et notre avenir en dépendent.

Soi et non-soi *

La courtoisie, le tact, la diplomatie sont des qualités appréciables certes, mais elles restent en surface. Tandis qu'un esprit ouvert, direct et sincère nous permet d'aller beaucoup plus profond dans nos échanges. Pour que des liens d'amitié puissent se tisser, il faut d'abord se connaître. Sans cela, il est difficile d'établir un climat de confiance, de devenir proches, et plus problématique encore de maintenir la paix. Les qualités de cœur sont essentielles pour bien communiquer. De nos jours, les relations sont quelque peu déshumanisées. Cela entraîne un manque de respect pour les êtres humains, et l'on finit par les regarder comme s'ils n'étaient guère plus que des rouages de machine.

Si nous venions à perdre le sens de la valeur humaine, ce serait un vrai désastre. Aucune fortune ne peut être mise en balance avec un être humain. L'argent est fait pour le servir, l'inverse n'est pas vrai. Si nous n'aspirons qu'à la croissance matérielle sans tenir compte des valeurs et de la dignité humaines, nous n'en retirerons que du malaise, du stress, des déboires et de la dépression.

Soyons plutôt conscients de ce que signifie le fait d'être humain. Souvenons-nous que cela représente d'infinies possibilités. La détermination, le courage, la confiance en soi sont de puissants facteurs de succès. Sans eux, l'entreprise même la plus simple est vouée à l'échec. Avec courage, sérieux et assiduité, vous pouvez réaliser des choses qui dépassent l'imagination, l'impossible devient possible. La volonté est extrêmement importante.

* Université Harvard.

Comment la développe-t-on ? Dans ce domaine, la technologie est impuissante, de même que l'argent. On ne peut compter que sur sa force intérieure fondée sur une claire conscience de la valeur et de la dignité humaines. Lorsqu'on sait combien l'homme et la femme sont plus précieux que n'importe quel bien matériel, on connaît le prix de la vie humaine. La compassion et la bonté prennent tout leur sens.

Il est dans la nature de l'être humain de tendre vers le bonheur et de refuser la souffrance. Chacun fait tout ce qu'il peut pour y parvenir et c'est parfaitement légitime. A cet égard, que nous soyons riches ou pauvres, instruits ou incultes, occidentaux ou orientaux, croyants, non-croyants, bouddhistes, chrétiens, juifs ou musulmans, etc., nous ne différons pas, nous sommes tous égaux.

Par exemple, en ce qui me concerne, je viens d'Orient et plus précisément du Tibet. Dans ce pays, les conditions de vie sont très différentes des vôtres en Occident. Mais, tout au fond de moi, je suis un être humain ; vous aussi ; nous sommes semblables. Si nous observions notre petite planète depuis l'espace, nous ne verrions pas de frontières. Tous ces cloisonnements sont purement artificiels. Nous créons des distinctions à partir d'une couleur, d'un lieu géographique, etc., et nous en retirons le sentiment d'être séparés. C'est ainsi que naissent des conflits, des critiques, voire des guerres. Dans un regard plus vaste, nous sommes tous frères et sœurs.

Lorsqu'on vit parmi ses semblables, il est essentiel d'avoir une attitude fraternelle envers les autres ; c'est un bienfait pour eux et pour nous-mêmes. La vie quotidienne s'écoule bien plus paisiblement, nous conservons notre calme. Cela ne veut pas dire que nous réussirons en tout ; il est naturel de connaître l'échec, mais notre sérénité n'en sera pas ébranlée. Lorsqu'on est essentiellement concerné par le sort des autres, l'échec ne peut pas nous déstabiliser, les problèmes ne semblent jamais insurmontables. Vous ne perdez pas votre sang-froid en face des obstacles et ceux qui partagent votre quotidien se laissent gagner par le calme et l'atmosphère paisible qui émanent de vous.

En revanche, si vous cédez aux tensions et à la colère, c'en est fini de votre quiétude. Les émotions conflictuelles s'embrasent, le désir et l'irritation troublent votre sommeil, vous ne pouvez rien manger, même si l'on vous présente vos mets préférés. Vous avez envie de satisfaire votre colère. Vos proches, vos chats, vos chiens vont avoir à en souffrir. Vous êtes même prêt à jeter vos amis dehors. La paix est détruite. Tel est le résultat de la colère. Nous savons tous ce qu'il en est. Tout bien pesé, les explosions de colère et de haine, loin de nous apporter un soulagement, perturbent l'atmosphère. Nos amis, nos voisins, nos proches mêmes nous évitent.

L'attitude intérieure est déterminante tant dans la vie personnelle que dans la vie sociale.

Les progrès de la science et de la technologie nous ont ouvert l'espace. C'est fantastique ! Ces domaines m'ont passionné dès ma plus tendre enfance, ils sont pleins d'intérêt pour l'humanité. Mais la recherche intérieure mérite elle aussi nos efforts. Dans le domaine de l'esprit, il reste d'immenses espaces à explorer. « Qui suis-je ? De quelle nature est mon esprit ? Quel est l'avantage d'une pensée bienveillante ? Quel est le profit d'une pensée malveillante ? » Entretenez constamment ce dialogue avec vous-mêmes. N'abandonnez pas ces questions.

Cette réflexion mettra en évidence la dimension de votre esprit qui est un vrai trouble-fête et la nécessité de vous en rendre maître. Vous constaterez que l'autre dimension est bénéfique pour vous, pour les autres, et qu'elle vaut largement d'être développée. Il est tout à fait intéressant de s'examiner de cette façon. Je ne suis qu'un moine bouddhiste et, bien que mon expérience ne soit pas exceptionnelle, j'ai pu goûter les bienfaits d'une attitude d'amour, de compassion, de respect envers les êtres humains. Depuis bien des années, j'essaie de cultiver ces qualités et, en dépit des circonstances difficiles, je constate que cette démarche a fait de moi un homme heureux. Si je passais mon temps à me lamenter sur mon sort, ce ne serait guère efficace. Un homme accablé n'a pas de poids sur la réalité. Mais savoir accepter les coups du sort ne veut pas dire baisser les bras. Nous faisons au mieux pour surmonter notre tragédie tout en restant paisibles et stables. Je vous confie mon expérience ainsi que je le fais partout où je me rends dans le monde. A tous mes amis, je dis l'importance de l'amour et de la compassion. Ces termes sont peut-être galvaudés, mais ce qu'ils contiennent est plein de valeur. Par ailleurs, parler d'amour, de compassion et de bonté est aisé. Mais ce ne sont que des mots. Ils n'ont de sens réel que lorsqu'ils se traduisent dans chaque geste du quotidien. On en connaît alors tout le prix. Essayez de les appliquer si vous le voulez bien, sinon n'y pensez plus.

Au départ, en venant en Occident, je n'avais pas de but précis, si ce n'était d'échanger des vues. Peu à peu, j'en suis venu à encourager la pratique de la compassion et de l'amour et à favoriser des échanges interreligieux afin qu'il existe une meilleure compréhension entre nous tous. Ces derniers temps, j'ai rencontré des représentants des différentes religions. Des points communs fondamentaux les relient : l'amour et la fraternité. Toutes tendent vers le même but : le bonheur de l'humanité. Quelles que soient leurs divergences philosophiques, je respecte sincèrement toutes les religions dès lors qu'elles insufflent à leurs fidèles des méthodes pour acquérir la paix.

Lorsqu'on s'exerce à méditer sur la compassion, il convient de faire appel à la sagesse. Il est dit qu'elle a le don d'accroître la compassion à l'infini, car, en nous faisant pénétrer la nature des phénomènes, elle nous permet de venir à bout des passions qui entravent son développement. En effet, les passions déforment la réalité qu'elles recouvrent de notions de bon et de mauvais tout à fait excessives par rapport à ce qui est. Au demeurant, une fois retombée la violence du désir ou de la haine, nous voyons ce qui l'avait suscitée sous un jour tellement différent que nous rions de nous-mêmes. Le moyen de rompre avec cette vision faussée et d'éviter les réactions négatives qu'elle entraîne consiste à prendre conscience de la réalité ultime des phénomènes et à découvrir que tout est dénué d'existence en soi.

Lorsqu'on cherche à pénétrer la réalité ultime des phénomènes, l'enquête concerne deux types de substrats : la personne et les phénomènes. La nature ultime étant plus difficile à réaliser par rapport aux phénomènes, nous nous attacherons d'abord à découvrir le statut réel de la personne.

Pour y parvenir, une première question s'impose : qu'est-ce

que la personne ? Qu'est-ce que le soi ? La philosophie bouddhiste soutient la thèse du non-soi. Est-ce à dire que le soi n'existe pas ? Si c'était le cas, les individus n'existeraient pas, et il n'y aurait personne pour méditer sur le non-soi et personne à qui adresser sa compassion. Or l'expérience nous offre un démenti constant : il y a des personnes, et elles ont un soi. Alors, que signifie cette théorie du non-soi ? N'y aurait-il pas là une énorme contradiction ? Nullement. Consultez votre expérience personnelle, observez votre moi et vous allez comprendre pourquoi ce n'est pas contradictoire.

Comment ressentez-vous votre moi quand vous êtes détendu ? Le percevez-vous de la même façon que lorsque vous êtes surexcité ou vous semble-t-il différent ? Supposez, par exemple, que l'on vienne vous accuser d'un forfait dont vous êtes innocent : « C'est vous qui avez commis telle et telle chose ! » Qu'éprouvez-vous dans votre for intérieur au moment où vous pensez : « *Moi !* mais ce n'est pas vrai ! » Comment ce moi vous apparaît-il ? Une autre façon de cerner le moi consiste à évoquer le souvenir d'un ennemi en pensant au tort qu'il vous a fait. L'ennemi qui se dresse alors dans votre esprit s'impose comme s'il existait vraiment, par lui-même, si concrètement que vous pourriez presque le montrer du doigt. Il en est ainsi de tous les phénomènes : ils *semblent* exister par eux-mêmes, mais il n'en est rien. Ce qui semble exister en soi est appelé le « soi », et l'inexistence d'un tel soi est ce que nous entendons par le « non-soi », qu'il s'agisse du sujet ou des autres phénomènes.

Nous avons du moi – ou de la personne – de multiples images. Sous un certain angle, il semble permanent, unitaire, existant par ses propres moyens ; dans ce cas, il apparaît comme une entité distincte de l'esprit et du corps, comme l'usager ou le possesseur de l'esprit et du corps. Ceux-ci sont alors considérés comme ses instruments ou son bien. Aucune thèse bouddhiste n'admet la réalité d'un tel moi. Un ou deux sous-groupes de l'école du Grand Commentaire (Vaibhashika) émettent quelques réserves, mais ce sont des exceptions.

Sous un autre aspect, le moi ressemble à une entité substantielle et autonome, mais, cette fois, de même nature que l'esprit et le corps. Cette conception répond à la fois à des formes de conscience innées et acquises.

On peut aussi penser que le moi est ultimement dénué d'existence, mais qu'il existe par son caractère conventionnel. Et, enfin, il y a le concept inné d'une existence qui lui est propre. Cette fausse conception nous le fait percevoir de façon très concrète. Cette vue erronée ne tient ni à l'éducation ni à un système de pensée particulier, elle affecte tout le monde.

Telles sont les images que nous avons du soi, mais, selon les diverses thèses bouddhistes, il n'existe rien de tel qu'un soi, à aucun de ces niveaux depuis les plus élémentaires jusqu'aux plus subtils. Le mythe de son existence est ce que nous appelons le non-soi.

Mais alors qu'en est-il du je conventionnellement admis et du sentiment que j'ai d'être aidé ou entravé par les événements ? Les écoles de pensée bouddhistes répondent diversement à cette question. Pour les unes, c'est la conscience ; pour les autres, ce sont les facultés mentales ; certaines voient dans le moi un « esprit qui est à la base de toutes choses » *(alayavijnana, kun gzhi rnam shes),* distinct des facultés mentales.

Mais la pensée la plus profonde revient à la voie du milieu des conséquentialistes *(Prasangika-Madhyamika).* Selon elle, la personne est une simple dénomination relative aux agrégats d'esprit et de corps. Étant entendu que l'esprit est plus subtil et perdure au-delà de la vie du corps, le moi – ou la personne – est une simple dénomination relative au continuum de conscience.

Le je qui vient spontanément à l'esprit en dehors de toute analyse, quand nous disons : « Je vais, je reste, etc. », n'est donc rien d'autre que ce moi relatif, nominalement dépendant, et c'est tout ce que l'on peut admettre. Étant donné qu'il est dénommé relativement aux agrégats mentaux et physiques, le moi est dépendant. Or, dépendant et indépendant forment une dichotomie et sont explicitement contradictoires. Par exemple, cheval et humain s'excluent mutuellement, mais ne sont ni dichotomiques ni explicitement contradictoires, comme dans le cas de humain et non humain. De même, dépendant et indépendant s'excluent mutuellement, puisque tout objet observé est soit l'un, soit l'autre, et qu'il n'existe pas de troisième possibilité.

Le moi étant nominalement dépendant, ce qui est perçu comme un moi indépendant existant par ses propres moyens n'existe en aucune façon, et c'est pourquoi nous l'appelons le non-soi de la personne. Mais c'est en partant d'une base d'existence – le moi relatif – que nous pouvons parler d'un non-soi. Dès lors que l'on a bien compris ce qu'est le non-soi, on comprend forcément l'existence de sa base. Étant donné que le caractère dépendant d'une telle base d'existence est invoqué pour expliquer qu'elle est vide d'existence propre, il est clair que la vacuité ne peut être confondue avec le nihilisme.

Quand la vacuité d'existence en soi s'éclaire dans le contexte de la production interdépendante, on est à l'abri de la vue extrême d'une non-existence. Et lorsqu'on comprend qu'une chose est vide d'existence en soi pour la bonne raison qu'elle est une production interdépendante, la vue extrême d'une réification de l'existence est évitée. On doit s'affranchir de ces deux extrêmes pour pouvoir acquérir la vue de la voie du milieu. C'est ainsi que les diverses écoles bouddhistes identifient le soi dans ses aspects les plus grossiers comme les plus subtils et le prennent comme base – ou substrat – pour démontrer la réalité. Tous ces modes de perception du moi factice non fondés sur l'investigation ou l'analyse sont le fait de processus innés opérant dès la plus tendre enfance. Les fausses conceptions les plus grossières, innées ou acquises, concernant le moi se distinguent des plus subtiles, du fait que celles-ci persistent pendant les moments où vous réalisez – tant que la perception du vrai ne se dégrade pas – que les plus grossières sont erronées. En revanche, pendant que vous êtes conscient du soi fictif à un niveau plus subtil et tant que vous le restez, les niveaux de conscience plus grossiers sujets à l'erreur ne sont plus du tout opérants.

En général, la méditation analytique, la réflexion et le raisonnement sont les moyens dont vous disposez pour découvrir le non-soi. Dans son *Traité fondamental de la voie du milieu*, Nagarjuna expose quelques types de raisonnement permettant de démontrer à partir de différents points de vue que tous les phénomènes sont vides d'existence en soi. Dans le *Chapitre des questions de Kashyapa,* extrait du *Sutra Monceau de Joyaux (Ratnakuta),* il est dit, dans le contexte des trois portes de la libération, que les formes ne sont pas vides *à cause* de la vacuité, mais qu'elles sont elles-mêmes vides. Donc, les phénomènes ne sont pas vides de quelque chose d'autre, mais d'existence en soi.

Le sutra du Cœur énonce également : « La forme est le vide ; le vide est la forme. » « La forme est le vide » signifie que le mode d'être ultime des formes est un vide naturel d'existence en soi. Étant donné que les formes sont des productions interdépendantes, elles sont dénuées d'autonomie, donc dépendantes.

Le vide est forme signifie que ce caractère ultime de vacuité correspondant au manque d'autonomie de tout ce qui existe relativement à d'autres facteurs, autrement dit, ce vide naturel d'existence propre, rend les formes possibles, et ces formes sont le jeu de la vacuité puisqu'elles s'établissent à partir d'elle et dépendent de conditions. Étant donné que les formes sont justement ce qui est vide de fondement réel, le vide est forme ; et les formes apparaissent comme des réflexions de la vacuité.

Puisque les formes se caractérisent par leur manque d'indépendance, elles sont ultimement dénuées (vides) d'indépendance, donc elles sont le jeu de la vacuité. C'est comme le dos et la paume de la main. Quand on regarde d'un côté, il y a la vacuité d'existence en soi, la nature ultime, et quand on la retourne, il y a l'apparence, le substrat de la vacuité. Les deux sont une seule entité. Donc, la forme est le vide et le vide est la forme. Lorsqu'on contemple la signification de la vacuité selon ce mode, on avance pas à pas sur les chemins. Dans le *sutra du Cœur,* la progression se traduit dans le mantra : *« Gate gate paragate parasamgate bodhi svaha »* (« va, va, va au-delà, va parfaitement au-delà, sois ainsi dans l'illumination »).

Le premier *gate* correspond au chemin d'accumulation ; le second, au chemin de la préparation. Au cours de ces deux périodes, votre approche de la vacuité demeure empreinte de dualisme : il y a la sagesse, témoin de la vacuité, et la vacuité qui est réalisée. *Paragate :* « va au-delà », indique le passage du niveau mondain au niveau supramondain du chemin de la vue.

Lorsqu'on franchit cette étape, la perception dualiste s'évanouit. *Parasamgate :* « va complètement au-delà » désigne le chemin de la méditation au cours duquel vous vous exercez afin de vous familiariser de plus en plus avec la vacuité dont vous aviez eu une première approche directe sur le chemin de la vue. Pour finir, la vue exacte vous permet de transcender l'existence cyclique et de réaliser l'illumination *(bodhi, byang chub),* l'état qui fait de vous une source de joie et de salut pour tous.

Question : Si le soi n'existe pas, qu'est-ce qui émigre d'une vie dans l'autre ?

Réponse : Le simple soi, ou le simple je dénué d'existence en soi. En fait, bien que la conscience soit intimement liée à la matière, celle-ci n'a pas la propriété de produire un phénomène uniquement fait de luminosité et de connaissance. Il faut chercher la cause de la conscience dans sa préexistence, dans une séquence antérieure de simple luminosité et connaissance. Le continuum de conscience est donc lui aussi sans origine ni fin. Et c'est relativement à ce continuum que le moi existant est dénommé. Ce qui est dénié est son existence en soi.

Question : Quel rôle joue le désir dans la nature du soi ?

Réponse : Nous connaissons deux sortes de désirs : les désirs chimériques fondés sur des fantasmes qui n'ont rien à voir avec la réalité, et ceux qui sont fondés sur la raison et l'intelligence de ce qui est.

Le désir né de la passion nous procure quantité d'ennuis, celui qu'engendre la raison conduit à la libération et à l'omniscience. Pour vivre au quotidien, nous avons besoin du désir raisonné, mais nous devons apprendre à contrôler les désirs irrationnels fondés sur la passion.

Question : Rêvez-vous la nuit ?

Réponse : Bien évidemment. D'ailleurs, quand on s'adonne à la pratique du yoga, il y a fort à faire dans l'état de rêve, en particulier, apprendre à reconnaître les rêves pour ce qu'ils sont pendant que l'on rêve.

En conclusion, j'aimerais dire aux étudiants sur lesquels repose l'avenir que, si l'acquisition du savoir est un grand bien, l'esprit qui l'applique est encore plus important. Si nous utilisons notre intelligence sans y mettre du cœur, toute notre science ne servira qu'à faire croître la souffrance. Il est essentiel de garder un équilibre harmonieux entre l'intelligence et la sensibilité.

La mort dans le bouddhisme tibétain *

Depuis l'aube des temps, on s'interroge sur l'événement indésirable qu'est le mort, tant dans le cadre religieux qu'en dehors de lui.

Dans son tout premier enseignement, le Bouddha a enseigné les quatre Nobles Vérités. La première appelle notre attention sur la réalité de la souffrance, et c'est un point fondamental que d'en convenir. Les trois formes qu'elle adopte sont : la souffrance de la souffrance, celle du changement et la souffrance diffuse que l'on doit au fait d'être soumis à des réactions conditionnées par un processus de contamination. Une fois que nous l'avons reconnue, il nous reste à découvrir ses causes, puis à les éliminer. La démarche consiste à cultiver certaines dispositions d'esprit faites pour entraîner la cessation, c'est-à-dire l'extinction des causes de la souffrance. Telles sont les quatre Nobles Vérités : la souffrance, ses causes, l'extinction de la souffrance et de ses causes, et les voies conduisant à l'extinction.

Les quatre Nobles Vérités ont seize traits distinctifs – quatre pour chacune d'elles. La vraie souffrance est de nature impermanente, douloureuse, vide et dénuée d'existence en soi. On distingue deux types d'impermanence, une forme manifeste et une forme subtile. Cette dernière est un phénomène bien connu des savants qui étudient ses processus dans les particules élémentaires. Leurs observations leur ont permis de constater que, contrairement aux apparences, dans un objet solide tel qu'une table, apparemment le même que la veille, des transformations

* Université de Virginie.

s'opèrent au niveau des particules élémentaires qui le composent. Celles-ci se désintègrent d'instant en instant, exactement de la même façon que les perceptions internes de l'observateur lui-même. Ce que nous appelons l'impermanence subtile est donc le processus de désintégration d'instant en instant, tandis que l'impermanence manifeste correspond à la destruction d'un objet inanimé, ou à la mort, quand il s'agit d'êtres vivants.

Nous avons tout intérêt à nous souvenir de la mort. Car, ainsi que je l'ai dit, lorsqu'on a pris conscience de la souffrance et recherché ses causes, on est prêt à l'affronter. Un jour ou l'autre, la mort sera là. Si indésirable soit-elle, les réactions de causes à effets entre les actions contaminées et les émotions parasites en font une condition de la vie. Plus tôt vous y penserez, mieux vous vous y préparerez, et cela vous aidera le moment venu. C'est pourquoi il importe de penser à sa mort.

L'explication que donne le Dr Ian Stevenson, professeur à cette université de Virginie, à propos de la réincarnation est éclairante sur ce sujet [1]. Si vous éliminez la possibilité de la renaissance, la méditation sur la mort et l'impermanence vous concerne moins : elle repose en effet sur le principe d'une continuité de la conscience après la désintégration du corps. La préparation à la mort peut alors vous être d'un grand secours. Vous ne serez certainement pas pris d'angoisse et complètement paniqué au cours du processus final ; au moins votre mental ne viendra-t-il pas empirer la situation à ce moment-là.

Dans la perspective d'un continuum d'existence, la qualité de la prochaine vie dépend de celle-ci, car les bienfaits d'un comportement juste dans cette vie présente se font sentir dans la suivante. En revanche, la colère, l'attachement, etc., nous conduisent à des excès dont nous aurons à souffrir dans le futur. Ces pénibles réactions émotionnelles sont dues, en partie, à une notion de permanence. D'autres facteurs, comme la conception d'une existence en soi des choses, entrent en jeu. En faisant vaciller votre croyance en la permanence, vous réduisez d'autant votre atta-

1. Voir ses quatre volumes traitant des cas typiques de réincarnation : *Cases of the Reincarnation Type,* University Press of Virginia, Charlottesville.

chement à cette existence ; jusqu'au jour où le caractère transitoire de toute forme de vie imprégnera constamment votre esprit. Dès lors, vous savez que par nature tout est voué à se désintégrer, et vous risquez peu d'être traumatisé dans le face-à-face avec la mort. Pour en triompher radicalement, vous devrez venir à bout de vos passions, car leur extinction met fin à la fois à la naissance et à la mort. Quant à la maîtrise des passions parasites, vous la devrez à l'effort ; cet élan nécessaire vous sera fourni par la méditation sur la mort et l'impermanence, qui fera naître en vous un sentiment de révolte. Celui-ci, à son tour, vous poussera à rechercher des techniques pour vaincre la mort. De plus, la méditation sur ce sujet vous donnera du recul par rapport aux préoccupations mineures limitées aux buts de cette vie.

La mort viendra immanquablement. Si vous consacrez le meilleur de votre temps à des choses futiles en négligeant de vous y préparer, le moment venu, vous serez incapable de penser à autre chose qu'à votre désespoir ; votre peur sera telle que l'opportunité d'une pratique quelconque vous échappera. Ce serait un grand dommage. Si vous lui réservez de fréquentes pensées, vous saurez que la mort va venir, vous aurez tout le temps de vous faire tout doucement à cette idée et, quand elle se présentera, vous serez plus serein – bien que j'aie appris de la bouche d'aides-soignants que certains malades nullement au fait des vies futures mouraient parfois plus paisiblement que certains croyants soucieux de leur prochaine existence.

Quand la fin est proche, il est essentiel de tourner ses pensées vers la pratique. L'état d'esprit à ce moment précis est déterminant pour ce qui va suivre. Ces derniers instants sont chargés d'une telle puissance que le mérite acquis pendant la vie ne fait pas le poids. D'où l'importance d'étudier le processus de la mort et de se familiariser avec lui.

Le véhicule du bodhisattva – et plus encore le véhicule du mantra (ou tantra) – comporte des instructions sur les trois types de corps, attributs d'un bouddha parvenu au stade du résultat : le corps de vérité, le corps de jouissance achevé et le corps d'émanation. Ces trois corps sont mis en corrélation avec le triple processus que nous connaissons spontanément dans notre condition ordinaire : la mort, l'état intermédiaire et la renaissance. Trois voies sont proposées, montrant comment tirer parti de ces états ordinaires qui sont la réplique grossière des facteurs de l'illumination. Les commentaires de ces textes, domaine exclusif du yoga mantra supérieur, insistent sur une intime connaissance du processus de la mort, considéré comme un point crucial.

Quant à la préparation elle-même, sa description figure dans les sutras et les tantras. Dans ces derniers, elle fait l'objet de commentaires au niveau des trois tantras inférieurs – action, performance et yoga tantra – et d'enseignements réservés au yoga tantra supérieur.

Quelle est la définition de la mort ? Dans le *Joyau de la connaissance (Abhidharmakosha, Chos mngon pa'i mdzod)*, d'après Vasubandhu, la vie étant le support de la chaleur et de la conscience, l'arrêt de cette fonction marque la mort. La période de temps pendant laquelle le corps matériel et l'esprit sont associés est celle de la vie, leur séparation constitue la mort. Au regard des trois niveaux de manifestation du corps et de l'esprit, leurs stades grossier, subtil et très subtil, la mort est la dissociation de la conscience et du corps matériel puisqu'il n'y a pas de dissociation possible entre la conscience la plus subtile et l'élément physique le plus subtil. Celui-ci n'est qu'énergie interne – ou vent – servant à transporter des modes de conscience.

Plusieurs conditions entraînant la mort sont énoncées : l'épuisement de l'espérance de vie, l'épuisement du mérite et la mort accidentelle. Celle-ci pourrait être illustrée par l'exemple d'une personne qui boit, s'enivre, prend sa voiture et se tue sur l'autoroute.

Dans les derniers instants, on peut vaguement déceler le type de renaissance qui attend le mourant en observant la façon dont la chaleur se concentre en certaine région du corps. Selon les cas, elle se concentre vers la partie supérieure du corps et le quitte en descendant par le bas. C'est un très mauvais signe. Ou bien c'est l'inverse, et l'on peut s'attendre à une renaissance favorable.

Certains meurent paisiblement, d'autres dans l'épouvante. Des visions plaisantes ou déplaisantes apparaissent alors à l'esprit du mourant. Dans le yoga tantra supérieur, le processus de la mort est dépeint selon le système mantrique. La mort s'y trouve définie comme la cessation des vents (ou énergies) grossiers, d'où l'intérêt de bien connaître la structure du corps, car la mort survient par suite de la défaillance des énergies internes dont le fonctionnement est lié au corps. Celui-ci est décrit essentiellement en termes de canaux, airs internes et gouttes de fluide essentiel. Le système sutrique rend compte de quatre-vingt mille canaux, et le système mantrique en répertorie soixante-douze mille, dont les trois principaux sont le canal central, qui va du front vers le sommet de la tête et descend ensuite jusqu'à la base de la colonne vertébrale. Les deux autres suivent le même circuit à sa droite et à sa gauche.

On trouve des explications détaillées sur les nombreuses énergies motrices, mais dix sont de tout premier plan : les cinq vents principaux et les cinq vents secondaires. Quant aux gouttes essentielles, ce sont les constituants rouges et blancs. Le lever de la claire lumière marque le dénouement du processus de la mort tel qu'il se produit généralement pour tout le monde. Cependant, les visions peuvent varier selon chacun, en fonction de la circulation des énergies et par rapport aux gouttes dans les canaux. De légères variantes sont également observables d'une personne à l'autre ; elles sont le signe de différences minimes sur un plan physiologique.

Au cours des étapes du processus, vingt-cinq facteurs sont appelés à se dissoudre. Ce sont vingt-cinq phénomènes grossiers :

– cinq agrégats : forme, sensation, discrimination, idéation et conscience ;

– quatre constituants : les éléments terre, eau, feu, air ;

– six sources sensorielles : les sens visuel, auditif, olfactif, gustatif, tactile et mental ;

– cinq objets (des sens) : images visuelles, sons, odeurs, goûts et objets tangibles ;

– cinq sagesses ordinaires : l'intelligence fondamentale, semblable au miroir, l'intelligence de l'égalité, l'intelligence fondamentale de l'analyse, l'intelligence fondamentale de l'accomplissement des activités et l'intelligence fondamentale de la nature des phénomènes.

Ces facteurs vont donc se désintégrer par étapes successives, observables dans les symptômes manifestés par le mourant ; celui-ci est, quant à lui, le témoin d'événements internes. Mais ces signes ne se déroulent de façon graduelle et dans l'ordre habituel que si les constituants n'ont pas été par trop dégradés par la maladie et à condition qu'il n'y ait pas eu mort subite accidentelle. Dans l'exemple de l'accident sur l'autoroute, les huit étapes se déroulent si vite que l'on n'a pas le temps d'appliquer une technique. C'est un grand dommage à double titre. Non seulement la vie est prématurément perdue, mais avec elle l'opportunité de mettre en pratique ce qui va de pair avec les phases successives de dissolution. C'est là l'avantage d'une mort naturelle, dans laquelle les symptômes se présentent dans l'ordre et progressivement.

Le processus commence avec la dissolution de l'agrégat des formes. En gros, l'agrégat des formes commençant à se désintégrer, le constituant terre s'affaiblit. En termes plus précis, il ne peut plus servir de support de connaissance. Au moment même où l'élément terre s'efface, l'élément eau devient un support de connaissance évident. Tel est le sens de l'expression « dissolution du constituant terre dans le constituant eau ». A ce stade, comme symptômes externes, on constate que les membres se font plus grêles, les traits s'émacient, le teint devient terne. Le mourant a maintenant le sentiment que son corps s'enfonce sous terre. Sa vue se trouble. Intérieurement, d'après le *Tantra de Guhyasamaja,* il a l'impression de voir un mirage. Le *Tantra de Kalachakra,* lui, décrit une fumée. Cette différence est due au fait que les initiateurs de ces divers tantras n'étaient pas physiquement constitués tout à fait de la même façon. La structure des canaux, des énergies motrices (airs) et des gouttes de fluide essentiel peut légèrement varier. Ces variantes infimes se traduisent notamment dans l'attribution du nombre de canaux en pétale autour des centres vitaux du sommet de la tête et de la gorge. Mais, à cette exception près, l'un et l'autre décrivent six centres de canaux * dans des écrits très détaillés, et quatre autres sous une forme abrégée. Après quoi, c'est au tour de l'agrégat des sensations de se dissoudre. Dans ce deuxième stade, la force du constituant eau décline, privant de son terrain la conscience, et le feu (facteur de chaleur dans le corps), qu'elle met en évidence, devient prédominant. En ce qui concerne les signes extérieurs, on note une déshydratation générale du corps, la bouche en particulier devient sèche, les yeux sont moins humides, le regard perd sa mobilité. Selon le *Tantra de Guhyasamaja,* le signe intérieur est maintenant une vision de fumée.

Pendant la troisième étape, l'agrégat de la discrimination se dissout. Comme il va s'affaiblissant, le feu prive la conscience de son support et permet au constituant air de devenir prédominant. Extérieurement, la chaleur se retire et la perception du chaud diminue. Le mourant ne reconnaît plus ses proches. Intérieurement, il a une vision de lucioles, comparables à des bouquets d'étincelles.

Avec le quatrième stade, l'agrégat des idéations se dissout. L'élément vent s'affaiblit, privant la conscience de son support. Le symptôme externe est l'arrêt du souffle, le signe intérieur est une impression de flamme rougeoyante. Les visions précédentes de lucioles, etc., sont devenues de plus en plus diaphanes, faisant place à cette lueur rouge. Le cœur a cessé de battre, la respiration s'est arrêtée. En général, à ce stade, un médecin déclare la personne cliniquement morte. Mais, selon nous, le processus n'est pas encore terminé ; si vos perceptions sensorielles se sont éteintes, votre conscience mentale, elle, demeure – ce qui ne veut pas dire que vous puissiez revenir à vous.

La conscience mentale comprend plusieurs niveaux, les uns sont plus ou moins grossiers, les autres plus ou moins subtils. Tous les textes ne citent pas le même nombre de consciences. D'après certains, il y en aurait neuf, d'autres en décrivent huit, six ou une seule. Selon la thèse qui prévaut, il en existe six. Les *Écrits posthumes* de l'école de l'Esprit seul en citent huit : cinq

* En sanskrit : les *chakras (NdT).*

consciences sensorielles, une conscience mentale, une conscience parasitée et une conscience réservoir. On trouve également ces deux dernières expressions dans d'autres contextes, où elles prennent un sens différent sans rapport avec les thèses de cette école.

Par ailleurs, on distingue, dans la conscience, des esprits principaux et des facteurs mentaux. La somme des premiers correspond au simple connaisseur d'un objet, tandis que les derniers opèrent des distinctions relatives à ses caractéristiques. La conscience n'est, par nature, que luminosité et connaissance infiltrant toutes les facultés mentales. C'est une entité simplement lumineuse que rien ne voile. Sa fonction est de connaître, et toute manifestation lui est un support de connaissance.

Par exemple, pour qu'il y ait perception visuelle, trois conditions doivent être réunies : un potentiel – la faculté physique sensorielle –, un objet d'observation – une forme visible, une couleur, des contours – et, enfin, une condition de préexistence immédiate, c'est-à-dire un précédent moment de conscience. Quand ces éléments sont présents, la conscience appréhende une forme visible. Chacun des trois facteurs accomplit une fonction différente : le fait que la conscience soit une entité de luminosité et de connaissance est dû à la condition de préexistence immédiate. Le fait qu'elle appréhende une forme, et non un son, est lié à la condition du potentiel – la faculté visuelle –, et le fait qu'elle se traduise par une image, une couleur, une forme est dû à l'objet d'observation – l'objet lui-même. C'est ainsi que fonctionne la perception ordinaire.

Revenons maintenant au processus de la mort. Les bases organiques de ces facultés sensorielles ordinaires – vision, audition, etc. – se sont détériorées, et par conséquent les facultés de conscience qui leur étaient associées ont cessé. Cependant, quatre niveaux d'ordre grossiers et subtils encore actifs dans l'esprit sont prêts à se dissoudre au cours des quatre derniers stades, succédant à la dissolution des éléments effectuée lors des quatre premiers.

Le niveau le plus grossier se dissout en premier, en commençant par les quatre-vingts conceptions [1]. Celles-ci forment trois groupes, dont chacun caractérise l'un des trois prochains niveaux, d'ordre très subtil : trente-trois sont caractéristiques de la perception mentale d'un blanc éclatant [2], quarante sont caractéristiques de la perception d'un rouge éclatant grandissant, et sept sont caractéristiques de la perception d'un noir éclatant, proche de l'achèvement. Le niveau de fluctuation de l'énergie interne – l'air servant à véhiculer ces concepts –, selon qu'il est important, moyen ou réduit, nous éclaire sur les mouvements de l'énergie associée aux trois niveaux très subtils de l'esprit.

Quand les quatre-vingts conceptions ainsi que leurs énergies motrices se dissolvent, le signe interne est la perception d'une vision blanche, comparée à un pur ciel d'automne inondé par le clair de lune. Plus aucun signe extérieur ne se manifeste.

Quand la perception de la vision blanche éclatante et l'énergie qui la véhicule se dissolvent, une autre se fait jour, plus subtile : la perception du rouge éclatant grandissant. On la compare à un ciel d'automne clair dans lequel n'est visible que la lumière rouge orangé du soleil. Quand la perception du rouge éclatant grandissant se dissout en compagnie de sa monture, une autre se lève encore plus subtile : la conscience d'un noir éclatant proche de l'achèvement. Celle-ci est comparée à l'obscurité profonde d'un ciel pur d'automne dans la première période de la nuit. Au début de ce stade, vous êtes encore conscient, puis votre faculté se dégrade et, enfin, vous sombrez dans une sorte d'inconscience.

Quand la perception d'un noir éclatant proche de l'achèvement et son énergie motrice se dissolvent, la perception la plus subtile de toutes se manifeste : la claire lumière de la mort. C'est alors que la vie s'arrête réellement. Elle est comparée à une aube immaculée dans un ciel d'automne vide de toute trace. On l'appelle la conscience fondamentale, parce qu'elle est la source de toutes les autres consciences. Celles-ci sont purement accidentelles, tandis qu'elle est depuis toujours, constamment pré-

1. Voir *Mort, État intermédiaire et Réincarnation,* Éd. Dharma, France, *Death, Intermediate State, and Rebirth in Tibetan Buddhism,* Londres, Rider and Co., 1979, p. 38-41.

2. « Radiant » signifie éclatant, et non rayonnant d'un point à un autre.

sente en chaque être, en toute vie comme dans la bouddhéité. Le yoga tantra supérieur offre sur ces éléments une abondance de détails que l'on ne trouve nulle part ailleurs.

Il importe de rester conscient pendant les phases de dissolution. Si vous y réussissez, vous avez de bonnes chances de conserver dans votre prochaine vie la mémoire des connaissances acquises dans celle-ci. Cette faculté obéit au même principe que lorsque vous vous endormez le soir avec une conscience claire de l'heure à laquelle vous voulez vous réveiller le matin et de quelque chose de précis à faire dès le lever. Bien que vous l'ayez oubliée en dormant, la décision prise antérieurement va remplir son office et vous réveiller à l'heure dite, et le souvenir vous revient immédiatement de ce que vous avez à faire. Le processus est le même pendant les phases de dissolution. Tant que vous restez conscient, vous devez vous attacher à conserver toute votre vivacité d'esprit. Celui qui connaît une mort naturelle et dont l'état physique ne s'est pas dégradé va demeurer environ trois jours dans la conscience la plus ténue, celle de la claire lumière, et durant tout ce temps, l'esprit demeure dans le corps.

Certains êtres d'exception, particulièrement expérimentés dans ces pratiques, ont réalisé de leur vivant en quoi consistait la nature de leur esprit, et se sont ensuite consacrés à maîtriser les canaux, les énergies et les gouttes. Au moment de mourir, ce travail leur a permis de reconnaître les diverses phases du processus et d'assister, pleinement conscients, à l'émergence de la claire lumière. Grâce à leur contrôle, ils ont pu prolonger cet état à volonté, demeurant ainsi entre une semaine et un mois. Depuis notre exil en Inde, en 1959, ce phénomène s'est produit une bonne dizaine de fois pour des Tibétains. Certains sont restés quinze jours dans la claire lumière, exposés à la canicule de l'été indien. Ils avaient l'air endormi. Si ce n'était le fait qu'ils ne respiraient pas, leur apparence n'avait rien de commun avec celle d'un corps privé de vie. Aucune odeur ne s'en échappait.

A un moment donné, un infime mouvement se produit dans la conscience de la claire lumière. Elle cesse instantanément et sort de son ancienne enveloppe corporelle. Alors commence le processus inverse, depuis la conscience du noir éclatant proche de l'achèvement, en passant par le rouge éclatant grandissant, la vision d'un blanc éclatant, celle d'une flamme de lampe à huile, puis les visions de lucioles, de fumée et de mirage. Lorsqu'on est appelé à renaître dans le règne du désir ou celui de la forme, un passage par l'état intermédiaire *(antarabhava, bar do)* s'impose, ce qui n'est pas le cas dans le règne sans forme.

L'état intermédiaire prend effet dès la perception du noir proche de l'achèvement et se termine avec l'entrée dans la nouvelle condition d'existence, elle aussi précédée des huit signes culminant dans la claire lumière de la mort. Si vous devez renaître dans une matrice, la jonction avec la vie nouvelle dans le sein maternel est simultanée avec l'apparition de la vision noire, tout de suite après la claire lumière de la mort qui met fin à l'état intermédiaire : donc, dans un certain sens, la vie commence avec la conscience de la claire lumière.

En général, l'état d'existence ordinaire correspond au niveau le plus grossier de la conscience ; la mort, elle, est liée à son niveau le plus subtil, et l'état intermédiaire est entre les deux, comme son nom l'indique. De même, sur un cycle de vingt-quatre heures, l'état de veille ordinaire correspond au niveau le plus grossier de la conscience, le sommeil profond au niveau le plus subtil et l'état de rêve au niveau intermédiaire. En cas de perte de connaissance, l'esprit passe également par un stade plus subtil. Donc, dans une journée normale, nous passons par ces diverses phases bien que de façon moins complète que dans le processus de mort.

En conclusion, il est essentiel que vous appreniez à identifier la nature fondamentale de votre esprit – le connaisseur de la claire lumière. Mais, afin qu'il se révèle à vous sous ce jour extrêmement subtil, vous devrez d'abord en faire une approche conventionnelle, pour donner ensuite toute votre attention à l'esprit lui-même et devenir progressivement témoin de l'entité consciente. Cette méthode vous donnera les commandes de l'esprit, et ce pouvoir vous servira à arrêter les pensées courantes. Or, quand ces dernières s'effacent, des états plus subtils se manifestent automatiquement. Si vous atteignez le niveau subtil de l'esprit de votre vivant, il deviendra une source de sagesse.

Cette intime connaissance est l'arme la plus puissante qui soit, elle pourfendra l'ignorance et du même coup la souffrance qu'elle enfante. Cette démarche offre au chercheur un immense champ de connaissances et beaucoup d'exercices pratiques.

Question : Votre Sainteté a dit que le processus de préparation à la mort consistait en partie à expérimenter de son vivant ses signes avant-coureurs afin d'y être mieux préparé le moment venu. Existe-t-il une technique pour amener la conscience d'un être vivant à se séparer de son corps matériel ? Voyez-vous un parallèle entre ce fait et les expériences dont témoignent certains Occidentaux qui sont passés à un cheveu de la mort et ont eu l'impression d'avoir quitté leur enveloppe physique pour en revêtir une autre plus subtile ?

Réponse : On trouve des cas de séparation du corps et de l'esprit qui sont la conséquence d'habitudes acquises dans la pratique lors de vies antérieures. Ces empreintes se manifestent comme un « don » dans cette vie. Les autres cas sont le fait d'une pratique dans cette existence. Il faut préciser qu'un corps de rêve *particulier* n'est pas qu'une vision mentale, mais un vrai corps subtil, capable de se séparer du corps usuel et de goûter des expériences dans le monde extérieur aussi normalement que nous le faisons. Je ne peux pas préciser si le corps endormi continue de respirer ou s'il se trouve dans un état de méditation profonde dans lequel la respiration est apparemment suspendue. Mais, quoi qu'il en soit, le corps subtil peut aller partout. Il ne connaît pas les limites qu'impose le corps matériel, les distances ne sont pas un obstacle ; vous pouvez, si vous le voulez, vous rendre jusqu'aux confins de l'espace, atteindre n'importe quelle destination et revenir à votre gré dans votre corps. Ce phénomène peut se produire dans les expériences de mort imminente ou à l'occasion d'une maladie grave.

Question : Beaucoup d'Occidentaux ont, comme moi, lu le *Livre des morts tibétain.* Nous trouvons très impressionnantes les déités paisibles et courroucées que l'on est appelé à rencontrer dans l'état intermédiaire. Mais nous ne sommes pas nécessairement engagés dans la pratique du bouddhisme tibétain. Nous n'avons reçu ni initiations, ni autorisations, ni instructions. Selon vous, verrons-nous apparaître dans l'état de *bardo* des personnages semblables, même si nous n'avons aucune idée de leur aspect ?

Réponse : Je ne le crois pas. En principe, dans les descriptions des divinités paisibles et féroces, le *Livre des morts tibétain* s'adresse à un adepte familier de cette pratique. Si celui-ci n'a pas réussi à se libérer en reconnaissant les états précédant la mort et en faisant d'eux un tremplin, il va s'employer, à chaque phase de l'état intermédiaire, à rencontrer les divinités paisibles et féroces en se les représentant d'après un schéma et un aspect préétablis dans sa pratique usuelle. En s'efforçant de susciter leur image, le méditant cherche à s'éveiller dans le *bardo*. Il s'agit pour lui de percer l'entité du connaisseur fondamental, de pénétrer la conscience primordiale, la nature limpide et lucide de l'esprit – une méthode caractéristique de l'école Nyingma, dans la pratique de la grande perfection. La force de l'habitude, acquise en s'imprégnant de ces divinités de son vivant, va ranimer l'attention. C'est l'étincelle qui déclenche la mise en route des images, et les scènes vont s'enchaîner, offrant au chercheur toutes les occasions de s'éveiller à la conscience et de réaliser la nature ultime de l'esprit.

Question : Pourriez-vous, s'il vous plaît, apporter quelques précisions sur *rig-pa* (esprit fondamental ou connaissance primordiale) en relation avec le quotidien ?

Réponse : A certains moments, votre conscience primordiale se manifeste dans l'état conscient, mais vous ne la reconnaissez pas. Votre compréhension n'est pas encore au point. Il est capital d'identifier ce facteur de lucidité. Les yogis, experts en la matière, ont insisté sur l'importance de la foi et du respect envers la doctrine, sur les instructions d'un lama qui en a une expérience directe. Une telle expérience restera hors de votre portée tant que vous n'aurez pas reconnu la nature fondamentale de l'esprit. En revanche, si vous l'observez quotidiennement, si vous analysez sa nature lumineuse et connaissante, vous vous en rapprocherez de jour en jour. Exercez-vous le matin, de bonne heure, quand la conscience est la plus claire.

Question : Pensez-vous que la lecture d'une traduction du *Livre des morts tibétain* soit valable si elle est effectuée par des Occidentaux, si le récitant possède la pureté que cela exige ? Aura-t-elle un effet sur des mourants non initiés dans cette pratique ?

Réponse : En général, lorsqu'on ne s'y est pas préparé par une initiation, par la méditation, etc., c'est difficile. Si le mourant connaît bien les textes du processus de la mort, la lecture l'aidera. Mais le premier besoin d'un mourant est surtout d'avoir une fin paisible. Épargnez-lui ce qui peut le troubler ou l'énerver. Faites en sorte de n'éveiller aucune émotion chez lui. De son côté, celui qui meurt doit s'efforcer de garder un esprit clair.

Question : Comment développe-t-on sa faculté d'éveil ?

Réponse : Il faut, avant que la conscience ordinaire ne se dissolve, mettre en éveil une puissante faculté de vigilance ; mais vous devez d'abord vous familiariser dans vos méditations avec le processus de la mort dans des exercices de simulation reproduisant ces états. C'est ce que je fais moi-même. Six ou sept fois par jour, je traverse les phases de la mort dans ma pratique de méditation. Quant à l'issue... cela reste à voir, je ne sais pas si je réussirai, mais au moins aurai-je fait le nécessaire pour exercer mes facultés d'attention et de discernement. Si vous deviez livrer une bataille en quelque contrée inconnue, ne vous pencheriez-vous pas sur une carte de la région afin de repérer le terrain, de situer la colline, le fleuve, le lac, etc., de façon à pouvoir reconnaître les lieux et à savoir ce que vous aurez à faire, une fois que vous y serez ? Lorsqu'on s'est familiarisé de longue date avec ce qui doit se produire, on ne se dérobe pas devant la tâche, on ne s'abandonne pas à l'anxiété.

Plongée dans l'infiniment subtil *

Méditer, c'est se *familiariser* avec un support de méditation. Le chercheur désireux d'entreprendre cette démarche peut faire appel à l'une des nombreuses techniques existantes. Par exemple, il en est une qui consiste à se concevoir sous l'aspect d'un archétype incarnant un certain état de conscience tel que la compassion ou la sagesse. Dans ce type d'exercice, on ne se concentre pas sur la compassion ou la sagesse : mais sur le personnage auquel on s'identifie. On s'imprègne de sa représentation en essayant d'incarner l'esprit même de la compassion ou de la sagesse.

Vous pouvez également méditer sur l'impermanence ou sur l'absence d'existence en soi de la personne. Dans cet exemple, ces thèmes font l'objet d'une démarche intellectuelle. La méditation peut aussi consister en une formulation de souhaits. C'est ainsi que l'on médite sur les qualités d'un bouddha en souhaitant les faire siennes. L'évocation des étapes du chemin offre encore un autre schéma de méditation dans lequel on imagine chacune des réalisations conduisant la conscience à un degré chaque fois plus subtil. Nous appelons cela une réflexion.

Nous disposons enfin d'une double approche qui procède tantôt par l'analyse, avec la méditation sur la *vue pénétrante (vipashyana, lhag mthong)*, tantôt par une technique qui stabilise l'esprit : *la quiétude mentale (shamatha, zhi gnas).*

Ces deux formes de méditation peuvent être axées soit sur l'étude du mode d'être ultime de tous les phénomènes, soit sur

* Institut Nairopa, Boulder, et Université du Colorado, Denver.

n'importe lequel d'entre eux. Dans un premier temps, le méditant se livre à une analyse logique de la nature des phénomènes. Lorsqu'il a fait le tour de la question, il parvient à la conclusion qu'ils sont vides. A ce stade, il entreprend de stabiliser son esprit en le focalisant sur un seul point : la vacuité. Il n'analyse plus. Il se pénètre du sens de ce qu'il vient de constater. Après l'avoir démontrée, il se penche sur la vacuité et l'écoute résonner en lui. Dès que le sens lui échappe, il revient au raisonnement. La quiétude mentale, dont la fonction est essentiellement de stabiliser l'esprit, se pratique chez les bouddhistes comme chez les non-bouddhistes. Dans le bouddhisme, on l'utilise tant dans le petit véhicule que dans le grand véhicule. Et dans ce dernier, elle est commune aux véhicules du sutra et du mantra.

Je vais maintenant vous donner un aperçu du processus à appliquer pour obtenir la quiétude mentale.

Ordinairement, notre esprit s'éparpille à suivre les nombreuses sollicitations du monde extérieur. La dispersion le prive de sa puissance. Le courant de la pensée est comme celui d'une rivière : il part dans tous les sens, épousant les caprices du terrain, mais pour peu qu'on veuille le canaliser, il devient une formidable source d'énergie. Comment s'y prendre ?

Le véhicule du mantra et en particulier le yoga tantra supérieur proposent plusieurs techniques pour canaliser l'esprit. La plus courante se retrouve dans tous les véhicules. Et comme il s'agit d'immobiliser l'esprit sur un objet d'observation, il convient d'abord de choisir l'objet support. Le Bouddha a proposé quatre sortes de supports : ceux qui sont destinés à assainir le comportement, les supports ingénieux, ceux qui purifient les perturbations et ceux dont on s'imprègne. En quoi consiste les objets destinés à assainir le comportement ?

Depuis des temps anciens, nous avons répété un certain type d'émotion conflictuelle dont la force reste ancrée en ce moment même dans notre caractère. L'objet support de la méditation doit être capable de vaincre la puissance de telle ou telle émotion spécifique. Par exemple, si la tendance prédominante est le désir, l'objet de la méditation sera la laideur. Ce thème est présenté comme l'un des objets de concentration de l'attention sur le corps, dans le contexte des quatre attentions. La laideur, ici, ne concerne pas les malformations physiques. Notre corps, dans son aspect normal, peut à première vue nous sembler beau à regarder, à la fois fort et doux au toucher. Mais examinez-le de plus près : essentiellement, il n'est que chair, sang, os, etc. Si je portais des lunettes à rayons X, je ne verrais ici qu'un squelette s'adressant à une foule de squelettes. Méditer sur la laideur, c'est tout simplement questionner la nature du corps.

Si votre trait dominant est la colère, vous prendrez l'amour comme support de méditation. Si votre esprit sombre facilement dans l'opacité, vous entreprendrez une réflexion sur les douze liens de la production interdépendante qui révèlent les mécanismes de l'existence cyclique. Si vous êtes sujet à l'orgueil, méditez sur les subdivisions des constituants, vous prendrez ainsi la mesure de votre ignorance et votre orgueil reculera. Ceux qui ont une forte tendance à intellectualiser ont intérêt à observer leur respiration, en prêtant attention à l'inspiration et à l'expiration du souffle. Ce sont quelques exemples de supports faits pour assainir le comportement.

Nous avons déjà mentionné la vacuité, mais une fleur peut aussi bien qu'autre chose faire l'objet d'une méditation. L'esprit, lui aussi, est mis sur la sellette. Un bouddhiste méditera également sur le corps du Bouddha, comme un chrétien pourrait le faire sur le Christ ou sur la croix.

Quel que soit l'objet choisi, il ne s'agit pas de le regarder à l'extérieur, mais de le faire apparaître mentalement. Cette représentation mentale est, par définition, l'objet de la méditation. C'est ce que nous appelons une *réflexion,* et c'est cela qui doit être observé.

Lorsque vous connaissez la fonction du support, il vous reste à écouter un maître vous le dépeindre ; ensuite, vous vérifiez mentalement l'image que vous en avez en y revenant souvent par la pensée. S'il s'agit, par exemple, du corps d'un bouddha, vous devez en connaître toutes les particularités, l'étudier au travers des peintures et des sculptures qui le représentent, vous familiariser avec son aspect jusqu'à ce que vous puissiez clairement le reproduire mentalement.

Arrivé à ce stade, imaginez l'objet à peu près à un mètre de vous, à hauteur de vos sourcils. Donnez-lui l'aspect d'un être transparent, entièrement fait de lumière, votre esprit sera ainsi moins enclin à la torpeur. Et, pour lui éviter de céder à l'agitation, donnez un certain poids au corps du bouddha. L'esprit sera d'autant mieux absorbé et canalisé qu'il se fixera sur un objet infiniment petit. Soyez attentif à la posture physique. Elle a son importance. Entre autres objets de méditation, nous avons également recours à des lettres ainsi qu'à des gouttes de lumière minuscules, situées en des points significatifs du corps. Les résultats seront d'autant plus probants que l'objet sera plus petit. Les dimensions choisies au départ ne doivent pas se modifier en cours de route : considérez qu'elles sont fixées une fois pour toutes jusqu'à ce que vous soyez parvenu à la quiétude mentale.

Faites d'abord naître l'image dans votre esprit, gardez-la bien au centre de votre attention et ne la laissez pas s'échapper. Le maintien de l'attention sur l'objet permet de se livrer à l'introspection. Lors de la concentration, votre esprit doit tendre vers deux qualités : l'aptitude à tenir simultanément l'objet et l'esprit en pleine clarté, et la faculté de demeurer concentré sur un seul point. Deux risques vont se présenter dans vos tentatives : la torpeur et l'agitation mentale. Celle-ci nous interdit de rester en place sur l'objet, l'autre nuit à sa précision. La torpeur traduit un relâchement, une détente exagérée – l'esprit perd de son intensité et de sa rigueur. Elle est liée à une léthargie qui vous tombe dessus et vous pèse comme un chapeau enfoncé jusqu'aux oreilles. Le remède consiste à augmenter la tension mentale.

Vous voici sauvé du danger de la torpeur, mais le risque grandit de voir monter l'agitation. Les distractions mentales éveillées par le désir se traduisent par de l'excitation. La distraction peut être due à toutes sortes de raisons. L'agitation, elle, ne dépend que des objets du désir. Le remède aux deux est de détendre l'esprit.

Tout en gardant votre attention sur l'objet, faites une rapide introspection. Si vous constatez une tendance à la torpeur, élevez le niveau d'intensité ; en cas d'agitation, réduisez-le. L'expérience vous permettra de sentir la nuance intermédiaire qui donne sa justesse à l'instrument mental. Si vous sentez le besoin d'élever le niveau d'intensité, pensez plutôt à un sujet joyeux. Pour le problème inverse, revenez à plus de gravité. Pensez à la souffrance.

Si vous débutez dans cet apprentissage, accordez-vous des sessions de méditation fréquentes et brèves. Choisissez de préférence un lieu calme et tout à fait retiré. L'agitation des villes est peu propice à une plongée en méditation profonde. La tranquillité est une condition indispensable pour acquérir la maîtrise de la quiétude mentale.

Au cours de ces exercices, l'esprit cherche progressivement à se stabiliser, jusqu'à atteindre l'état de quiétude. L'absorption contemplative, en le concentrant en un point unique, le force à s'assouplir. Cette plasticité mentale entraîne une souplesse physique qui fait naître le ravissement lié à la fluidité physique. Cette réaction entraîne le ravissement lié à la fluidité mentale, et, quand le flot mental se stabilise, la quiétude mentale est atteinte. Cité parmi les *quatre concentrations* et les *quatre absorptions sans forme,* cet état, lié au ravissement physique et mental, constitue le niveau inférieur des préliminaires de la première concentration.

La vue pénétrante s'acquiert par un processus identique. Elle découle de la souplesse mentale qui s'exerce dans l'analyse – et non dans l'absorption contemplative – menée à partir d'un questionnement rigoureux. La vue pénétrante peut être de type « mondain » ou « supramondain ». Au niveau mondain, on a la vision d'un niveau inférieur troublé et d'un niveau supérieur pacifié, tandis que la vision supramondaine est en accord avec les quatre Nobles Vérités. D'après les thèses du grand véhicule, la vue pénétrante supramondaine met en évidence le non-soi des phénomènes.

On peut puiser dans la pratique mantrique des techniques axées sur le yoga de la déité qui donnent d'excellents résultats en matière d'absorption contemplative. Ces méthodes se révèlent particulièrement ingénieuses pour accélérer la progression vers la bouddhéité. Elles ont l'art de conjuguer la concentration et la sagesse profonde – les deux dernières des six perfections citées dans l'exégèse scripturaire du bodhisattva. Sans une concentration mentale parfaitement stabilisée et claire, la sagesse profonde ne peut pas percer la nature de l'objet, ni l'observer tel qu'il est avec toutes ses subtilités. Et l'on ne peut se dispenser de la sagesse qui permet de voir que toutes choses sont dénuées d'existence propre. Sans cette vision, la concentration est impuissante à pourfendre l'idée fausse que tout existe en soi et par soi. La complémentarité de la sagesse et de la concentration en fait un couple inséparable dans la pratique.

Selon le *Tantra de Vajrapanjara,* un tantra explicatif du cycle de Guhyasamaja, le véhicule du mantra comprend quatre sections : action, performance, yoga, et yoga tantra supérieur. Les trois premières classes décrivent la progression sur la voie en termes de yogas *avec* et *sans signes.* Ce sont les yogas non dualistes du *profond* et du *manifeste.* On réalise l'absorption contemplative en prenant comme support de méditation son propre corps, que l'on regarde clairement comme celui de la déité. Lorsqu'on en a une image claire, on constate son manque d'existence en soi. L'intime réalisation coïncidant avec l'aspect divin constitue le yoga non dualiste du profond et du manifeste.

Dans le tantra de l'action, au cours de la pratique du yoga avec signes, l'identification à la déité s'exécute en six étapes, appelées le yoga des six déités. Avec la « déité ultime » le chercheur médite sur la vacuité de l'existence en soi qui caractérise la déité et sa propre personnalité. Dans la deuxième, la « déité du son », on se représente la vacuité prenant spontanément une forme sonore, et faisant résonner dans l'espace le mantra spécifique de la déité.

Dans la troisième, la « déité de la lettre », les sons du mantra se présentent sous forme de lettres dressées sur le pourtour d'un disque lunaire plat. Au cours de la quatrième, la « déité de la forme », la lune et les lettres se transforment, prenant l'aspect de la déité.

La cinquième, la « déité du sceau », est la bénédiction des points importants du corps divin, accompagnée de gestes des mains que l'on appelle des « sceaux ». A ce stade, on imagine une syllabe blanche, *om,* placée au sommet de la tête, un *ah* rouge à la gorge, un *hum* bleu au cœur. Ces trois syllabes symbolisent le corps, la parole et l'esprit suprêmes d'une déité. On se concentre sur le corps divin, paré maintenant de tous ses attributs, « signes » de la déité. Telle est la dernière étape : la « déité du signe ».

Lorsqu'on acquiert une certaine habileté à se visualiser sous la forme de la déité, on fait appel à la concentration sur le feu et à celle sur le son qui permettent de réaliser en un temps record l'absorption contemplative [1]. Après quoi, vous vous adonnez au yoga sans signe, la concentration qui accorde la libération à la fin du son. C'est ainsi que l'on cultive la vue pénétrante spécifique de l'esprit supramondain, en ayant conscience de l'absence d'auto-existence : ce yoga de la déité se poursuit, mais l'accent est mis sur le facteur de vérification de la nature ultime des phénomènes.

Dans le tantra de performance, le processus est sensiblement le même que dans le tantra de l'action. Le tantra yoga offre, quant à lui, quelque différence. Il présente le corps, la parole, l'esprit et les activités comme les facteurs de base à purifier. Leur transformation s'opère à l'aide de quatre sceaux, faisant d'eux le corps, la parole, l'esprit et les activités propres à l'état résultant de la bouddhéité. Dans cette méthode, on atteint la quiétude mentale en prenant comme support de méditation un objet rituel tenu en main par la déité et symbolique de l'outil empoigné dans la pratique ; l'objet, que l'on imagine minuscule, peut être par exemple un *vajra* * visualisé à l'extrémité du nez. Progressivement, on multiplie le nombre de *vajras* jusqu'à en saturer d'abord l'espace de son propre corps, puis la totalité de l'espace. Les différents objets symboliques renvoient à chacun des cinq bouddhas qui les tiennent en main, en signe de la maîtrise dont ils sont le symbole. Ainsi voit-on Vairochana portant une roue, Akshobhya un *vajra,* etc. La petitesse de l'objet par-

1. Pour de plus amples explications sur ces pratiques, voir l'œuvre de Dzong-ka-ba, *The Yoga of Tibet,* Londres, George Allen and Unwin, 1981.

* Diamant-foudre *(NdT).*

ticipe de la *quiétude mentale ;* et le fait d'imaginer qu'il se multiplie à l'infini pour se dissoudre ensuite renforce l'aptitude à la méditation.

Quant au yoga tantra supérieur, il se caractérise par sa pratique de la félicité, indissociablement liée à la vacuité traduite à deux niveaux : celui de l'*élaboration* – domaine de la création imaginaire –, et celui de la *réalisation* non imaginée, non fabriquée. A ces deux niveaux de pratique, la mort, l'état intermédiaire et la renaissance, que l'on connaît ordinairement, sont introduits dans la démarche, pour être transformés en trois corps d'un bouddha : corps de vérité, corps de jouissance achevé et corps d'émanation.

Le yoga tantra supérieur propose des techniques de méditation sur les canaux, les vents (énergies) et les gouttes de fluide essentiel. Le système énergétique est étudié, d'une part, sur le plan physique et, de l'autre, comme support de méditation. Le propos de ce tantra n'est pas d'établir des correspondances précises entre l'anatomie du corps et les canaux d'énergie, mais de faire jouer les ressorts de ce réseau subtil pour en obtenir certains effets en méditation. Et les expériences dans ce domaine montrent qu'effectivement les résultats annoncés sont obtenus.

Le processus consiste à méditer sur des gouttes, de la lumière ou des lettres situées aux points de convergence des canaux. La localisation particulière de ces centres d'énergie, le pouvoir de la transmission initiatique ainsi que les méditations préliminaires intitulées « approximation de l'état de déité » sont tels qu'il suffit d'associer l'absorption contemplative et la vue pénétrante du vide d'auto-existence. Il est également possible d'obtenir simultanément la *quiétude mentale* et la *vue pénétrante.*

La technique de focalisation de l'attention sur des lettres placées à des carrefours importants du corps est particulièrement opérante pour obliger le flux conceptuel à s'arrêter. Il faut être vide de tout concept pour pouvoir se servir des niveaux très subtils de la conscience, ainsi qu'on s'y emploie en yoga tantra supérieur. Lorsqu'on touche à ces plages très subtiles de la conscience, elles se transforment et deviennent des moyens d'éveil de la sagesse profonde. Dans le processus habituel de la mort, les niveaux grossiers de la conscience s'éteignent. Leur disparition met en évidence des niveaux plus subtils, à la cime desquels ne demeure finalement que la conscience infiniment subtile de la claire lumière, caractéristique de la mort. Pour le commun des mortels, c'est un moment d'inconscience, un évanouissement. Pour le yogi, l'heure est venue de mettre à l'épreuve sa pratique, avant que les cellules ne dégénèrent : en inhibant les niveaux très grossiers de la conscience par la force de sa concentration, il parvient à expérimenter un état de conscience très subtil. En faisant refluer les niveaux très grossiers et très subtils de l'esprit ainsi que son énergie motrice (vent), il connaît le niveau le plus subtil qui soit : la conscience de la claire lumière. Lorsqu'on est à même de l'utiliser en cours d'apprentissage, cet état de conscience offre un raccourci particulièrement efficace et rapide sur la voie. Mais, pour acquérir la maturité que réclame cette pratique subtile, un travail s'impose d'abord au stade de *l'élaboration.*

Je vous ai brièvement résumé ces domaines de l'esprit et les moyens de s'en rendre maître suivant le sutra et le tantra. Ils méritent une exploration plus profonde. Cela en vaut largement la peine.

Les deux vérités *

Parmi les diverses façons de présenter la doctrine bouddhiste, celle qui se fonde sur les deux vérités est l'une des plus importantes. Elle repose sur deux bases : la vérité conventionnelle et la vérité ultime ; elle propose comme *démarches :* la méthode et la sagesse ; et elle traite des résultats qui en sont les *fruits :* les deux corps d'un bouddha. Le corps de forme est pour le bien de tous les êtres, le corps de vérité est accomplissement de soi. De mémoire de bouddhiste, on n'a jamais connu de bouddhas illuminés depuis toujours. Avant d'atteindre l'illumination, tous étaient affligés, comme nous, d'un mental plein d'imperfections. Ils en ont progressivement effacé les défauts jusqu'à faire d'eux-mêmes des êtres impeccables, parfaitement harmonieux, sans tache aucune. Cette aptitude à la transformation tient à la nature purement lumineuse et connaissante de l'esprit. L'esprit peut se plier à n'importe quelle forme, grâce aux images et à l'impact qu'elles ont sur lui ; mais, fondamentalement, c'est une entité purement lumineuse et connaissante et qui a un caractère d'expérience. Il se désintègre d'instant en instant et dépend de diverses causes ; les unes sont substantielles, les autres sont des conditions qui coopèrent. Mais, en tant que connaisseur de l'expérience, son origine substantielle ne peut se trouver que dans une cause préexistante immédiate, c'est-à-dire un précédent moment de conscience. Ce qui présente un caractère de luminosité et d'intelligence ne peut avoir sa cause substantielle dans des éléments extérieurs matériels, lesquels ne tirent pas davantage

* Université de Berkeley, Californie.

leur cause substantielle de ce qui est interne et mental. Puisque chaque séquence de conscience en implique une précédente qui est sa cause substantielle, il faut bien en conclure que le continuum fondamental de l'esprit n'a pas de commencement. Certains schémas mentaux ont un début et une fin (le désir de s'acheter une automobile, par exemple) ; d'autres n'ont pas d'origine, mais peuvent avoir un terme quant à leur durée (le concept erroné d'existence propre). Donc, bien qu'il se désintègre d'instant en instant, le continuum de l'esprit est sans commencement, de par son caractère de luminosité et de connaissance.

Cela étant, comment l'esprit va-t-il pouvoir se transformer ? Ses états négatifs sont le fait de son ignorance : une opacité voile sa faculté d'appréhender le mode d'existence des phénomènes. Pour que cette ignorance puisse se dissiper, il faut comprendre comment les phénomènes existent ; et, pour que cela soit possible, nous devons découvrir ce que nous ignorons d'eux. Ils se présentent avec un double statut, un mode conventionnel – ce sont alors de simples apparences – et un mode d'être ultime. Les phénomènes perçus par l'esprit qui discerne les conventions sont appelés vérités conventionnelles *(samvrtisatya, kun rdzob bden pa) ;* et les vérités ultimes *(paramarthasatya, don dam bden pa)* sont les phénomènes que découvre l'esprit qui perçoit leur mode d'être ultime.

Le principe des deux vérités se présente de façons diverses dans les théories non bouddhistes ; c'est également le cas dans des écoles de pensée bouddhistes, où l'on trouve des thèses supérieures à d'autres. Certaines n'admettent pas le caractère impersonnel des phénomènes ; telle l'école du Grand Commentaire ou l'école du Sutra. Nous les laisserons de côté, pour avoir un aperçu des vues des écoles de l'Esprit seul et de la Voie du milieu, qui soutiennent le caractère impersonnel des phénomènes.

Dans son approche des deux vérités, l'école de l'Esprit seul présente ce qu'elle appelle les trois caractéristiques : la sujétion ou les caractères de dépendance *(paratantrasvabhava)* concernant les substrats ; les caractères d'imputabilité *(parikalpitas-vabhava),* réfutés par les caractères dépendants ; et, enfin, les caractères parfaitement fondés *(parinishpannasvabhava),* le vide d'imputabilité qu'impliquent les caractères de dépendance ; en d'autres termes, il s'agit de la non-différenciation entre sujet et objet. Les caractères parfaitement fondés sont des vérités ultimes.

Selon cette école, tout ce qui est perçu et la conscience qui le perçoit constituent une seule et même entité. Il n'existe aucun phénomène qui soit extérieur à la conscience témoin.

Donc, quand il est question d'impersonnel dans cette théorie, la négation concerne l'existence individuelle des objets externes en tant qu'entités séparées de l'esprit et de sa perception. Ce caractère d'imputabilité ultime est ce dont ils sont dénués, tandis que leur absence d'existence propre représente ce qui est parfaitement fondé. Si l'on en croit ce système de pensée, les phénomènes seraient des émanations de l'esprit.

Les érudits de l'école de la Voie du milieu choisissent divers angles de vue pour expliquer les deux vérités, mais je m'appuierai uniquement sur les assertions de Bouddhapalita. Celui-ci démontre que, contrairement à ce qu'affirme l'école de l'Esprit seul, non seulement les formes, les sons, etc., sont des entités distinctes de l'esprit, mais que la thèse de cette école sur le mode d'être des phénomènes n'est pas juste : en fait, les phénomènes sont inexistants en eux-mêmes, irréels.

Nous allons voir ce que Bouddhapalita entend par « inexistants en eux-mêmes » ou « irréels ». Mais, d'abord, examinons ce qu'est l'existence en soi.

Lorsque nous percevons un phénomène, il nous semble exister objectivement, de sa propre autorité, en lui-même et par lui-même. Mais, lorsque nous l'analysons au-delà de son apparence, afin de voir si sa réalité correspond à ce que nous percevons, nous ne trouvons rien. Si nous le divisons en ses éléments, le tout n'en ressort pas. Quoi que nous fassions, l'ensemble se dérobe et reste introuvable.

Par ailleurs, nous ne connaissons rien qui ne soit composé de parties. Tout phénomène matériel possède des parties directionnelles. Par exemple, si nous considérons les quarks que comprennent les protons dans le noyau d'un atome, ces particules, si minuscules soient-elles, occupent une région de l'espace et possèdent donc des parties directionnelles. Dans ses *Vingt Stances*

(Vimshatika), Vasubandhu, grand érudit de l'école de l'Esprit seul, s'étend longuement sur ce sujet. Il fait apparaître que la particule la plus infime possède nécessairement des parties dont l'orientation est relative à celle des autres particules environnantes. Il démontre ainsi que rien n'est indivisible. Puis, à partir de cette preuve et de l'argument que les objets n'apparaissent pas à l'analyse, il conclut qu'ils n'existent pas. Mais, bien que l'école de la Voie du milieu reconnaisse qu'il n'existe aucune particule indivisible, le fait qu'en dernière analyse les objets extérieurs ne ressortent pas signifie simplement, pour elle, que leur réalité n'est pas démontrée, et non qu'ils n'existent pas. Elle considère donc qu'ils ne sont ni existants ni inexistants.

Les phénomènes existent. L'aide et le tort qu'ils causent en sont la preuve. Mais ils n'existent pas tels qu'ils nous apparaissent. Le fait que la recherche analytique demeure infructueuse montre qu'ils n'ont pas d'existence en soi. Les phénomènes se révélant vides de l'existence concrète qu'ils paraissent avoir, tout existe dans le contexte du vide d'existence en soi et possède ce caractère de vacuité. Prenons l'exemple du livre que nous avons entre les mains. Lorsque nous l'utilisons sans nous poser de question, en pensant : « Voici un livre », c'est notre esprit conventionnel qui est à l'œuvre ; quant à l'objet de la perception mentale, ce simple livre, il fait partie de la réalité conventionnelle.

Mais si vous cherchez à savoir comment il existe et de quelle nature il est au-delà de son apparence, vous ne le trouvez pas. Vous avez beau analyser chacun de ses éléments un par un, couleur, forme, etc., tout ce qui constitue son substrat, vous ne pouvez pas le mettre en évidence. L'esprit d'un chercheur assoiffé de vérité ne se contente pas d'apparences et de conventions ; il scrute, questionne et, en dernière analyse, il admet que le livre est introuvable. Il en conclut que sa réalité finale est d'être ultimement introuvable.

Lorsqu'il formule la théorie de la vacuité, Bouddhapalita ne nous dit pas que les phénomènes sont « vides » de leur aptitude à fonctionner, mais que, en tant que productions interdépendantes, ils sont vides d'existence en soi. Or dépendant et indépendant sont deux statuts explicitement contradictoires et dichotomiques : tout objet qui ne peut être classé dans l'un se classe automatiquement dans l'autre. Quand l'un est reconnu, il exclut nécessairement l'autre. Prenons un cas typique : humain et non humain. Tout phénomène entre nécessairement dans l'une ou l'autre catégorie, mais aucun ne peut être classé dans les deux à la fois, et rien ne permet d'avancer une troisième possibilité dans laquelle un phénomène ne serait ni l'une ni l'autre. D'autres cas, humain et cheval par exemple, sont contradictoires, mais non explicitement, ce n'est pas non plus une dichotomie. Donc, admettre qu'une chose est dépendante, c'est reconnaître qu'elle est dénuée (vide) d'indépendance.

Pour vous éclairer sur la façon dont se traduit l'expérience de la vacuité, quelques précisions s'imposent à propos de l'esprit. Tout ce qui est connaissable s'inscrit dans les deux vérités, et nous faisons appel pour l'appréhender à différents niveaux de conscience : ce que nous appelons les facultés de perceptions directes se situe au niveau où les choses sont acceptées comme des évidences, sans que l'on ait besoin d'indices ni de raisonnements. Sur un autre plan se trouvent les facultés procédant par déduction, qui appréhendent un phénomène non évident en s'appuyant sur des indices et des raisonnements. Ceux-ci ont été classés par Dharmakirti en trois catégories principales : les indices à partir de l'effet, à partir du caractère et à partir de l'absence de constat. Cette troisième catégorie offre deux aspects : l'absence de constat par rapport à des phénomènes non évidents, et l'absence de constat par rapport à ce qui devrait être perçu (si cela existait). Dans ce dernier cas figurent les signes prouvant l'absence d'existence en soi : par exemple, l'impossibilité de trouver un phénomène analysé, qu'on le cherche dans ses traits distinctifs – bases de son identité – ou en dehors d'eux. C'est ainsi qu'on induit la connaissance correcte de la vacuité d'existence en soi.

Ce raisonnement doit s'accompagner d'une formulation des conséquences *(prasanga)* afin de vaincre la persistance des idées fausses. Selon l'école de Conséquence, les conséquences sont en elles-mêmes de nature à induire la connaissance correcte d'une thèse. Quoi qu'il en soit, c'est à partir de telles preuves que l'on met en évidence la vérité ultime de toutes choses : leur absence d'existence en soi.

Dans ce type de démonstration, la vacuité d'existence en soi est classée parmi les phénomènes négatifs. Ce qui détermine le classement d'un phénomène dans la catégorie des phénomènes positifs ou négatifs n'est pas seulement le mot qui l'exprime, mais la façon dont il est perçu par la conscience. Par exemple, « vacuité » est un mot négatif exprimant un phénomène négatif. Le terme de « réalité » *(dharmata, chos nyid)* n'est pas, quant à lui, un mot négatif ; pourtant, sa signification ne peut se frayer un chemin dans l'esprit qu'en passant par une négation, c'est-à-dire en éliminant explicitement l'objet à réfuter : l'existence en soi. La réalité est donc malgré tout un phénomène négatif. On trouve deux types de phénomènes négatifs : ceux qui impliquent un remplacement de l'objet éliminé par un autre, et ceux qui n'impliquent rien à la place. Les premiers sont appelés des négations affirmatives, les derniers des négations non affirmatives. Or, quand la vérité ultime ou la vacuité se présentent à l'esprit, celui-ci perçoit un simple vide qui est l'élimination de l'objet nié – l'existence en soi : il n'y a donc pas lieu de le remplacer par un phénomène positif. C'est en cela que la vérité ultime – ou la vacuité – est une négation non affirmative.

Lorsqu'on prend finalement conscience de cette négation non affirmative, l'esprit n'appréhende rien, à part l'absence de ce qui a été éliminé par la négation. Et tant que rien ne rompt le fil de sa réalisation, il ne perçoit qu'une totale vacuité d'existence en soi. Lorsqu'il vous a été donné de connaître cette expérience grâce à la pratique de l'équanimité contemplative, les phénomènes semblent encore exister par eux-mêmes en dehors des périodes de méditation ; mais la conviction que vous avez acquise avec la preuve de leur vacuité vous donne la certitude qu'ils n'ont pas plus de réalité qu'une illusion. A la manière des tours d'un magicien, les choses semblent exister par elles-mêmes alors qu'il n'en est rien. Étant donné que le désir, la haine et toutes les passions douloureuses viennent de la croyance en l'existence intrinsèque, elles ont moins de prise sur vous dès lors que vous percevez ce qu'il y a de fictif en toutes choses. En vous libérant des conflits qu'engendrent une fausse estimation de la réalité, vous gagnez du terrain dans le contrôle des émotions aliénantes. Cette vision du monde permet d'entretenir dans l'esprit de saines dispositions ; au demeurant, les qualités n'ont nul besoin, pour s'exprimer, de l'idée fausse que les phénomènes existent par eux-mêmes.

La vérité ultime fait grandir en sagesse, la vérité conventionnelle fait jaillir la compassion et la bonté envers les autres. Sagesse, compassion, ces deux courants doivent se mêler dans la pratique. Tel est le chemin pour l'union de l'alliance entre la sagesse et la méthode.

La conscience qui naît de l'écoute des enseignements et celle qui jaillit de la réflexion n'ont pas, à elles seules, le pouvoir d'amener la sagesse à son plein épanouissement. Celle-ci a besoin de la méditation, pour s'éveiller à son tour. La sagesse consciente de la vacuité, grâce à la méditation, est en elle-même l'état d'absorption contemplative, dans lequel fusionnent la quiétude mentale et la vue pénétrante. Il existe également de nombreuses techniques, spécifiques du tantra, qui stimulent cette conscience. La plus importante d'entre elles consiste à maintenir l'esprit dans la contemplation simultanée de deux facteurs : l'un est la vision d'un mandala contenant un certain nombre de déités, et l'autre la réalisation de leur inexistence en soi. Si bien que les deux dimensions, le « vaste » et le « profond » – l'apparence des déités et la réalisation de ce qui est « tel que c'est » –, sont embrassées toutes deux dans un même regard.

L'empreinte laissée par l'union des deux courants profonds, la méthode faite de compassion et celle de la sagesse faite de lucidité, est la matrice qui engendre les deux corps d'un bouddha résultant de l'exercice de ce yoga tantrique : le corps de forme – manifestation physique d'un bouddha – est l'empreinte du yoga de l'imagination du cercle divin, modèle de la vérité conventionnelle ; quant au corps de vérité – l'esprit inspiré d'un bouddha –, il est l'empreinte de la sagesse consciente que la vacuité est la vérité ultime. La faculté de porter à maturité les corps de forme et de vérité d'un bouddha est enracinée dans le vent (l'énergie) très subtil et dans la conscience très subtile, d'ores et déjà présents en chacun de nous. C'est là ce qu'on appelle la nature de bouddha.

Question : Dans le yoga tantra supérieur, il existe une technique de méditation qui consiste à observer simultanément la vacuité et la félicité. Quel est l'objet de cette félicité ?

Réponse : La conscience subtile avec laquelle on discerne la vacuité est libre de se manifester lorsqu'on met à l'arrêt les niveaux grossiers de la conscience. Lorsqu'on connaît l'extase, on se tient dans un état de conscience très subtil ; et lorsqu'elle atteint son plus haut degré d'intensité, on peut en profiter pour mettre à l'arrêt les niveaux les plus grossiers de la conscience. Après quoi, cette conscience en extase peut à loisir contempler l'absence d'existence en soi.

L'union des écoles de traduction ancienne et moderne *

Ceci est le compte rendu d'un travail quasi personnel.

Depuis bien longtemps, j'ai l'intime conviction que Nyingma, Sakya, Kagyu et Gelug allient respectivement les théories du sutra et du mantra et que tous ont sur la vacuité le regard de l'école de Conséquence. Aussi me suis-je penché avec le plus grand intérêt sur la façon dont les écoles présentent la vue, la méditation et le comportement dans le style propre à chacune d'elles.

Cette question d'anciens et de nouveaux systèmes ne s'est pas posée en Inde. Au Tibet, les écoles de traduction se sont divisées en ancienne et moderne en ce qui concerne le mode d'exposition du mantra. Un fossé s'est créé à partir d'interprétations différentes des écritures suivant les périodes où les traductions se sont effectuées.

L'école Nyingma représente l'ancienne école ; Sakya, Kagyu et Gelug font partie des écoles modernes issues des traductions de Rinchen Sangpo (Rin-chen-bzang-po, 958-1055) [1].

Les écoles les plus récentes n'offrent entre elles que des différences insignifiantes en ce qui concerne la pratique des sutras. En revanche, dans le mantra (appelé également tantra), elles varient légèrement.

Lorsqu'on ne les approfondit pas, les différences quant à l'emploi des termes et autres détails peuvent paraître plus mar-

* UMA, Boonesville, Virginie.

1. Nous avons emprunté ces dates à Snellgrove et Richardson dans *Cultural History of Tibet*, New York, Praeger, 1968, ou dans les carnets d'E. Gene Smith, Library of Congress, card catalogue.

quées qu'elles ne le sont réellement entre les diverses écoles de traduction modernes, alors qu'en fait elles sont fondamentalement structurées de la même façon.

La lignée Kagyu descend de Gagpo Larje (Dag-po-lha-rje, 1079-1153), élève de Milarepa (Mi-la-ras-pa, 1040-1123), qui eut pour instructeur Marpa (Mar-pa, 1012-1096). Celui-ci fut initié par Naropa à sa déité tutélaire, Guhyasamaja. Mais, dans l'ordre Gelug, Tsong Khapa (Tsong-kha-pa, 1357-1419) enseigna les cinq degrés du stade de *réalisation* du yoga tantra supérieur, qu'il tenait, lui aussi, de Marpa, initié, par Naropa, aux instructions quintessentielles sur le *Tantra de Guhyasamaja.* Il faut ajouter à cela d'autres sujets de tout premier plan, tels que le *Tantra de Chakrasamvara,* la réalisation de longue vie, le *Tantra de Hevajra* et le transfert de conscience que les écoles Kagyu et Gelug tiennent également de Marpa.

Les exposés sur le tantra sont donc pour la plupart identiquement charpentés dans ces deux écoles. Seules la clarté et la longueur des explications varient parfois.

En ce qui concerne la vue philosophique, Marpa le traducteur a mené ses recherches sur la vacuité sous la direction de Maitripada, qui dit, dans ses *Dix Stances sur l'ainséité (Tattvadashaka, De kho na nyid bcu pa)* [1] :

Bon nombre de tenants de l'aspect vrai ou faux
Et même de Madhyamikas que n'éclaire pas la parole du gourou
Ne sont que médiocres penseurs.

D'après lui, les défenseurs de l'aspect vrai ou faux de l'esprit seul n'ont pas acquis la vue ultime. Quant à ceux qui empruntent la Voie du milieu sans être éclairés par les instructions essentielles du gourou, ils ont à ses yeux une vision médiocre. Dans un

1. P3080, vol. 68, 275.3.1. Commentaire de Sahajavajra du *Tattvadashakatika (De kho na nyid bcu pa'i rgya cher 'grel pa)* P3099, vol. 68, 297.4.6 sq. « Nagarjuna, Aryadeva, Chandrakirti, etc. », cités 299.2.2, 299.5.3, 300.2.3. Ce passage est cité avec les mêmes remarques dans *The Presentation of Tenets (Grub mtha'i rnam bzhag)* par Jang-gya Rol-bay-dor-jay, *lCang-skya Rol-pa'i-rdo-rje,* né en 1717, 297.20, cf. Sarnath, *Pleasure of Elegant Sayings Press,* 1970.

commentaire de ce texte, un étudiant de Maitripada, Sahajavajra, reconnaît dans le « gourou » la figure célèbre du philosophe Chandrakirti, et ajoute que, pour son maître, les instructions quintessentielles du fameux penseur sont une condition indispensable pour l'acquisition d'une vue impeccable. Donc, Maitripada et Marpa sont d'accord avec la vision de Chandrakirti qui est également celle qu'adopte l'école de Conséquence de la voie du milieu.

Par ailleurs, dans son *Chant aux cinq sœurs de longue vie (Tshe ring mched lnga)* [1], le successeur de Marpa, Milarepa, cite la parole du Bouddha omniscient : les bouddhas, le corps de vérité, les terres, les chemins et le reste – y compris la vacuité – ont beau être ultimement non existants, chante le Yogi poète, en dehors de toute analyse, ils existent comme toute chose pour un esprit conventionnel. Et, dans le domaine des vérités conventionnelles, il met en évidence l'*absence* d'incompatibilité caractéristique des productions interdépendantes et la recherche infructueuse de la vacuité elle-même au niveau ultime.

En distinguant ainsi les deux vérités, Milarepa fait valoir la vue impeccable de l'école de Conséquence de la voie du milieu. Étant donné que c'est également celle des Gelug, Kagyu et Gelug ne diffèrent donc pas dans leur pensée philosophique. L'école Sakya s'en écarte légèrement, par le choix de sa terminologie ; mais l'architecture d'ensemble et le développement méthodique sont essentiellement les mêmes. Dans ses *Œuvres diverses*, Kédrup, un des deux principaux disciples de Tsong Khapa (le fondateur de l'ordre Gelug), le constate également. D'après lui, bien que la façon dont Tsong Khapa explique la vue de la voie du milieu diffère de celle de Rendawa (Red-mda'-ba, 1349-1412), son maître Sakya, ils aboutissent tous deux au même résultat. L'expression est différente, mais la pensée est la même. On peut donc voir aisément que Kagyu, Sakya et Gelug suivent une même

1. Il s'agit d'un chant adressé à cinq tentatrices non humaines. Voir la Biographie complète de Milarepa *(rJe btsun mi la ras pa'i rnam thar rgyas par phye pa mgur'bum)*, 1971, 347.15-34.8.11. En français : *Les Cent Mille Chants de Milarepa*, Paris, Fayard, 1989.

ligne de pensée et que tous se reconnaissent dans la vue de l'école de Conséquence de la voie du milieu.

En revanche, dans l'école ancienne Nyingma, les similitudes sont moins apparentes. En gros, sa pratique se consacre à la vue, au comportement et à la méditation. Ces deux dernières disciplines se distinguent peu de celles que proposent les écoles modernes. Il existe des différences insignifiantes dans la façon dont les enseignements s'articulent, dans les rituels ou le mode de présentation de la voie. En ce qui concerne ses vues philosophiques, elles semblent au premier abord s'éloigner davantage, du fait de la terminologie différente.

Mais Tsong Khapa lui-même soutient que les sources de Nyingma sont authentiques et sa vue conforme à la réalité. Et c'est Namka Gyeltsen Lodrak (Lho-brag Grub-chen Nammkha'rgyal-mtshan), adepte de la grande perfection initié dans la doctrine Nyingma, qui instruisit Tsong Khapa dans la théorie de cette école. L'ayant reconnu comme l'un de ses maîtres et plutôt que d'aller chercher en Inde un affermissement de la vue, Tsong Khapa le pria de l'éclairer de son enseignement et parvint, grâce à lui, à vérifier la vue de la vacuité. C'est ainsi que les choses se sont passées, les biographies [1] de Tsong Khapa sont très claires à ce sujet.

1. Pour une courte biographie de Hlo-drak Ken-chen Nam-ka-gyel-tsen (Lho-brag mKhan-chen Nam-mkha'-rgyal-mtshan, 1326-1401), voir *La Vie des maîtres* (instructeurs) *des préceptes du Lam-Rim* (également appelé : *Biographies d'éminents gourous dans les lignées de transmission de l'enseignement de la voie progressive ; Byang chub tam gyi rim pa'i rgyan mchog phul byung nbor bu'i phreng ba)* par Tsay-chok-ling Yong-dzin Ye-shay-gyel-tsen (*Tshe-mchog-gling Yongs-'dzin Ye-shes-rgyal-mtshan,* 1713-1793), 640.5-9.2 et, plus loin, citation à 731.6. Dzong-ka-ba reçut cet enseignement de Nam-ka-gyel-tsen au cours d'une vision où il lui fut donné de rencontrer Vajrapani. Robert Thurman l'a traduit dans *La Vie et les Enseignements de Tsong Khapa,* Dharamsala, Library of Tibetan Works and Archives, 1982, p. 213-230. Les œuvres complètes de Nam-ka-gyel ont été publiées en deux volumes sous le titre : *Collected Writings of Lhobrag Grub-chen Nam-mkha'rgyal-mtshan,* New Delhi, Tshering Dargye, 1972. Bien qu'il soit parfois considéré comme un Ga-dam-ba *(bKa'gdams-pa)*, la transmission orale en parle comme d'un Nyingma, et l'enseignement de la vue que Dzong-ka-ba reçut de lui est incontestablement celui d'un maître de la grande perfection des Nyingma, dont le vocabulaire est reconnaissable entre tous.

Il est vrai que, bien avant l'émergence des écoles de traduction modernes, nombre de chercheurs, savants et lettrés, sont devenus des initiés de leur vivant, en empruntant uniquement la voie Nyingma. Les vingt-cinq disciples du précieux maître Padmasambhava, parmi lesquels figure le roi Trisong Détsen (Khrisrong-lde-brstan, né en 742) et bien d'autres. Les écoles modernes n'existaient pas à cette époque. Aujourd'hui encore, nous avons suffisamment de preuves des sommets spirituels atteints par certains adeptes de cette voie. C'est la preuve que le *Grand Commentaire* de l'école Nyingma est une pure méthode appartenant à la pratique ésotérique du yoga mantra supérieur.

Dans les *Œuvres diverses* de Kédrup, la question du désaveu de cette méthode est soulevée. A propos de sa pureté, Kédrup répond que la désapprobation est intervenue à la suite du comportement ambigu de certains mantrikas (adeptes tantriques) pratiquant la grande perfection. Il souligne le fait que cette pratique est d'un haut niveau de yoga mantra supérieur et qu'elle a permis à beaucoup d'atteindre des degrés d'initiation très élevés.

Il ajoute à cela que des traducteurs tibétains, en visite en Inde, ont vu à Magadha les manuscrits originaux sanskrits du *Tantra de l'essence secrète (Guhyagarbha, gSang snying)* et en ont conclu que désavouer une telle doctrine ne pouvait mener qu'à une renaissance malheureuse. Voici [1] l'extrait des *Œuvres diverses* de Kédrup :

Question : Comment se fait-il que d'anciens érudits et certains encore de nos jours désavouent l'école de traduction ancienne du mantra secret ?

Réponse : Les traductions des enseignements du mantra secret de la première diffusion sont dites anciennes *(rNying ma)*, et celles qui se répandirent plus tard sont dites modernes *(gSarma)*. Dans l'intervalle, le règne de Langdarma (gLang-dar-ma, vers 803-842) ayant entraîné le déclin des enseignements, certains

1. *mKhas grub dge legs dpal bzang po'i gsung thor bu'i gras rnams phyogs gcig tu bsdebs pa,* The Collected Works of the Lord Mkhas-grub rJe dGe-legs-dpal-bzaṅ-po, New Delhi, 1980, 125.1-6.3.

mantrikas se sont écartés de la bonne conduite en se livrant à des rapports sexuels. On peut voir encore aujourd'hui des pratiquants qui mènent une vie de famille et portent le chignon (à la manière des mantrikas laïques). Il semble que l'on ait tourné en dérision cette doctrine en se fondant sur le comportement de ces hommes.

La situation de l'ancienne école de traduction du mantra est maintenant toute différente. A l'époque où les souverains du Tibet étaient des plus favorables au bouddhisme, des traducteurs aussi valables que Vairochana et Manyek (rMasnyegs), les cinq moines et bien d'autres furent mandés (en Inde), chargés d'or et d'offrandes. Ils trouvèrent, pour les instruire dans les doctrines inégalables du mantra secret telles que la grande perfection, des maîtres de très grand renom, lettrés et adeptes dont ils traduisirent l'enseignement. Et, qui plus est, de grandes figures comme Padmasambhava, Vimalamitra, Bouddhagouhya et bien d'autres furent invités afin d'instituer au Tibet l'enseignement des doctrines ésotériques du véhicule supérieur. C'est un fait reconnu que la pratique de ces systèmes fut à l'origine de la libération (du cycle de l'existence) d'innombrables chercheurs, parmi lesquels beaucoup devinrent des initiés.

Il existe également au monastère de Samyé (bSam-yas) plusieurs exemplaires de textes indiens de l'ancienne école de traduction, et l'on tient de traducteurs tibétains qu'il se trouve encore à Magadha, en Inde, des éditions du *Tantra d'essence secrète,* des *Cinq Sutras scripturaires (T. Lung gi mdo lnga),* etc. Aussi, ceux qui désavouent des doctrines si profondes, appartenant au plus haut niveau du grand véhicule, ne font-ils qu'[accumuler] des raisons de (renaître) en quelque enfer.

Tels sont les arguments avancés par Kédrup. Ce maître considère la grande perfection comme une méthode profonde et très exceptionnelle. Nous avons donc toutes les raisons de penser que c'est une pure doctrine du yoga tantra supérieur.

De nombreux adeptes de l'une ou de l'autre des quatre écoles majeures du bouddhisme tibétain ont soutenu qu'elles se fondaient toutes sur la même pensée. Dans l'école Gelug, le premier

Panchen Lama, Lobsang Chökyi Gyaltsen (bLo-bzang-chos-kyi-rgyal-mtshan, 1567 [?] – 1662), l'a noté dans son texte original du *Grand Sceau*. Selon lui, une analyse de la terminologie des différentes écoles suffit à révéler au yogi expérimenté qu'elles relèvent toutes de la même pensée.

Voici ce que dit le premier Panchen Lama [1] :

« Si divers que puissent être les termes adoptés pour parler [des théories] de l'union innée : le petit cas, le quintuple, la saveur égale, les quatre lettres, la pacification, l'exorcisme, la grande perfection, les instructions sur la vue de l'école de la Voie du milieu, etc., lorsqu'ils sont analysés par un yogi plein d'expérience, rompu à l'écriture claire et nette et au raisonnement, ils se résument tous à la même pensée. »

Néanmoins, certains maîtres Gelug comme le troisième Panchen Lama, Lobsang Palden Yéshé (bLo-bzang-dpal-ldan-ye-shes, 1737-1780), ont prétendu que les affirmations du premier Panchen Lama étaient plus une manœuvre politique que l'expression véritable de sa pensée. En fait, leur suspicion à l'égard de la pensée Nyingma vient du fait que, dans la grande perfection, la vue est une négation affirmative *(paryudasapratishedha, ma yin dgag),* alors que, dans l'école Gelug, c'est une négation non affirmative *(prasajyapratishedha, med dgag).* Ils en ont déduit que leurs vues étaient divergentes. Ce fut le point de départ de bien des désaccords, et l'on a vu des érudits s'affronter, chacun réfutant la position de l'autre pour défendre la sienne.

On trouve chez les Kagyu et les Sakya des écrits contestant de façon explicite la théorie de la grande perfection. Il en existe également dans des textes Gelug plus tardifs, mais, dans les œuvres de Tsong Khapa, qui est pourtant le fondateur de cette

1. 2b.2. On trouve un bref exposé de ces systèmes dans un commentaire du premier Panchen Lama (1567[?]-1662), intitulé la *Lampe très brillante, étude approfondie du texte racine du grand sceau dans les traditions des précieux,* cf. Ge-luk Ga-gyu, *dGe ldan bka' brgyud rin po che'i bka' srol phyag rgya chen po'i rtsa ba rgyas par bshad pa yang gsal sgron me,* 12a.2-11b.2, éd. Gangtok, 1968.

école, n'apparaissent même pas les termes de « Nyingma » ni ceux de « grande perfection ». Les détracteurs ne s'attaquaient en fait qu'à certains points précis, ainsi qu'on le souligna ; malheureusement, leur style a laissé croire qu'ils réfutaient en bloc cette théorie. Et c'est bien triste.

A mes yeux, le premier Panchen Lama était réellement sincère lorsqu'il disait que les quatre écoles convergent dans leur pensée. Je n'ai pas de doute sur cette question. Ni sur le fait que de nombreux chercheurs sont devenus des yogis de tout premier ordre en empruntant la voie Nyingma de la grande perfection. Lorsqu'un yogi se réalise ainsi en suivant une méthode, c'est le signe qu'elle est véritablement pure. J'ai cherché avec la plus grande attention à m'expliquer *comment* ces deux développements convergent. Je suis parvenu à m'en faire une idée, bien que je ne puisse l'exposer clairement ni me prononcer définitivement. J'ai encore besoin de l'analyser. Mais je vais vous dire ce qui m'est apparu à partir des travaux du maître Nyingma Dodrupchen Jigmé Tempé Nyima (rDo-grub-chen 'Jigs-med-bstan-pa'i-nyi-ma, 1865-1926), dont les écrits constituent un point clef de mon analyse.

Dans quel cadre de référence le premier Panchen Lama se situe-t-il lorsqu'il dit que ces théories convergent ? Dire que les vues de la Voie du milieu et de la grande perfection Nyingma sont identiques serait peu nuancé. Si l'on se réfère à Chandrakirti (école de Conséquence de la voie du milieu), la vue de la Voie du milieu est partagée par les pratiquants [1] du petit véhicule ; la grande perfection, elle, ne figure pas dans les sutras du grand véhicule, et à plus forte raison dans ceux du petit véhicule. L'école Nyingma présente neuf véhicules : trois sont des sutras – le véhicule des auditeurs, des réalisateurs solitaires et des bodhisattvas –, trois autres sont des systèmes tantriques externes – *kriya, upa* et *yoga* – et les trois derniers sont des systèmes tantriques internes – *mayayoga, anuyoga* et *atiyoga.* La grande

1. Référence à la pratique des auditeurs et des réalisateurs solitaires telle que l'expose l'école de Conséquence de la voie du milieu, et non pas suivant la méthode décrite dans le véhicule dit inférieur ou dans l'école de l'Auditeur, ceux-ci étant la grande perfection et l'école des Sutras.

perfection ne figure dans aucun des six véhicules tantriques, ni dans les trois externes ni dans les diverses sections du *mahayoga* ou du *anuyoga* internes. Cette pratique est le pic qui domine les véhicules, le grand atiyoga. On ne peut décidément pas soutenir que la théorie de la grande perfection, ce summum des neuf véhicules, est identique à la théorie exposée par Nagarjuna dans la Voie du milieu. Celle-ci est d'ailleurs en usage chez les auditeurs et les réalisateurs solitaires qui sont du niveau de l'entrée-dans-le-courant (soit la prise de conscience directe de la vérité du vide d'existence en soi). Ces deux visions ne sont pas comparables. Les mettre en parallèle de façon globale serait un sujet trop vaste.

Si le plus haut système tantrique Nyingma et la vue des écoles modernes de traduction ne peuvent pas se mesurer sur le terrain des sutras de la Voie du milieu, quelle est la base de comparaison convenant à la vue de la grande perfection ? Dans le yoga tantra supérieur comme dans le *Tantra de Guhyasamaja* appliqué par les écoles modernes de traduction, la vue de la Voie du milieu s'acquiert en mettant en éveil un esprit particulier : la sagesse innée de la grande félicité. Lorsqu'on met cette démarche à côté de celle de la grande perfection, on a le juste niveau de comparaison.

Dans le cadre du *Tantra de Guhyasamaja,* les écoles modernes de traduction enseignent que le questionnement concernant la vue comporte deux parties : l'enquête sur l'objet et l'enquête sur le sujet. La première permet de découvrir l'objet, à savoir la vacuité d'existence en soi, en ayant recours à la sagesse connaissante. Jusqu'ici, le *Tantra de Guhyasamaja* ne diffère en rien de la théorie de Nagarjuna dans la Voie du milieu. En revanche, il s'en écarte beaucoup dès qu'il aborde la vision du sujet, l'esprit témoin de la vacuité. D'après le *Tantra de Guhyasamaja,* lorsqu'on atteint le stade de la *réalisation,* on approche la vacuité en faisant appel à une conscience accrue, plus subtile, appelée l'esprit inné et fondamental de claire lumière. A côté de la subtilité de celui-ci, l'esprit témoin de la vacuité dans la Voie du milieu est une conscience ordinaire.

D'après Damtsig Dorjé (Dam-Tshig-rdo-rje), un Mongol de

Kalka, quand la vue de la grande perfection est enseignée, elle est aussi divisée en deux catégories : l'objet et le sujet. Dans le vocabulaire des écoles modernes, l'objet à découvrir correspond à la claire lumière objective, autrement dit la vacuité appréhendée par la sagesse connaissante. Et la vue subjective est une sagesse connaissante subtile, une conscience fondamentale, et non une conscience ordinaire.

Dans la grande perfection, le mot « vue » concerne presque toujours le sujet – la sagesse connaissante –, plus rarement l'objet – la vacuité – et de temps en temps un mélange des deux : la vacuité pénétrée par la sagesse connaissante. Cet esprit de claire lumière, fondamental, inné, a autant d'importance dans les théories du yoga tantra supérieur des écoles modernes de traduction que dans celle de la grande perfection des Nyingma. Tel est le niveau où il convient de situer la comparaison entre les écoles modernes et l'école ancienne.

Cette façon d'assimiler l'objet et le sujet – la vacuité et la sagesse connaissante – à la vue n'est pas réservée au tantra, elle est également propre à l'école d'Autonomie de la voie du milieu. Celle-ci présente la vacuité comme la vérité ultime, et l'esprit qui en prend conscience comme un ultime concordant (ce qu'admettent à la fois les écoles modernes et l'ancienne). Le niveau subtil de conscience qui permet de réaliser la vacuité dans la grande perfection ne doit pas être confondu avec celui plus grossier, plus ordinaire que dépeint le véhicule de la perfection du grand véhicule. Il s'agit d'une intelligence fondamentale *(rig pa)*, un principe inné de conscience et de claire lumière *(gnyug ma lhan cig skyes pa'i 'od gsal)*, qui est le statut final *(gnas lugs)* des choses.

Selon sa conception des deux vérités, la Voie du milieu verrait dans cet esprit de claire lumière très subtil un ultime *concordant* et une donnée factuelle, mais non une vérité ultime factuelle. En effet, pour cette école, la vérité ultime factuelle est ce que découvre l'esprit témoin du mode d'être ultime des choses, à savoir la vacuité ; ce que constate l'esprit devant un objet conventionnel (c'est-à-dire tout phénomène, excepté la vacuité) est une vérité conventionnelle. Mais, dans la grande perfection, les textes font apparaître les deux vérités sous un jour différent, car ils ne se fondent pas sur la distinction entre le sujet et l'objet ; en revanche, ils coïncident avec l'interprétation originale des deux vérités dans le yoga tantra supérieur.

Le maître Nyingma Dodrupchen en parle comme des « deux vérités singulières ». Au début de son traité sur le sens général du *Tantra de l'essence secrète (gSang snying spyi don)* [1], il cite sept vérités ultimes singulières : les bases, le chemin et le fruit, ce dernier comportant cinq catégories. Le principe même de cette doctrine est « l'esprit de vajra * », support de tous les phénomènes de l'existence cyclique et du nirvana. Pour l'école moderne de traduction du yoga tantra supérieur, il correspond à la claire lumière fondamentale innée qu'elle appelle la « vérité ultime ».

La grande perfection Nyingma considère cet esprit fondamental comme la vérité ultime, et les apparences qu'il revêt sous forme de phénomènes purs et impurs comme des vérités conventionnelles. Ces dernières sont des phénomènes adventices, grossièrement évidents, tandis que la vérité ultime correspond au principe fondamental inné : l'« esprit de vajra » existant de toute éternité. C'est ainsi que se présentent les deux vérités dans la grande perfection.

Bien que les mots « ultime » et « conventionnel » figurent dans ces textes, ils n'ont pas le même emploi que dans la Voie du milieu. Ces différences de terminologie ne sont pas exceptionnelles : dans la Voie du milieu, le terme « ultime » possède plusieurs sens. Par exemple, on trouve, dans le *Continuum sublime du grand véhicule (Uttaratantra, rGyud bla ma)* de Maitreya, un « refuge ultime » et un « refuge conventionnel » ; et il donne trois définitions de l'ultime dans son traité du *Discernement du milieu et des extrêmes (Madhyantavibhanga, dbUs mtha' rnam 'byed)*. Dans ce contexte, l'ultime « objectif » désigne la vacuité, l'ultime « pratique » désigne la sagesse connaissante

1. Au tout début du volume Ga de ses œuvres complètes.
* Esprit adamantin indestructible *(NdT)*.

dans l'absorption méditative, et l'ultime « parachevé » désigne le nirvana.

Les écoles de traduction modernes usent également des termes d'« ultime » et de « conventionnel » de diverses façons. Dans leur interprétation des cinq étapes du yoga tantra supérieur, elles parlent des stades de réalisation de la vérité ultime et de la vérité conventionnelle, mais ces termes n'ont pas le même sens que dans la Voie du milieu. Ainsi que dans la grande perfection, cette théorie porte un regard inhabituel sur les deux vérités. La claire lumière subjective (conscience très subtile de claire lumière apparaissant au quatrième des cinq stades dans la phase de réalisation) est appelée « vérité ultime ». L'école de la Voie du milieu, qui différencie les deux vérités, l'appellerait une vérité conventionnelle ; ce ne pourrait être, selon elle, une vérité ultime factuelle, mais *concordante*.

Dans le yoga tantra supérieur des écoles de traduction modernes, l'esprit fondamental, substrat de tous les phénomènes de l'existence cyclique et du nirvana, est considéré comme la vérité ultime ou la vraie nature de tous les phénomènes *(dharmata, chos nyid).* On l'appelle aussi la « claire lumière » *(abhasvara, 'od gsal)* et le non-composé *(asamskrta, 'dus ma byas).* Chez les Nyingma, il porte le nom d'esprit de vajra que l'on différencie du mental *(sems),* car il est le facteur de pure luminosité et de connaissance, l'intelligence primordiale *(rig pa),* la racine de toutes les consciences, éternelle, inattaquable, immuable, dont le continuum est invulnérable comme le vajra (diamant).

De même que l'école moderne se réfère à l'esprit fondamental comme à ce qui est sans origine ni fin, les Nyingma avancent un esprit de vajra sans origine ni fin, qui se poursuit sans interruption dans le stade d'effet de la bouddhéité. Quand ils parlent de sa permanence, cela signifie qu'il est éternel, ce qui ne veut pas dire qu'il ne se désintègre pas d'instant en instant, mais, en tant que continuum, il est incessant. Dans *Parure de la claire réalisation (Abhisamayalamkara, mNgon rtogs rgyan),* Maitreya explique de façon identique que les activités inspirées d'un bouddha sont permanentes en ce sens qu'elles sont inépuisables. Et quand l'esprit de vajra est dit incréé, cela signifie qu'il n'est pas adventice et qu'il ne naît pas à un certain moment à la faveur de causes et de conditions, étant donné que son continuum a toujours existé.

Dans la même veine, lorsque Norsang Gyatso (Nor-bzang-rgya-mtsho, 1423-1513), érudit et initié Gelug, dit que tout ce qui existe est nécessairement « composé » *(samskrta, 'dus byas),* il se réfère plus à un principe d'ordre général qu'à ce que l'on entend habituellement par ce terme. Il met ici en évidence quelque chose de plus que l'idée de production causale dans laquelle s'agrègent les phénomènes – y compris les phénomènes permanents. Il soutient que tout ce qui existe est conditionné et dépend à la fois de ses parties et d'une conscience conceptuelle qui le nomme. Les Nyingma enseignent eux aussi que la conscience fondamentale n'est pas un phénomène *récent,* né de causes et de conditions, mais qu'elle est « increéée », dans le sens le plus complet du terme.

Ils la regardent comme la vérité ultime – alors que, dans la Voie du milieu, la vérité ultime est ce que découvre la conscience qui réalise la vacuité. L'esprit de vajra des Nyingma est l'esprit fondamental de claire lumière sans origine ni fin, le terrain de base de toute l'existence cyclique et du nirvana. Sa nature d'être est celle du corps de vérité qui se manifeste au stade résultant de la bouddhéité. Parce qu'il est au-delà de toute chose adventice, on l'appelle la vérité ultime. Quant au déploiement, aux manifestations ou formes concrètes qui en émanent, ce sont des vérités conventionnelles.

L'*entité (ngo bo)* de cet esprit fondamental est essentiellement pure *(ka dag).* Dans la terminologie de la Voie du milieu, on dirait qu'elle est *a priori* et par nature dénuée d'existence en soi. Le pur comme l'impur, tout apparaît dans le champ de cette simple luminosité et connaissance comme le jeu et le déploiement de sa spontanéité. Tout événement, toute manifestation se présente avec ce caractère *(rang bzhin)* spontané *(lhun grub).* On appelle « compassion » *(thugs rje)* le rayonnement sans obstruction de l'esprit fondamental, car ses effets se traduisent par les actes charitables d'un bouddha, dont toute action part de l'essence pure et de la spontanéité qui caractérise l'esprit de vajra.

Naturellement pur de toute éternité, caractérisé par la spontanéité, l'esprit adamantin est le support des phénomènes de l'existence cyclique et du nirvana. L'homme, malgré tout ce qu'il conçoit de pensées positives ou négatives et ce qu'il manifeste de désir, de haine, de confusion, ne parvient pas à l'entacher. Aucun défaut n'est sien. La boue ne pollue pas la nature de l'eau. De même, les passions perturbatrices fusent à partir de l'esprit adamantin, base de manifestation de tels artifices ; elles se déploient comme le jeu de sa nature, mais, si puissantes soient-elles, elles ne l'affectent en rien. Bon de toute éternité, il n'est que bonté *(samantabhadra, kun tu bzang po).*

La bouddhéité est parée de tous les dons, parmi lesquels figurent les dix forces et les quatre intrépidités ; toutes ces facultés sont potentielles en substance dans l'esprit de vajra. Seules certaines conditions empêchent leur émergence. Aussi est-il dit que nous sommes illuminés dès l'origine et que nous sommes doués d'un esprit fondamental d'une parfaite bonté.

Ainséité, vérité ultime ou conscience fondamentale, quel que soit le nom qu'on lui donne, il s'agit de l'identifier et de voir que tout, dans le monde et dans le nirvana, est son jeu. En progressant dans son expérience, le chercheur en vient à constater que toute forme d'existence est d'ordre nominal, vérifiant ainsi ce que démontrent les textes de l'école de la Voie du milieu.

Il sait maintenant qu'il a été le jouet des apparences ; il a cru en leur autonomie, en leur réalité propre, mais, en fait, tous les phénomènes, tous les événements qui peuvent être perçus sont adventices, dénués d'essence ; les choses n'ont pas la propriété d'exister par elles-mêmes ; cependant, elles donnent l'illusion d'être pourvues d'une existence en soi et nous adhérons à ce faux-semblant.

Sa réflexion l'amène ensuite à comprendre les mécanismes qu'entraîne cette méprise. Elle nous pousse à accomplir de bonnes et de mauvaises actions, qui nourrissent des prédispositions, et nous nous empêtrons de plus belle dans l'existence cyclique. Mais, lorsqu'on s'exerce à voir les apparences comme le jeu de l'esprit fondamental en demeurant en lui, on ne se laisse plus influencer par les idées conventionnelles.

Celui qui identifie la conscience fondamentale et réalise directement, continuellement et définitivement ce qu'elle signifie, en *absorption méditative,* devient un bouddha, dans ce monde même.

Lorsqu'un yogi chevronné s'absorbe dans la contemplation de la claire lumière, les écoles modernes le disent au repos. Dans leur terminologie, les mécanismes mentaux qui sont à l'origine des actes et des prédispositions sont des formes de conscience plus grossières que celles d'apparence, de croissance et d'achèvement imminent [1] ; ces formes de conscience grossières doivent s'éteindre pour que la claire lumière puisse apparaître. Lorsqu'elle se lève, si l'on ne peut y demeurer, les visions d'achèvement imminent, de croissance et d'apparence se manifestent, et, à leur suite, les quatre-vingts conceptions [2] entraînant des actions contaminées et l'accumulation de tendances. C'est là ce qui nous fait du mal. Mais, lorsqu'on s'établit fermement dans la claire lumière, dès que prend fin le stade d'achèvement imminent, les émotions conflictuelles et les conceptions ne peuvent plus se former. On se tient au-delà de la sphère conceptuelle. Aucune passion n'est assez puissante pour s'imposer dans cet état de conscience. Il s'agit d'un réel repos. C'est ainsi que cela se traduit dans l'école moderne.

En termes Nyingma, lorsqu'on comprend la réalité de l'esprit adamantin, ce mode même d'existence, on découvre que, dans le monde comme au nirvana, toutes choses n'apparaissent que par son pouvoir, comme son propre jeu au travers duquel on peut voir qu'elles sont dénuées de réalité propre et qu'elles n'existent que grâce à l'esprit fondamental. C'est très

1. Ces niveaux fondamentaux plus ou moins subtils de la conscience, qui se manifestent également à la mort, sont analysés par Lati Rinbochay et Hopkins dans *Mort, État intermédiaire et Renaissance dans le bouddhisme tibétain,* France, Éditions Dharma.

2. Il s'agit des quatre-vingts sortes de conceptions, divisées en trois groupes, et correspondant aux trois formes de consciences profondes : l'une prend l'aspect d'un blanc éclatant, la deuxième est d'un rouge éclatant et croissant, et celle citée ci-dessus est d'un noir éclatant d'achèvement imminent. Voir Lati Rinbochay et Hopkins, *op. cit.*

semblable à ce que démontre Nagarjuna dans la précieuse guirlande [1] : l'existence cyclique est un leurre, dit-il, parce qu'elle dépend d'un leurre – l'ignorance. Bien que l'esprit basique ne soit pas fictif, tout ce qui existe au monde et au nirvana est son jeu ; pourtant, cela n'apparaît pas ainsi. Dans cette perspective, les phénomènes sont montrés comme un leurre. Lorsqu'on le réalise, on est forcé d'admettre que toute chose n'existe que nominalement. D'après Dodrupchen, cette vue de la multiplicité des apparences, comme le jeu de la conscience fondamentale, nous fait nécessairement mieux comprendre la position de l'école de Conséquence quand elle conclut à une existence uniquement due au pouvoir de la conceptualisation.

Il existe, dans la grande perfection, une pratique qui permet de voir les apparences émanant du jeu et du rayonnement de l'esprit, tandis que l'attention est maintenue sur l'entité fondamentale de l'esprit. Si cette méthode ne s'étend pas longuement sur l'élimination de l'objet à réfuter – l'existence en soi – ni sur la nature conceptuelle et nominale des phénomènes, c'est parce que cela se révèle dès que l'on comprend que tous ces phénomènes ne sont que la manifestation et le jeu de cet esprit fondamental de claire lumière. Tous les points que les écoles modernes de la voie du milieu jugent indispensables à la découverte de la vacuité sont présents dans cette pratique.

Pour l'école de Conséquence, il importe de comprendre que les phénomènes n'ont d'existence que nominale et conventionnelle, et non intrinsèque. Dans d'autres interprétations, chez les Gelug en particulier, l'examen en méditation ne porte que sur l'absence d'existence propre. Le chercheur fixe toute son attention sur l'objet à réfuter, et, tandis qu'il s'efforce de ne pas le perdre un instant de vue, ce qu'il voit doit se traduire en termes de négation non affirmative. Une négation qui n'implique rien à la

1. Chap. I.29. « Les agrégats d'esprit et de corps se manifestent à partir de l'idée d'un moi qui est en fait une conception erronée. Comment ce qui germe d'une fausse graine pourrait-il être vrai ? » Voir la *Précieuse Guirlande des avis au roi* de Nagarjuna, France, Éd. Yiga Tchen Dzinn, incluant *Le Chant des quatre attentions.*

place. Aucune affirmation. C'est un point que la Voie du milieu considère comme fondamental par rapport à la vacuité. Bhāvaviveka le met en évidence dans son commentaire du *Traité de la Voie du milieu* de Nagarjuna. Il explique, dans la première stance du chapitre premier, que rien ne se produit de soi-même, ni d'un autre, ni sans cause, ce que Bouddhapalita et Chandrakirti affirment également.

Cependant, dans la grande perfection, le chercheur médite sur la conscience fondamentale de claire lumière, en se concentrant uniquement sur le principe purement lumineux et connaissant ; mais ce qu'il découvre ne se traduit pas en termes de négation non affirmative.

Avant d'arriver à ce stade, suivant les instructions qu'il a reçues, le chercheur essaie de s'entraîner à voir comment se présente la conscience fondamentale. Il use de la technique de la « percée », observant d'où viennent, où se tiennent et où vont les pensées. Dans ce type de méditation, il découvre, exactement comme l'énonce la théorie de la Voie du milieu, que l'esprit ne se définit pas en termes d'extrêmes et réalise, comme il se doit, qu'il est dénué d'existence propre.

Dans la pratique Nyingma de la percée, la recherche de la vacuité concerne plus particulièrement l'esprit, alors que, dans la Voie du milieu, l'examen porte sur l'individu et sur les choses, car, dans cette école, les phénomènes se divisent en « utilisateurs d'objets » et « objets utilisés ». Les Nyingma attachent beaucoup d'importance à la cognition, à l'esprit fondamental, particulièrement dans la pratique de la percée. Dans son *Compendium du phare de la pratique,* Aryadeva commente les cinq stades du *Tantra de Guhyasamaja,* pratique majeure du yoga tantra supérieur des écoles modernes et des Gelug, en particulier. A propos du troisième des cinq stades, appelé « isolement mental », il affirme que, à moins de réaliser de quelle nature est l'esprit, on ne peut se libérer. Il ne dit à aucun moment que l'on ne peut s'affranchir si l'on ne réalise pas de quelle nature est la personne ou le bourgeon d'un arbre. Au demeurant, comme il ne s'agit que d'éliminer le mythe de l'existence en soi, l'esprit, la personne ou le bourgeon d'arbre sont tous à la même enseigne. S'il insiste particulièrement sur la réalisation du vide de l'esprit, c'est simplement parce qu'il commente le stade de l'isolement mental dans le contexte du yoga tantra supérieur. Tout comme Aryadeva, les Nyingma attachent une grande importance à la nature de l'esprit ; et c'est en la dénudant dans la pratique de la *percée* que le chercheur découvre que l'esprit se caractérise par une absence d'existence en soi.

Les textes Nyingma ne permettent pas de savoir au juste si cette découverte se traduit par une négation affirmative ou par une négation non affirmative. Quelques érudits appartenant à cette école ont avancé qu'il s'agissait de la première, et il s'est trouvé des gens pour en conclure que c'était là un point de désaccord sans issue pour ceux qui soutiennent la vue d'une négation non affirmative. Mais la question est plus complexe que cela.

Dans leurs commentaires de la pratique, les sutras distinguent également deux sortes d'examens : l'un concerne l'objet et l'autre le sujet. Dans le premier, on se penche sur un phénomène comme l'impermanence. Dans le second, le sujet se représente mentalement un personnage auquel il s'identifie – ce processus est utilisé notamment pour développer l'amour.

Dans la pratique Nyingma, lorsqu'on s'absorbe dans la contemplation de l'esprit secret, l'esprit s'emploie lui-même à identifier la nature secrète de l'esprit et la soutient grâce à la seconde forme de méditation. Lorsque l'esprit secret se reconnaît lui-même, il est devant une simple évidence. Or le chercheur sait déjà, pour l'avoir découvert dans la percée – en cherchant d'où il vient, où il se tient et où il va –, que l'esprit est dépourvu d'existence en soi ; en l'associant à ce qu'il expérimente, il se rend compte que l'esprit se caractérise par une absence d'existence en soi. On peut qualifier ce processus de négation affirmative, mais cette négation n'est pas de la même nature que celle, bien connue, des tenants de la Voie du milieu : la négation affirmative de *l'apparence vue comme une illusion* qui est un mélange d'apparence et de vacuité. Cette dernière se situe à un niveau grossier de l'esprit quand l'autre fait appel à une conscience subtile. Plus on se rapproche de l'esprit fondamental, moins les concepts peuvent envahir le champ. Tout au long de ce processus, la conscience s'affine jusqu'à atteindre son niveau le plus subtil, culminant dans la claire lumière.

Pour les écoles modernes, la perception de la claire lumière est également associée à celle de la vacuité d'existence propre. D'après l'interprétation de Norsang Gyatso, érudit et initié Gelug, à l'instant de la mort, la claire lumière mère [1] apparaît pour tout un chacun ainsi que la vacuité également, mais le non-initié ne réalise pas la vacuité. Pour tout être vivant, même pour une punaise, la perception grossière dualiste s'évanouit au moment de la mort. Ce ne sont pas les perceptions conventionnelles qui s'éteignent alors, mais les apparences *plus grossières*. Aussi est-il dit qu'à moins d'avoir l'expérience d'un yogi de très haut niveau, on ne réalise pas la vacuité de la claire lumière au moment de la mort, bien qu'elle soit manifeste ; ce n'est possible que lorsqu'on a déjà éliminé la fausse conception d'une existence inhérente. En revanche, quand le mort se présente à un méditant accompli, son esprit s'unit indissociablement à la vacuité, et la réalisation est parachevée.

Dans la pratique de la grande perfection, le yogi se familiarise de jour en jour avec l'esprit fondamental en faisant appel à des perceptions mentales subtiles, capables de le voir dans sa vacuité et son apparence entremêlées. Les pensées se font de plus en plus rares et finissent par laisser le champ de la conscience libre de manifester la claire lumière. Il est donc clair que tous les facteurs mis en œuvre pour développer la vue de la vacuité dans les textes sutriques et mantriques des écoles modernes se trouvent appliquées dans la méthode de la grande perfection de l'école Nyingma.

Dans la pratique des écoles modernes, il n'est pas possible de réaliser l'esprit fondamental tant que les six perceptions sensorielles – la perception mentale comprise – sont actives. Ces

1. La claire lumière mère est la conscience de claire lumière qui se manifeste à la mort. La claire lumière fils est la conscience qui est éveillée grâce à la pratique de la voie yogique. Le yogi chevronné profite de la claire lumière mère apparaissant à la mort pour pénétrer la vacuité d'existence propre. Cela s'appelle la rencontre de la claire lumière mère et fils.

mécanismes mentaux ordinaires doivent être inhibés avant que l'esprit fondamental se dénude, car les facultés subtiles ne peuvent pas appréhender un phénomène en leur présence.

Cependant, avec la pratique de la grande perfection, l'ancienne école Nyingma offre la possibilité de connaître la claire lumière sans suspendre les six perceptions sensorielles. Les passions, même si elles se réveillent au contact d'un objet de désir ou de répulsion et malgré les écrans qu'elles dressent dans le conflit entre le bon et le mauvais, sont fondamentalement de nature lumineuse et connaissante. Étant donné que l'esprit de claire lumière est un principe de conscience de par ce caractère de simple luminosité et de connaissance, on a la possibilité de l'identifier dans sa nature de claire lumière, même dans un état de conscience grossier comme le désir ou la haine.

Ainsi que le dit Dodrupchen, le facteur de simple luminosité et connaissance imprègne toutes les formes d'esprit et peut être reconnu même au milieu d'émotions violentes, sans que les six perceptions sensorielles soient mises à l'arrêt.

De façon identique, le *Tantra de Kalachakra* indique la possibilité d'imaginer une forme vide, une apparence fictive de l'esprit fondamental avant même d'avoir réalisé ce qu'il est. Il ajoute que l'enfant n'a pas besoin de connaître les thèses bouddhistes pour inventer une forme fictive, il fait cela par jeu. Une forme imaginaire est forcément une vision de l'esprit subtil basique ; il n'est donc pas nécessaire de mettre à l'arrêt les six sens ni d'avoir déjà réalisé la conscience fondamentale la plus subtile pour que sa représentation surgisse. Mais que ce soit dans la pratique de la grande perfection ou grâce au *Tantra de Kalachakra,* quand le yogi atteint un très haut niveau de compétence, les six perceptions sensorielles s'arrêtent et il s'éveille à la conscience la plus subtile ; ce qui est tout à fait conforme aux instructions du mantra secret dans les écoles de traduction modernes. La différence avec la grande perfection, c'est qu'il n'est pas nécessaire de mettre les perceptions sensorielles à l'arrêt *au début* pour se livrer à l'identification de l'esprit fondamental ; le yogi peut ainsi reconnaître la claire lumière sans avoir à intervenir sur les fonctions élémentaires de la pensée.

Lorsqu'il y parvient, il n'a pas d'effort à faire pour éliminer les notions de bon et de mauvais. Aucune pensée n'a le pouvoir d'abuser celui qui est capable de rassembler son esprit sur le seul facteur de luminosité et de connaissance. Alors les émotions et les idées qui pervertissent la réalité ont de moins en moins de prise sur le yogi ; il met un frein à son imagination et elle le déborde de moins en moins. Telle est la présentation originale de la vue, de la méditation et du comportement dans la grande perfection. Le chercheur ne peut y accéder à moins d'avoir été introduit à l'esprit fondamental et de l'avoir identifié.

Trois méthodes permettent d'approcher l'esprit fondamental. Les écoles modernes en proposent deux : la pratique du *Tantra de Guhyasamaja* et celle de Kalachakra – la thèse de la forme fictive ; la troisième est la théorie de la grande perfection des Nyingma. Dans les écoles modernes, à un certain niveau de la voie du mantra secret, le mantrika a recours à certaines pratiques comme l'union sexuelle avec une partenaire, la chasse d'animaux, etc. La pratique de l'union s'explique facilement. C'est un moyen de faire du désir un serviteur sur la voie, car il induit la conscience très subtile dans laquelle se révèle la vacuité. Mais, en ce qui concerne la chasse, cela ne peut pas se traduire dans les mêmes termes. Ses visées ne concernent que le chercheur en intime relation avec la conscience fondamentale, à un niveau si élevé qu'il peut avoir une totale confiance en sa pratique. De tels praticiens sont au-delà des mots. Rien pour eux n'est exclusivement bon ou mauvais. Lorsqu'on atteint ce stade, on se sert de la colère, par pure charité, comme d'un moyen sur la voie. Cette pratique se fonde sur les mêmes bases que les écoles modernes.

Cette importante théorie d'unification s'éclaire lorsqu'on fait la synthèse des explications de la vue par l'école de la Voie du milieu, *Guhyasamaja, Kalachakra,* les Tantras féminins comme *Chakrasamvara,* la grande perfection, et les instructions clefs enseignées par Dodrupchen.

Il importe toutefois de rencontrer un lama expérimenté et d'en accepter les conseils. Je me suis appuyé pour cette étude sur les enseignements de Dodrupchen Jigmé Deupé Nyima, érudit et adepte Nyingma d'une exceptionnelle qualité. Son maître,

Jamyang Kyentsé Wangpo ('Jam-dbyangs-khyen-brtse-dbang po, 1820-1892), était tout à la fois la réincarnation du roi Trisong Détsen (Khri-srong-lde-brtsan) et celle d'un lama d'une incroyable impartialité à l'égard des vues Nyingma, Sakya, Kagyu et Gelug.

Dodrupchen n'avait pas encore vingt ans qu'il connaissait déjà sur le bout des doigts les textes de la Voie du milieu, comme la perfection de sagesse et la connaissance valide ; il n'ignorait rien des interprétations des écoles modernes des *Tantras de Kalachakra* et de *Guhyasamaja,* sans parler de la grande perfection, sa pratique maîtresse.

J'ai été frappé par une remarque de Nagarjuna que Dzong-ka-ba cite dans son commentaire du sens secret des quarante premières syllabes de l'introduction au *Tantra de Guhyasamaja.* Dans son ouvrage sur les *Cinq Stades (Panchakrama, Rim pa lnga),* Nagarjuna déclare : « Toute chose est semblable à l'absorption contemplative devant l'illusion. » Dzong-ka-ba se sert de cette citation pour démontrer que le monde et les êtres ne sont que le jeu du vent (énergie) et de l'esprit. J'ai trouvé là l'essence même d'une théorie profonde et je me suis fondé sur ce principe, explorant les diverses études qui s'y rattachent. En lisant Dodrupchen, il me semblait que sa main effleurait ma tête comme pour m'encourager à poursuivre dans cette direction et me faire sentir que mon intuition était juste.

Je ne prétends pas avoir atteint une connaissance achevée ; simplement, quelque chose me dit qu'il doit en être ainsi. Mais il faut d'abord se perfectionner dans la démarche de la voie du milieu par la pratique des *Tantras de Guhyasamaja* et de *Kalachakra* et approfondir le *Sens général du « Tantra de l'essence secrète »* de Dodrupchen.

De toute évidence, la logique des épistémologues *(pramanika)* [1] et des tenants de la Voie du milieu *(madhyamika),* qu'ils appartiennent à l'école ancienne ou aux écoles modernes, ne convient plus dès qu'il s'agit d'expliquer comment opèrent les mécanismes

1. A l'origine, les pramanikas *(tshad ma pa)* sont des disciples de Dignaga et de Dharmakirti, les sautrantikas suivant le raisonnement et les chittamatrins suivant le raisonnement. On les appelle les « épistémologues » à cause de l'intérêt qu'ils prennent à la connaissance valide *(pramana, tshad ma),* d'où leur nom.

extrêmement subtils aux niveaux avancés de la pratique du *mantra secret.*

Par exemple, dans la pratique du *Tantra de Guhyasamaja,* certaines formes sont utilisées comme moyens [1] d'éveil ; c'est ainsi que la sagesse de la claire lumière, intervenant au quatrième stade (au niveau de la réalisation), détruit instantanément les obstructions [2] à l'intelligence, innées et acquises, à la façon d'un antidote. Les finesses de ce processus échappent à l'entendement tant que l'on n'est pas initié grâce à la pratique du yoga tantra supérieur, au fonctionnement des énergies subtiles motrices et des messages de la conscience qu'elles transportent. Les épistémologues et les tenants de la voie du milieu sont à court de mots pour rendre compte de ces phénomènes.

Au sein même des écoles de traduction modernes, celui qui s'est contenté d'étudier le système de Guhyasamaja trouvera déroutant le processus de Kalachakra. Il sera surpris, devant la structure des canaux et des énergies, du rôle qu'ils jouent dans l'élaboration d'une forme imaginaire ; du fait que cette visualisation puisse entraîner l'éveil de l'extase suprême inaltérable, dans laquelle 21 600 éléments matériels du corps sont consumés par 21 600 gouttes de substances blanches et rouges, en conséquence de quoi 21 600 émissions latentes sont maîtrisées, et l'on parvient ainsi à la bouddhéité. Cela peut sembler difficile à accepter lorsqu'on est passé par une autre démarche. Il est indispensable d'y être introduit par un lama compétent qui l'a

1. Dans les théories à partir des sutras, les démarches sont essentiellement des modes de conscience à mettre en éveil pour atteindre un niveau supérieur. Le parler juste est considéré dans certaines pratiques comme une forme et il est également emprunté comme une voie d'éveil. Ici, dans la pratique de Guhyasamaja, le corps illusoire qui représente le troisième des cinq stades de la phase de réalisation est une voie. Le corps en lui-même ne constitue une voie dans aucune des théories du sutra.

2. Dans le système du grand véhicule du sutra (appelé le véhicule de la perfection), il faut un temps incalculable au bodhisattva pour surmonter les obstructions innées – l'*a priori* d'existence propre et tous les états négatifs que cette croyance induit. Alors que, dans le yoga tantra supérieur, elles sont vaincues en un éclair par la réalisation de la vacuité, grâce à la conscience de claire lumière très subtile dont la puissance est gigantesque.

lui-même réalisé. Lui seul est habilité à vous faire entendre que cette voie, purement issue des tantras, donne les résultats attendus et qu'elle est digne de confiance.

Il en va de même lorsqu'on compare la grande perfection aux écoles modernes de traduction.

A la lecture de Longchenpa (klong-chen-pa Dri-med-'od-zer, 1308-1363) dans *Richesse du véhicule suprême (Theg pa'i mchog rin po che'i mdzod)*, de légères différences apparaissent çà et là, notamment dans la présentation des chemins. Mais il faut dire que ces enseignements s'adressaient à des gens différents, et, dès lors qu'ils s'appuient sur les deux vérités, fondement même du bouddhisme, ces différences sont simplement la marque de leur originalité. On ne peut pas mettre en question une présentation inédite simplement parce qu'elle ne nous est pas familière.

Du fait que la structure des canaux varie légèrement d'une méthode à l'autre, l'ordre dans lequel les visions apparaissent varie quelque peu lui aussi. Ces différences ne font que traduire celles qui existaient dans la structure physique des découvreurs de ces théories.

Celle de Guhyasamaja indique par exemple trente-deux canaux en rayons au centre vital * situé au sommet de la tête, et seize à celui de la gorge ; ces données sont inversées dans la démarche de Kalachakra. Dans le processus de résorption, la vision du mirage précède celle de la fumée dans la première méthode, et c'est encore l'inverse dans l'autre. La première rend compte de huit signes et l'autre de dix.

Il existe des différences similaires dans la grande perfection.

Chaque système propose des techniques différentes pour mettre en éveil la conscience primordiale de claire lumière. Dans la méthode de Chakrasamvara, on doit faire naître quatre extases. Celle de Hevajra passe surtout par la chaleur interne qui a pour nom « la Féroce » *(chandali, gtum mo)*. Kalachakra privilégie l'exercice de la concentration sur une forme imaginaire. La grande perfection se distingue en offrant au yogi la possibilité d'induire l'apparence de la conscience fondamentale de claire

* Sanskrit : *chakra (NdT)*.

lumière sans qu'il ait à passer par un raisonnement. Il se contente de se tenir dans un état non conceptuel en travaillant conjointement avec diverses conditions internes et externes. Dans la pratique Kagyu, il existe une méthode similaire appelée le grand sceau *(mahamudra, phyag rgya chen po).*

Afin d'arriver à voir comment se présente la claire lumière, la grande perfection propose la technique suivante : entre l'audition d'un bruit et l'identification qui nous le fait nommer, il y a un état non conceptuel qui n'a rien à voir avec le sommeil ni avec l'absorption contemplative ; l'esprit y reflète cette entité purement lumineuse et connaissante : dans cette fraction de temps, on identifie l'entité fondamentale de l'esprit. Les apprentis philosophes des écoles modernes qui vont répétant sans cesse la définition de la conscience (« simple luminosité et connaissance ») feraient bien de l'identifier par eux-mêmes. Il ne suffit pas de rabâcher des mots, des définitions et des citations, il faut en passer par l'expérience directe, et je considère qu'à cet égard la démarche de la grande perfection est tout à fait valable ; elle permet d'entrer en contact avec cette entité de simple luminosité et connaissance.

Sa théorie enseigne que l'esprit conditionné est contraire à l'illumination. Il convient d'identifier l'esprit fondamental, puis de comprendre que la multiplicité des phénomènes est le jeu de cet esprit, et, enfin, de demeurer concentré sur ce constat afin de s'en pénétrer. Cette pratique ne fait pas appel à la répétition de mantras ni à la récitation de textes, etc. : elle a mieux à offrir. Les autres moyens sont laborieux, fabriqués, celui-ci invite à la spontanéité, à la détente. La pratique qui demande un effort vient du mental. Ce qui est spontané et ne demande aucun effort émane de la conscience fondamentale.

Les livres ne peuvent pas nous conduire jusqu'à elle. On l'atteint par le sérieux avec lequel on s'exerce dans la pratique préliminaire, et grâce à l'enseignement particulier d'un maître expérimenté, capable de nous initier à cette théorie Nyingma. Mais cela ne suffit pas. Il faut encore que de son côté l'étudiant ait tout fait pour mériter de réaliser la conscience fondamentale. Le grand Jigmé Lingpa ('Jigs-med-gling-pa, 1729 ou 1730-1798) s'enferma trois ans et trois cycles lunaires [1] en tête à tête avec cette pratique avant qu'elle ne s'éclaire. Ce ne fut pas sans mal. Ce ne le fut pas davantage pour Dodrupchen. Ses écrits soulignent le travail acharné qu'exigent les exercices préliminaires avant d'en arriver à la pratique spontanée et sans effort. Il insiste sur l'importance d'être initié à la conscience fondamentale par un maître l'ayant lui-même réalisée, sur la concentration de l'esprit exclusivement fixé sur ce point ainsi que sur un retrait complet du monde. Selon lui, si ces conditions sont remplies, on parvient au but, sans quoi c'est impossible.

Ceux qui ne la connaissent pas s'illusionnent sur cette pratique. Ils pensent que le fait de ne pas avoir à réciter de mantras, à méditer sur une déité, etc., en fait une voie facile. C'est parfaitement absurde. Elle n'a rien d'aisée. Celui qui ne connaît pas la vue de la voie du milieu et n'a aucune expérience de l'intention altruiste de parvenir à l'illumination s'imaginerait sans doute que c'est irréalisable. Et pourtant, c'est un puissant facteur de progrès.

Lorsqu'on réussit pleinement dans cette pratique, on réunit les deux corps de vérité et de forme d'un bouddha. Dans le système de Guhyasamaja, le point final est l'union du corps illusoire conventionnel et de la claire lumière ultime. Dans l'application de Kalachakra, il s'agit de l'union de la forme fictive et de l'extase inaltérable. Dans la grande perfection, la réalisation résulte de l'unification entre la vue et la méditation – la « percée » et le « bond » [2]. Toutes ces démarches se résument essentiellement à l'esprit fondamental inné de claire lumière. Les sutras eux-mêmes, sur lesquels Maitreya a fondé son commentaire du *Continuum sublime du grand véhicule,* regardent l'esprit fondamental comme la base de leur pensée dans leur discussion sur la nature de Bouddha, essence d'« un-ainsi-allé » *(tathagatagarbha, de bzhin gzhegs pa'i snying po).* Mais ils ne donnent

1. Une phase de croissance ou de décroissance de la lune, qui correspond ici à trois ans et un mois et demi, et non trois ans et trois mois, selon une erreur fréquente concernant le sens de *lo gsum phyogs gsum.*

2. Le bond en avant est un processus de progression sur la voie au moyen de facteurs mentaux spontanés et harmonieux. Voir *La Pratique tantrique Nyingma* de Khetsun Sangpo, Londres, Rider, 1982, p. 222.

pas de détails sur la pratique complète, que l'on trouve en revanche dans les théories du yoga tantra supérieur.

Tel est le point final sur lequel se rassemblent ces diverses méthodes et qui clôt ce chapitre. Lorsqu'on dépasse tout sectarisme, c'est une source d'inspiration et un sujet d'émerveillement que de voir ces écoles embrasser la même pensée fondamentale.

Table

Présentation 9
Discours du prix Nobel 13
Le droit au bonheur 25
La lumineuse nature de l'esprit 33
Quatre Nobles Vérités 37
Karma 43
Sagesse et compassion : la médecine du Bouddha. . . . 47
L'altruisme et les six perfections 51
Par-delà toute religion 65
Richesses du bouddhisme tibétain 71
La compassion dans la politique 79
Méditation 87
Bouddhisme de l'Orient à l'Occident 105
Les déités : « Quel est votre secret ? ». 117
L'entraînement de l'esprit en huit stances 123
Om mani padme hum 139
Le chemin de l'illumination 141
Soi et non-soi 183
La mort dans le bouddhisme tibétain 193
Plongée dans l'infiniment subtil. 207
Les deux vérités 217
L'union des écoles de traduction ancienne et moderne . . 225